O Improvável
Presidente do Brasil

Recordações

Fernando Henrique Cardoso

Com Brian Winter

O Improvável Presidente do Brasil

Recordações

Prefácio de Bill Clinton

Tradução de Clóvis Marques

2ª edição

CIVILIZAÇÃO BRASILEIRA

2013

Copyright © Fernando Henrique Cardoso, 2006
Copyright © da tradução, Civilização Brasileira, 2013

TÍTULO ORIGINAL EM INGLÊS
The Accidental President of Brazil – A memoir

FOTO DE CAPA
Comício pelas eleições Diretas Já, Praça da Sé, São Paulo, 25/01/1984.
Antonio Carlos Piccino/Agência O Globo

CIP-BRASIL. CATALOGAÇÃO NA FONTE
SINDICATO NACIONAL DOS EDITORES DE LIVROS, RJ

C262i Cardoso, Fernando Henrique, 1931-
2ª ed. O improvável presidente do Brasil : recordações / Fernando Henrique Cardoso, Brian Winter ; tradução Clóvis Marques. – 2ª ed. – Rio de Janeiro : Civilização Brasileira, 2013.
368 p. : il. ; 21 cm.

Tradução de: The Accidental President of Brazil
Inclui apêndice
Inclui bibliografia
ISBN 978-85-200-1209-3

1. Cardoso, Fernando Henrique, 1931-. 2. Presidentes – Brasil – Biografia. 3. Brasil - Política e governo - Séc. XX. I. Winter, Brian. II. Título.

CDD: 923.981
13-05988   CDU: 929:913(81)

EDITORA AFILIADA

Todos os direitos reservados. Proibida a reprodução, armazenamento ou transmissão de partes deste livro, através de quaisquer meios, sem prévia autorização por escrito.

Direitos desta edição adquiridos pela
EDITORA CIVILIZAÇÃO BRASILEIRA
Um selo da
EDITORA JOSÉ OLYMPIO LTDA.
Rua Argentina 171 – 20921-380 – Rio de Janeiro, RJ – Tel.: 2585-2000

Este livro foi revisado segundo o novo Acordo Ortográfico da Língua Portuguesa.

Seja um leitor preferencial Record.
Cadastre-se e receba informações sobre nossos lançamentos e nossas promoções.

Atendimento e venda direta ao leitor:
mdireto@record.com.br ou (21) 2585-2002.

Impresso no Brasil
2013

Aos meus netos Joana, Helena, Júlia, Pedro e Isabel

Sumário

Prefácio à edição em português   9

Prefácio do presidente Bill Clinton   13

CAPÍTULO 1   Ofício de família   17

CAPÍTULO 2   O imperador e o general   25

CAPÍTULO 3   Toda bolha acaba estourando   33

CAPÍTULO 4   Receita de golpe   67

CAPÍTULO 5   O amargo caviar do exílio   91

CAPÍTULO 6   Jeitinho   125

CAPÍTULO 7   Mudanças já!   153

CAPÍTULO 8   Os reis da selva   191

CAPÍTULO 9   Um presidente *real*   221

CAPÍTULO 10   Lembrem-se do que eu escrevi   251

CAPÍTULO 11   O Efeito Samba   285

CAPÍTULO 12   O país do futuro   315

Epílogo   347

Agradecimentos   353

Créditos das fotos do encarte   355

Índice   357

Prefácio à edição em português

A decisão de escrever este livro começou em um encontro em Nova York. O editor de outro livro meu, *A arte da política*, meu amigo Sergio Machado, que dirige a Record, marcou um almoço entre nós dois, o editor da Public Affairs, Peter Osnos, e seu colaborador Clive Priddle. A ideia era convencê-los a traduzir e publicar em inglês o referido livro. Durante o almoço contei várias histórias sobre o Brasil e, em parte, sobre minha família. Peter Osnos disse com franqueza:

— Olha, para publicar seu livro, é melhor procurar uma editora universitária. Trata-se de um volume de 700 páginas que contém minúcias sobre a história recente de seu país. Os leitores americanos que talvez se interessem por ele estão nas universidades e provavelmente sabem português, ou pelo menos espanhol, de modo a ter acesso à edição brasileira. Seria muito melhor que você escrevesse sua autobiografia pensando nos leitores estrangeiros.

Eu respondi que resistia à ideia de escrever uma autobiografia, que me parecia um tanto pretensiosa (posição que mantenho até hoje). Entretanto, poderia tentar escrever algo que, tomando como pretexto algumas das histórias que eu lhes havia contado sobre minha família e minha experiência política, poderia mostrar ao público estrangeiro algumas das transformações pelas quais o Brasil passou nos últimos tempos.

Aceita a sugestão, colocava-se a questão da língua em que o livro seria escrito. Escrevê-lo em inglês, dada sua finalidade, seria mais adequado. Meus conhecimentos literários do inglês são, contudo, modestos. Daí que me tivessem sugerido um jovem jornalista americano, com experiência em espanhol, mas, à época, sem conhecer o português. Foi Brian Winter, hoje correspondente-chefe para a agência Reuters no Brasil e perfeito conhecedor do nosso idioma. E assim foi feito. O livro foi o resultado, portanto, da colaboração com Brian Winter, para quem gravei depoimentos, ora em espanhol, ora em inglês, e que leu muito do que eu já havia escrito, inclusive *A arte da política*. Os textos em inglês foram sendo revistos e alterados por mim e por um assessor, o diplomata José Estanislau do Amaral. Contei, como sempre, com a colaboração de Danielle Ardaillon, além da leitura crítica de vários amigos citados no texto.

A edição americana do livro, com o título *The Accidental President of Brazil*, teve relativo sucesso, com várias edições em capa dura e brochura e, mais tarde, no Kindle. A apreciação da crítica estrangeira foi positiva, tendo sido publicadas resenhas favoráveis na *The Economist*, no *Financial Times* e em várias outras publicações. Este último escreveu tratar-se de "um relato convincente e acessível da história recente do Brasil, que se lê como um *thriller*".

Não obstante relutei bastante em publicá-lo em português: o texto se refere a autores que escreveram em inglês, deixando à margem outros que, embora tivessem lidado com os mesmos temas, não eram acessíveis ao leitor médio americano por haverem sido publicados em outro idioma. Há alusões a fatos e situações que são familiares a leitores anglófonos, mas que podem perder sentido para o leitor brasileiro. Também entro em minúcias que fazem sentido para um público leigo em nossas coisas, mas talvez sejam dispensáveis para o leitor brasileiro. Além disso, tanto o livro mencionado sobre *A arte da política* como o mais recente *A soma e o resto* abordam com mais densidade temas que floreio no presente volume.

Entretanto, em nenhum deles eu me refiro de modo tão pessoal a certos acontecimentos. É mais fácil, às vezes, entrar em pormenores pessoais em uma língua estrangeira do que na própria. Por fim, a singeleza do livro provavelmente facilitará sua difusão e permitirá que muitas pessoas menos versadas em nossa história contemporânea e sem conhecimento do inglês possam dela tomar conhecimento. Por isso decidi autorizar a tradução, que me parece adequada. Introduzi pequenas modificações no texto, sempre tomando em conta que ele se dirige a um público mais bem conhecedor do Brasil. Decidi, contudo, manter o essencial do texto original.

Tendo sido escrito em 2004/2005 e publicado em 2006, o livro não poderia abordar a crise financeira de 2007/2008 e suas consequências sobre nossa economia, nem a paralisação das economias do mundo rico e tampouco a menor credibilidade das políticas monetárias e fiscais ortodoxas ou as desilusões com o fracasso das negociações de Doha. Tampouco deveria comportar a atualização dos dados estatísticos válidos naquele momento. Por outra parte — o que me parece melhor, dado a proximidade histórica dos acontecimentos e minhas posições políticas —, não ampliei o texto para abarcar as evoluções dos governos que sucederam ao meu, com seus acertos e erros. Nem muito menos o julgamento do "mensalão" ou as manifestações de rua mais recentes, que, se não põem em dúvida legados, mostram que mesmo os avanços obtidos são insuficientes para calar o desejo de mais e melhor. É cedo, contudo, para uma avaliação equilibrada desses processos, e, dada minha proximidade com a cena política contemporânea, achei melhor não adiantar opiniões que poderiam ser marcadas por parcialidade.

Palavra final: este foi o último livro no qual contei com a ajuda de minha mulher, Ruth Cardoso. Como fez enquanto viveu, criticou página por página este livro, e muitas de suas críticas ajudaram a conter meus impulsos intelectuais nem sempre ajuizados.

Prefácio do presidente Bill Clinton

Na década de 1990, pela primeira vez na história, mais da metade da população mundial vivia em países com governos democraticamente eleitos. Essa revolução democrática varreu o nosso hemisfério. Como nunca antes, as Américas convergiram na adoção de metas e valores comuns. Meu amigo, o presidente Fernando Henrique Cardoso, ao mesmo tempo simbolizava e liderava esse movimento. Ele foi preso, banido e exilado, mas não desanimou. Seu escritório sofreu um atentado a bomba, seus amigos foram torturados, mas ele jamais abriu mão dos ideais de tolerância e entendimento.

Nós temos uma particular responsabilidade e uma particular capacidade, no Brasil e nos Estados Unidos, de trabalhar em cooperação com os outros países das Américas para manter esse impulso democrático e expandir seus benefícios para aqueles que ainda não puderam senti-los. Nossos países têm as maiores populações e as maiores economias, abundância de recursos naturais e uma enorme diversidade nas respectivas populações. Sobretudo, cultivamos os mesmos valores: liberdade e igualdade, respeito pelo indivíduo, importância da família e da comunidade, justiça social e paz. O presidente Cardoso e eu forjamos uma amizade sólida e uma produtiva relação de trabalho em torno desses valores comuns.

O Brasil enfrentou uma série de graves desafios durante os mandatos do presidente Cardoso, superando muitos deles sob a sua liderança. O Brasil saiu de uma ditadura há apenas 20 anos, graças em parte ao empenho de Cardoso. Como senador e ministro, ele tratou de consolidar e fortalecer a nascente democracia brasileira, e, em seguida, como ministro da Fazenda, lutou pela estabilização da economia do país.

A estratégia econômica adotada por Cardoso como ministro da Fazenda, o Plano Real, levou ao controle da hiperinflação que comprometia seriamente a economia brasileira. A contenção da inflação elevou consideravelmente a renda real dos pobres, lançou bases sólidas para o crescimento econômico e protegeu o país de muitas das crises financeiras por que têm passado outros países em desenvolvimento.

O Plano Real foi tão bem-sucedido que o povo brasileiro elegeu Cardoso presidente. Sociólogo de grande prestígio antes de embarcar numa carreira política, Cardoso infundiu rigor acadêmico e criteriosa formulação de políticas no seu estilo de governo. Continuou trabalhando com empenho nas questões econômicas e comerciais para promover a prosperidade do seu povo, empreendendo uma política de privatizações que arrecadou bilhões de dólares. Também entendeu que a globalização podia ajudar o Brasil, e graças à promoção de acordos de livre-comércio entre os países das Américas aumentou as exportações e expandiu a economia do país.

Acima de tudo, o presidente Cardoso comprometeu-se com a busca da prosperidade pelo bom caminho, mantendo ao alcance de todos os cidadãos a oportunidade de participar da riqueza gerada pela economia global. Ele sabia que uma economia cada vez mais globalizada exige o aprofundamento da democracia e o estado de direito, protegendo os trabalhadores e educando os jovens que encarnam o futuro de nossos países. No governo do presidente Cardoso, o Brasil destinou quase seis por cento do seu PIB à educação, trabalhando com afinco no sentido de aumentar a população escolar e contribuir para que maior número de crianças concluísse os primeiros anos de estudo. O seu programa "Bolsa Escola" é um modelo para os países em desenvolvimento de todo o mundo, e nós criamos a Parceria para a Educação, com o objetivo de trabalhar juntos para preparar nossas crianças para o futuro.

O empenho do presidente Cardoso pela justiça ultrapassa as fronteiras do seu país. Sob seu governo, o Brasil mostrou-se um cidadão global responsável. Ele combateu ameaças internacionais como a criminalidade, o tráfico de drogas e o terrorismo. O Brasil aderiu ao Tratado de Não Proliferação de Armas Nucleares, ao Tratado de Proibição Completa de Testes Nucleares e aos Acordos de Kyoto. O país também adotou uma política inovadora e agressiva de combate à pandemia de HIV/aids, proporcionando remédios antirretrovirais a todos os brasileiros que deles necessitassem.

Em dois mandatos na presidência, Fernando Henrique Cardoso conduziu seu país com coragem, visão e elegância por uma paisagem internacional cheia de perigos em potencial. Assumiu a presidência de uma jovem democracia com uma economia instável e transformou o Brasil numa nação madura e próspera, respeitada em todo o mundo. Suas memórias contam a história de sua notável liderança como presidente, de sua fascinante vida pessoal, de seus extraordinários encontros com outras personalidades históricas e, talvez de maneira particularmente comovedora, de seu amor da vida inteira pelo Brasil. Ninguém mais que ele serviu ao Brasil tão bem nem de maneira tão fiel.

CAPÍTULO 1

Ofício de família

A política interrompeu minha vida pela primeira vez numa praia de águas cristalinas em Niterói, do outro lado da baía do Rio de Janeiro. Era o mês de maio de 1938, e eu tinha apenas seis anos. Minha família desfrutava das habituais férias no sol tropical à beira-mar quando, certa noite, fomos tirados da cama pela campainha estridente do telefone. Meu pai tirou o gancho do aparelho preso à parede, ouviu, calado, e desligou. Vestiu às pressas o uniforme militar, lançou mão de um revólver e saiu porta afora.

Era a noite da tentativa de golpe dos integralistas, um bando meio estapafúrdio de fascistas que vomitava ódio aos judeus e aos comunistas sob o lema "Deus, Pátria e Família". Os integralistas recebiam financiamento de Mussolini e se consideravam herdeiros de Hitler, mas eram inconfundível e tipicamente brasileiros. Como os nazistas, erguiam a mão direita em saudação, mas em vez de *"Sieg heil!"* gritavam *"Anauê!"* — palavra indígena de significado obscuro que supostamente refletia as ideias nacionalistas do grupo. Afastados do poder após o fechamento do Congresso pelo presidente no ano anterior, um pequeno bando de integralistas entrou em pânico e promoveu um audacioso e absurdo ataque ao palácio presidencial naquela noite de maio.

Como não havia guarda suficiente no palácio, o presidente Getúlio Vargas não teve alternativa senão tentar repelir pessoalmente os agressores. Barrigudo e apreciador de charutos, o ditador apareceu na janela do palácio com uma submetralhadora e começou a atirar a esmo contra os rebeldes lá fora, enquanto sua filha Alzira, de vinte e três anos, telefonava desesperadamente aos comandantes militares, pedindo reforços. Os integralistas, que tampouco se revelaram muito bons no combate, devolviam o fogo sem muita pontaria, por trás de vasos de plantas e esculturas que iam pelos ares. A batalha sofreu uma virada decisiva quando alguém montou uma submetralhadora na janela do palácio. Num dos momentos mais surrealistas da história do Brasil, o próprio Getúlio continuou disparando contra os atacantes, mantendo-os a distância por várias horas, até que meu pai assim como outros oficiais e soldados chegaram.

Uma dúzia de integralistas foram mortos, e a rebelião foi sumariamente sufocada. A partir dali, Getúlio cercou-se de um pelotão de guarda-costas que o acompanhavam o tempo todo, demonstrando uma profunda paranoia que acabaria por levá-lo à morte.

Ao voltar para casa no dia seguinte, meu pai estava suado e exausto, mas ileso.

— Está tudo bem agora — disse-me com um sorriso franco. — Podemos voltar a nossas férias.

Naquela noite na praia, dei-me conta pela primeira vez de que, no Brasil, um governo podia ter de se defender com armas. O que era uma revelação altamente perturbadora, pois na minha cabeça de criança o governo do Brasil era absolutamente inseparável da minha família; eram a mesma coisa. Meu tio-avô, Augusto Ignácio do Espírito Santo Cardoso, fora ministro da Guerra de Getúlio. Meu pai trabalhara no Ministério com ele. Vários outros membros da família eram generais e oficiais intimamente ligados ao regime; um dos meus primos viria mais tarde a seguir o exemplo do pai como ministro da

Guerra, e outro primo foi nomeado pelo governo prefeito do Rio. Na imaginação infantil, uma tentativa de golpe equivalia, portanto, a um ataque contra minha família.

Para uma criança de seis anos, era sem dúvida um batismo político dos mais fortes.

Com o passar dos anos, dei-me conta de que episódios assim não eram propriamente uma aberração. Cresci ouvindo histórias fantásticas sobre meu bisavô, senador provincial, por duas vezes vice-governador de um estado no árido e atrasado planalto central do Brasil; sobre meu avô, um general que participou da fundação da República; e sobre meu pai, também general, preso duas vezes por envolvimento em malsucedidas rebeliões na década de 1920. A política parecia ao mesmo tempo uma paixão avassaladora e uma violenta intrusão na vida de sucessivas gerações dos meus antepassados. Havia nela certo ar de inevitabilidade.

— Procure sempre conversar informalmente com o carcereiro — disse-me meu pai certa vez. — Seja humano, sempre que possível. Você deve sempre puxar conversa. E com o guarda, não com o capitão.

Eu não devia passar muito dos dez anos quando ele me deu esse conselho. Mas o fato é que nunca questionei por que motivo me dizia uma coisa assim. Na verdade, a recomendação paterna haveria um dia de se revelar de grande utilidade.

Mas embora a política fosse aparentemente um ofício de família para muitos de meus parentes, passei o início da vida tentando evitá-la, acabando, contudo, por sucumbir a seus encantos. Alguns amigos (e não poucos críticos meus) zombam de semelhante ideia, achando que eu me sentia naturalmente atraído pelo poder a qualquer custo: diziam "Fernando Henrique não podia ser papa, e então resolveu ser presidente do

Brasil". Mas o fato é que eu sempre me interessei mais por ler livros tranquilamente, preferindo o mundo que conhecia antes de o telefone tocar naquela noite de outono em Niterói.

* * *

As pessoas esquecem o seguinte: quando o cargo veio a tocar-me, quem, na plena posse de suas faculdades, haveria então de querer ser presidente do Brasil?

Depois de 20 anos de ditadura militar, que finalmente chegou ao fim em 1985, eu era o terceiro presidente civil do Brasil. Um dos meus antecessores tinha morrido antes de tomar posse. O outro sofreu *impeachment* por suposto desvio de milhões de dólares. Voltando mais no tempo, o histórico dos chefes de Estado brasileiros é ainda mais lúgubre. Um deles pôs fim à própria presidência com um tiro no coração; outro morreu inconsolável, falido e exilado num quarto de hotel em Paris; outro ainda renunciou um belo dia sem mais nem menos, embriagou-se e tomou um navio para a Europa.

O fracasso puro e simples não é capaz de levar um homem a tais extremos. Estamos falando desse tipo muito especial de fracasso que ocorre quando um enorme potencial fica tragicamente aquém das expectativas. Era o tipo de fracasso em que o Brasil se havia especializado.

À primeira vista, é fácil ficar deslumbrado. Ao viajar ao exterior, os brasileiros costumam ser alvo de chacota pelo hábito de recorrer a superlativos para falar do seu país. Mas não podemos evitar. O Brasil é o quinto maior país do mundo em tamanho e população, com 185 milhões de habitantes ocupando um território maior que a área continental dos Estados Unidos. Tem a maior economia da América Latina e a oitava maior em termos mundiais, o que o posiciona logo depois da

Rússia e adiante da Itália. É o maior produtor mundial de açúcar, laranja e café, mas não é apenas um produtor de *commodities*; é igualmente um dos dez maiores produtores mundiais de aviões e automóveis. Sua profusa diversidade étnica só tem equivalente nos Estados Unidos: numa estimativa por alto, o Brasil abriga pelo menos 25 milhões de pessoas de origem italiana, 10 milhões de descendentes de alemães e mais de 10 milhões de sírio-libaneses. O Brasil tem mais habitantes de ascendência africana que qualquer outro país à parte a Nigéria. Há mais descendentes de japoneses em São Paulo do que em qualquer outra cidade fora do Japão. O Brasil é o número um em exportações de carne, o país católico mais populoso do mundo e assim por diante.

Toda essa abundância ocupa uma esplêndida e variada paisagem de praias de areias brancas, florestas verdejantes e planícies férteis. O Brasil possui um quarto — um quarto! — das terras aráveis do mundo. O país é praticamente autossuficiente em petróleo, e ao longo dos séculos vem extraindo vastas quantidades de ouro. Aparentemente não há limites para as riquezas naturais e humanas contidas em suas fronteiras, como há tempos gabam os escritores inspirados em antigo livro chamado *Por que me ufano de meu país*.

Quer dizer então que o Brasil é um paraíso? Poderia ser, não fossem os infernais problemas de natureza igualmente superlativa.

Apesar dos vastos recursos naturais, o Brasil é provavelmente mais conhecido por ostentar uma das maiores disparidades mundiais entre ricos e pobres, com 10 por cento da população detendo cerca de metade da riqueza do país. Um quarto da população ganha menos de US$ 1 por dia. Apesar da vastidão das terras cultivadas, ainda existem bolsões de desnutrição. Milhares de crianças abandonadas perambulam pelas ruas de nossas cidades. A taxa de homicídios é tão alta que corresponde à definição de guerra civil de baixa intensidade estabelecida pelas Nações Unidas. Temos a maior taxa mundial de mortes por armas de fogo. São Paulo e Rio de Janeiro se transformaram em verdadeiras "cidades-muralhas", onde a classe média busca refúgio em condomínios que mais parecem penitenciárias do que blocos de apartamentos. O legado da escravidão, que trouxe ao país maior número de escravos africanos do que em qualquer outra parte do hemisfério ocidental, resultou numa das mais injustas tradições de brutalidade, exclusão e exploração. A maior dívida externa do mundo, associada a um crônico déficit orçamentário, deixava as finanças governamentais em permanente estado de crise.

Fazer política no Brasil é tentar conciliar essas monumentais contradições. O alcance do desafio é difícil de avaliar. Cada novo presidente, otimista ao assumir o cargo, acha que pode levar a cabo a missão. No passado, contudo, muitos desses homens não passavam de uma amargurada sombra do que eram ao deixar a função. O que aconteceu nesse intervalo raramente terá sido uma história bonita de se contar.

Bill Clinton disse-me certa vez que todo país tem um grande medo e uma grande esperança. A Rússia, por exemplo, sempre temerá uma invasão estrangeira, enquanto a China vai temer sempre a desintegração de dentro para fora. Eu disse a Clinton que, no caso do Brasil, o medo e a esperança são basicamente a mesma coisa.

Nossa esperança é que nos tornemos uma potência mundial próspera e justa, de acordo com o tamanho continental do país. Sempre acreditamos ser esse o nosso destino. A obsessão quase infantil com nosso potencial e a crença de que um dia alcançaremos a grandeza são inclusive louvadas no hino nacional:

Brasil, um sonho intenso, um raio vívido
De amor e de esperança à terra desce,
Se em teu formoso céu, risonho e límpido,
A imagem do Cruzeiro resplandece
Gigante pela própria natureza,
És belo, és forte, impávido colosso
E o teu futuro espelha essa grandeza

Palavras de grande força, nunca concretizadas. Como eu disse a Clinton, a realidade no Brasil tem estado muito mais próxima do nosso medo nacional, o de que nunca conseguiremos realizar nosso destino, aprisionados às famosas palavras de Stefan Zweig: "O Brasil é o país do futuro, e sempre será."

Os brasileiros sempre se ressentiram desse clichê. Sentem igual aversão à maneira como o mundo vê o Brasil: um país de jovens frívolos permanentemente bronzeados de praia, entregues a um eterno Carnaval e sambando com a garota de Ipanema sem se preocupar com a ressaca do dia seguinte. "Não é nada disso", protestamos desesperados por sermos levados a sério. Mas de fato *existe* alguma verdade na maneira como somos vistos pelo mundo. O Brasil realmente *precisa* superar um traço de caráter irresponsável e quase cômico que no passado às vezes levou o país a parecer ingovernável. A história oferece algumas pistas sobre os motivos disso, mas entender essa instabilidade e superá-la são duas coisas completamente diferentes.

Passei a maior parte da vida como professor de sociologia, tentando explicar a maneira como complexas forças sociais levam os países a mudar. Na verdade, este é o quadragésimo segundo livro de cuja redação participo. Mas ele é muito diferente dos outros. Não contém uma apreciação detalhada da minha carreira acadêmica, nem tampouco uma análise exaustiva das políticas do meu governo. Esse tipo de informação pode ser encontrado em outras fontes. Este é, sobretudo, um livro sobre gente. E de certa forma eu acredito que é esta a melhor maneira de contar essa história. Contemplando retrospectivamente minha vida, acho impressionante — e não pouco assustador — que personalidades individuais possam ter influência tão profunda sobre um país. Este livro trata das pessoas, algumas famosas, outras nem tanto, que moldaram o Brasil ao longo do último século.

Ele conta a história da maneira como o Brasil deu um passo em direção à sua grande esperança — um passo hesitante, mas, ainda assim, um passo. É a história da minha vida, da minha família e do meu país — tudo interligado, pelo acaso ou o destino, das maneiras mais pessoais e inesperadas. É a história do meu grande amor pelo Brasil: um amor de vertiginosos altos e baixos, que, no entanto, sobreviveu a todos eles. E é a história da minha improvável jornada até o topo, para a qual contribuíram a sorte, bons amigos e, sim, um mais que generoso quinhão de acidentes propícios pelo caminho.

CAPÍTULO 2

O imperador e o general

Num palácio encravado nas montanhas das imediações do Rio de Janeiro encontrava-se uma litografia representando o momento em que Dom Pedro II, o segundo e último imperador do Brasil, era mandado para o exílio em 1889.* A cena reproduz uma espécie de hora da verdade, um desses confrontos decisivos capazes de mudar para sempre a história de um país.

À direita, três austeros oficiais do Exército entregam uma carta instruindo o imperador a deixar o Brasil em vinte e quatro horas. À esquerda vê-se a Corte imperial, um mar de rostos consternados. E no meio está sentado Dom Pedro II. Era a essa altura um homem fragilizado de sessenta e três anos, com uma vasta barba descendo pelo peito e a outrora impressionante estatura de metro e oitenta comprometida pela idade e a diabetes. Na litografia, ele parece curiosamente calmo; estende a mão sem grande empenho para receber a carta, e seus belos e brilhantes olhos azuis traduzem cansaço e indiferença. Parece verdadeiramente um homem resignado ao seu destino.

Talvez Dom Pedro II esperasse uma despedida mais digna. O imperador governara por quase meio século, abarcando a maior parte da história do Brasil desde que se tornara inde-

---

* Foi publicada em SILVEIRA, Urias da. *Galeria Histórica da Revolução Brazileira*. Rio de Janeiro: Typographia Universal de Lemmert & Co., 1890, p. 72 e 73. No mesmo livro há uma litografia com meu avô Ignácio Batista Cardoso nas páginas 192 e 193. Ambas são de autoria de N. Frachineti e G. Hardoy.

pendente de Portugal em 1822. Ele próprio descendente da família real portuguesa, Pedro II subira ao trono brasileiro em circunstâncias não propriamente ideais. Seus antecessores tinham alcançado êxito apenas parcial na tentativa de domar o bravio e jovem país; sua bisavó era conhecida simplesmente como "Maria a Louca"; seu avô, Dom João, saiu-se melhor como governante, mas no imaginário popular seus méritos ficaram praticamente encobertos pelo notório apetite por frango assado, que o levava a esconder pedaços nos bolsos. Dom João também foi obrigado a trancafiar a rainha num convento quando se descobriu que ela estava tramando o assassinato da mulher de seu amante. Desde o início a corte imperial foi abalada por esse tipo de escândalo, comprometendo uma autoridade já vacilante num país tão vasto e caótico.

Foi sob esse dúbio legado que Dom Pedro II subiu ao trono brasileiro com apenas cinco anos de idade, quando seu pai voltou a Portugal para disputar um trono de maior prestígio. Instaurou-se uma regência para tocar o governo do país até que Pedro II chegasse à idade adulta, mas o destino interveio; na tentativa de preservar a unidade do país, ameaçada por revoltas regionais, ele foi levado a assumir plenamente as funções governamentais com apenas quatorze anos. Um adolescente no comando não era propriamente uma receita de sucesso num país frágil e quase tão jovem quanto ele, mas Pedro II ganharia estatura de líder esclarecido e hábil, pelos padrões da época.

O imperador falava ou lia dez línguas, entre elas inglês, francês, espanhol, grego, latim, sânscrito e hebraico. Uma de suas diversões favoritas era viajar ao exterior sob pseudônimo, visitando sinagogas e lendo pergaminhos em voz alta. Mandou construir um observatório astronômico no palácio, e seu amor à ópera, à pintura, à escultura e ao teatro favoreceu um florescimento cultural no Rio. Nas horas vagas, gostava de escrever poesia e traduzir textos estrangeiros ou mandar cartas a seus inúmeros amigos no exterior, entre eles Louis Pasteur, Victor Hugo, Alexander von Humboldt e Henry Wadsworth Longfellow. Viajante incansável, andou muito pela Europa e os Estados Unidos, contribuindo para o surgimento de uma imagem que teria vida longa, a do brasileiro de convívio afável no exterior.

A viagem de Dom Pedro que mais chamou a atenção ocorreu em 1876, quando ele se tornou o primeiro chefe de Estado estrangeiro a pisar nos Estados Unidos. Retrospectivamente, pode parecer incrível, mas tanto o Brasil quanto os Estados Unidos ainda eram de certa maneira apenas pretendentes num mundo dominado pelas monarquias da Europa. É possível, na verdade, que o sangue real do imperador conferisse maior prestígio ao seu país em comparação com os Estados Unidos, segundo os retrógrados padrões da época. Mas ele nem de longe poderia ser considerado um tradicionalista. Pedro II provocou não poucos narizes torcidos ao programar sua visita para coincidir com o centésimo aniversário da independência americana — celebrando, afinal de contas, a derrubada de um monarca europeu para fundar uma república. O simbolismo não podia ser acidental, e antecipava mudanças por vir.

O ponto alto da visita do imperador era a Exposição do Centenário em Filadélfia. Nela, Dom Pedro II procurou um jovem e relativamente desconhecido professor da Escola para Surdos, chamado Alexander Graham Bell, com quem se correspondia. Seguido por uma tropa de repórteres, o imperador encaminhou-se para o estande de Bell, escondido num recanto mal-iluminado da feira. Empolgado, Bell apresentou a Dom Pedro II sua mais recente invenção, que até então não merecera muita atenção, e pediu que o imperador o ajudasse a demonstrá-la para o crescente número de curiosos jornalistas.

O imperador lançou mão do estranho "telefone" e o pôs de lado, perplexo, ao ouvir Bell do outro lado, recitando o monólogo de Hamlet: "Ser ou não ser?"

— Meu Deus! — exclamou Pedro II. — Ele fala!

Com essa publicidade, a invenção de Bell tornou-se a grande sensação da feira.

Aparentemente inesgotável, Dom Pedro II aproveitou bem sua viagem pelos estados norte-americanos, assistindo a uma peça de Shakespeare em Nova York, visitando as Cataratas do Niágara e percorrendo num vapor o rio Mississippi, até Nova Orleans. Encontrou-se com o presidente Ulysses S. Grant, a quem viria a se referir mais tarde, em caráter privado, como "rude". Durante toda a visita, o imperador muitas vezes parecia comportar-se menos como um dignitário estrangeiro do que como um escritor em viagem; quando a partida de seu trem de Nova Jersey foi atrasada, por exemplo, ele declarou: "É um povo tão ativo — quando se trata de ganhar dinheiro! Sob outros aspectos, eu os acho preguiçosos."

Dos Estados Unidos o imperador seguiu para a Europa e o Oriente Médio. Viu a Acrópole ao luar, navegou pelas águas do Nilo e visitou parentes nas cortes reais do Velho Continente. "Não dá para saber o que foi que ele *não* viu nem fez!", registrou uma perplexa rainha Vitória da Inglaterra em seu diário. "Ele começa o dia às seis da manhã e o encerra tarde da noite em festas!" E realmente ainda seriam necessárias muitas festas até Dom Pedro II se sentir satisfeito. Ele finalmente voltou ao Brasil em setembro de 1877, tendo passado nada menos que dezoito meses no exterior.

Se a duração da viagem parece indicar que Pedro II estava fugindo de casa, é porque realmente estava. Durante a longa viagem, o imperador deixara sua filha Isabel incumbida da função real no Brasil, instruindo-a a entrar em contato com ele apenas em caso de grave emergência. Ao retornar, mostrou-se inusitadamente intratável, e mesmo deprimido. Indispunha-se com a família e perdera boa parte de seu famoso gosto pela vida. Aparentemente a retomada das responsabilidades cotidianas no governo do Brasil representava uma tarefa hercúlea. Ele não seria o último a se sentir assim.

Apesar de esclarecido, Dom Pedro II ficava perplexo diante do mesmo dilema que confundiria todos os seus sucessores: havia pelo menos dois Brasis, um deles muito rico e o outro, muito pobre. Longe dos palácios dourados e dos museus do Rio imperial, havia um vasto e selvagem território de aldeias decadentes e abjeta pobreza rural. Uma porcentagem minúscula da população sabia ler, praticamente sem acesso a cuidados médicos. Pedro II certamente reconhecia o problema; passara muitos anos no poder inaugurando escolas, construindo hospitais e promovendo a cultura. Apesar de todo o seu empenho, a miséria do Brasil parecia intratável.

Havia naturalmente um motivo para isso. Dom Pedro II não atacara a questão da desigualdade brasileira em sua raiz: a instituição da escravidão. Pessoalmente, o imperador tinha profunda aversão à escravidão, mas não fora capaz de reunir o poder político necessário para aboli-la. A economia brasileira girava em torno das plantações de açúcar do Nordeste e das fazendas de café da região de São Paulo e do Rio. Os donos dessas plantações dependiam do constante suprimento de mão de obra escrava para suas colheitas. Em sua estrutura econômica, portanto, boa parte do Brasil se assemelhava ao sul dos Estados Unidos, onde fora necessária uma guerra civil para mudar o *status quo*. Até que uma transformação igualmente dramática ocorresse, o país estava condenado a uma perpétua desigualdade, não importando o número de escolas ou hospitais que o imperador inaugurasse no Rio.

Por volta da época em que o imperador retornou de sua viagem, um décimo da população ainda era escravizado. Mais da metade da população brasileira era de negros, em sua maioria escravos libertados ou descendentes; apesar de livres, eles sofriam permanentemente de discriminação, que os condenava a permanecer na base da pirâmide econômica.

A insatisfação com essa situação vinha fermentando há anos. Entre 1864 e 1870, o Brasil se envolvera numa guerra brutal com seu vizinho do sudoeste, o Paraguai. Para compensar a escassez de soldados "qualificados", o exército não tinha alternativa senão completar suas fileiras com a população escravizada, oferecendo a liberdade àqueles que combatessem. O Brasil saiu vitorioso, mas os custos foram enormes. Um país que se envergonhava profundamente de sua população africana precisou mobilizar um exército em parte negro para rechaçar uma invasão estrangeira. Como as tropas "selvagens" combatessem com notável bravura, demonstrando capacidade e patriotismo, a elite majoritariamente branca se viu confrontada com uma série de questões ainda mais difíceis e torturantes: Como poderia o Brasil modernizar-se um dia se parte da população era escrava? E um país assim jamais seria capaz de se defender? *Será que sequer chegava a ser uma nação?*

Essas questões se levantavam com mais estridência num grupo de jovens veteranos que acabava de voltar da guerra. Eles tinham visto com os próprios olhos como seu país realmente era injusto, e não tinham respostas fáceis. Sabiam apenas que não queriam passar o resto da vida numa sociedade eternamente atrasada; haviam constatado o quanto de instabilidade era gerado pela desigualdade. O Brasil precisava dar um grande salto à frente para se emparelhar com países igualmente jovens, porém mais modernos, como a Argentina e os Estados Unidos. Para esses veteranos, parecia haver apenas uma solução: livrar-se do imperador.

Pedro II ficava assim com as mãos atadas entre uma elite decidida a lutar pela própria sobrevivência e um crescente segmento da população que exigia mudanças. Muitos líderes brasileiros viriam no futuro a se encontrar na mesma situação, mas o imperador, tragicamente, não foi capaz de resolver o conflito entre essas pretensões opostas. No dia 13 de maio de 1888, quando o Brasil finalmente aboliu a escravatura, Dom Pedro II sequer esteve pessoalmente envolvido. Graves problemas de saúde, entre eles a diabetes e um pequeno derrame, o haviam forçado a fazer outra viagem à Europa, dessa vez menos gloriosa, para tratamento médico. Em sua ausência, sua filha Isabel assinou o decreto de abolição. O Brasil tornava-se o último país do hemisfério ocidental a libertar seus escravos.

Tendo tomado uma das decisões mais postergadas de sua história até então, o império selava o próprio destino. A decisão de Isabel enfureceu os poderosos donos de fazendas, que representavam o último esteio do poder de Dom Pedro. Enquanto isso, sentindo que seu momento finalmente chegava e insatisfeitos com o gesto do imperador, os jovens e progressistas veteranos da guerra começaram a falar abertamente contra a monarquia.

CAPÍTULO 3

Toda bolha acaba estourando

Eu nasci na casa da minha avó, em Botafogo, no Rio de Janeiro, a 18 de junho de 1931, num mundo em rápido processo de desintegração. A cidade ainda se agarrava a seus sonhos de esplendor tropical e provincianismo de classe média, e longas e alegres tardes eram passadas nos cafés ou à beira-mar. Ainda muito pequeno, eu tive aulas de ginástica na Praia de Copacabana, e com meus amigos corria e brincava pelas montanhas verdejantes que se projetam dramaticamente sobre a cidade, e que ainda não exibiam as favelas que desde então vieram a ocupar suas encostas. Nessa época, os problemas que atormentavam o Brasil além do Morro do Pão de Açúcar não passavam de boatos para a maioria dos habitantes do Rio. Era uma vida idílica e meio ilusória, mas nossas vidas não demorariam a se chocar de frente com a realidade.

Enquanto isso, a classe média voltava-se alegremente para uma vibrante vida cultural. O Rio sempre procurou se inspirar no exemplo de Paris, e seus cidadãos imitavam de maneira insistente e não raro cômica o Velho Continente. Quando eu e minha irmã íamos à ópera no "inverno" tropical do Rio com minha avó e minhas tias, ela e as outras mulheres faziam questão de exibir pomposos casacos de pele. Quase se esvaíam em suor, naturalmente, pois a temperatura só muito raramente caía abaixo de 15 ou 16 graus — uma realidade tornada ainda mais flagrante pelo fato de que, no verão, esses casacos eram guardados em refrigeradores especialmente feitos para impedi-los de desintegrar no calor tropical. O Rio não era exatamente Paris, mas bem que tentava.

Por baixo da superfície, contudo, o Rio começava a enfrentar os mesmos problemas que o resto do Brasil. A Grande Depressão quebrou a espinha dorsal da economia brasileira, provocando queda de 65 por cento nos preços internacionais do café. Inicialmente, os fazendeiros decidiram não vender suas colheitas a preços tão aviltados, e em 1930 mais de 26 milhões de sacas de café dormiam intactos nos depósitos brasileiros, o que era uma quantidade prodigiosa, equivalente a todo o consumo mundial no ano anterior.

Enquanto os poderosos fazendeiros esperavam em relativo conforto por uma recuperação que não viria, desempregados em situação de desespero passaram a perambular pelas ruas do Rio de uma hora para outra. A fome que se espalhava pelas áreas rurais deu origem ao primeiro grande surto de urbanização no Brasil, à medida que os trabalhadores rurais buscavam refúgio nas cidades. Mas eles não podiam encontrar muito alívio, num país carente das mais elementares medidas de segurança social e pouco inclinado a ajudar os recém-chegados a se integrar a uma sociedade produtiva. Na década de 1930, mais de metade da população adulta sequer sabia assinar o próprio nome.

Eu me via, a todo momento, cercado por essa realidade, que me chocava, mas devo admitir que só comecei a entender a pobreza através dos livros. Lembro-me de que *As vinhas da ira*, de John Steinbeck, me causara forte impacto. Podia parecer chocante que um brasileiro que crescia no Rio de Janeiro da época da Depressão viesse a se familiarizar com a questão da pobreza através de uma história passada na Califórnia, contada ainda por cima por um autor norte-americano. Mas é verdade. Eu sabia que havia pobreza no Brasil, mas senti-la de perto, quanto mais entendê-la realmente, era difícil. Para estabelecer um paralelo com a situação norte-americana contemporânea, uma criança privilegiada do Upper West Side de Manhattan pode ter consciência da pobreza existente a apenas alguns quarteirões, no Harlem, mas será que realmente sabe o que é sentir fome? Provavelmente, não. Para mim, a literatura era o melhor portal disponível para esse mundo. Também tínhamos maravilhosos escritores brasileiros, como Jorge Amado, José Lins do Rego e Graciliano Ramos, cujos livros descreviam a vida miserável em meio à fome, às secas e às revoltas nas áridas planícies do Nordeste do Brasil. Esses vívidos relatos da pobreza rural contribuíram para promover certa consciência social, ainda que genérica e incipiente, em toda uma geração de jovens como eu.

Naturalmente, à medida que eu crescia e me conscientizava mais do que me cercava, todo o legado da pobreza brasileira começou a se materializar diante dos meus olhos, e sua relação com o passado ficou evidente para mim. Alguns dos sinais estavam presentes, ali, o tempo todo. Na casa dos meus pais, havia uma mulher chamada Alzira. Era filha de uma antiga escrava do meu bisavô português. É difícil entender o lugar que ela ocupava em nossa casa. Era mais uma babá que uma criada. Vivia conosco, quase como um membro da família, mas não exatamente.

A relação que mantínhamos era complexa, a cavaleiro de duas épocas muito diferentes da história brasileira. Fico embaraçado em reconhecê-lo, mas, quando era muito pequeno e queria que Alzira me trouxesse algo para beber, por exemplo, eu dizia em voz alta: "Quero água!" E ao dizê-lo não olhava para ela nem para ninguém mais. Simplesmente esperava que ela estivesse presente, que me ouvisse e me atendesse. Era como as coisas se davam nessa época. Por outro lado, Alzira muitas vezes sentava-se à mesa para jantar conosco, como uma igual. Em certas casas, isso não seria permitido. Mas em nossa família era.

Eu era o filho mais velho, e sob a orientação de minha mãe e de minha avó aprendi a ler com 3 anos de idade. Mais tarde, tive um professor particular de francês. Era, em suma, uma vida perfeita de classe média alta. Mas, à medida que crescia e começava a prestar atenção nas conversas à mesa, fui-me dando conta de que um mundo muito mais duro e perigoso existia além da nossa porta de entrada.

Um ano antes do meu nascimento, o Brasil finalmente sucumbia à revolução que meu avô tanto desejara. Em 1922 e 1924, os tenentes não tinham conseguido impor ao país sua visão, mas sua hora finalmente chegou em 1930, quando a Velha República tentou descaradamente fraudar uma eleição presidencial. Indignados, os tenentes uniram forças com Getúlio Vargas, que supostamente fora derrotado na eleição. Um grupo de seus seguidores gaúchos cavalgou triunfal pelo Rio, amarrou seus cavalos num monumento em pleno centro da cidade e, fazendo coro a milhões de outros brasileiros inconformados, declarou Getúlio presidente do Brasil. A dramática gauchada representava o mais audacioso desafio até então enfrentado pela frágil e desacreditada elite no poder. Após uma série de escaramuças sem grande convicção, o presidente Washington Luís declarou que não pretendia dar início a uma guerra civil, e partiu para o exílio.

Getúlio cercou-se no governo dos tenentes e seus simpatizantes, entre eles meu pai, que toda manhã deixava nossa casa para se dirigir ao trabalho no Ministério da Guerra, sempre atento à ameaça de novas revoltas. Depois do famigerado cerco dos integralistas ao palácio, quando meu pai teve de acorrer ao Rio no meio da noite, eu mergulhei no mundo adulto —

o mundo da política, da violência e de Getúlio Vargas — decidido a prever a próxima ameaça à vida de meu pai. Certamente não faltariam intrigas palacianas nos anos subsequentes.

Nossa mesa de jantar era palco de muitos dos grandes debates que dividiam o Brasil. Intelectuais e políticos frequentavam com assiduidade a casa de nossa família. E eu era autorizado a estar presente e participar enquanto eles discutiam o futuro do país até a madrugada, bebendo café sem parar. Eu gostava dessas discussões, e também descobri que adorava vencer os debates com meus primos e amigos. Saí vitorioso em boa parte deles — pelo menos era o que achava, em minha cabeça de criança e, principalmente, mais tarde, quando adolescente. Retrospectivamente, é muito mais provável que eles acabassem se cansando da brincadeira de menino precoce. No fim, quando eu ainda era criança, meu pai simplesmente sorria, com certo orgulho, e afetuosamente me mandava para a cama.

Meu pai, o general Leônidas Cardoso, era um fantástico contador de histórias, espécie de homem letrado, bonitão e de ar afável que ocupava o centro das atenções em qualquer círculo. Refinado e de fala mansa, liberal e tolerante, ele era a antítese do estereótipo do soldado latino-americano embrutecido. Nunca usava o uniforme militar em casa, e não me estimulou a seguir carreira nas forças armadas. Pelo contrário, esperava que os filhos tivessem como ele uma grande curiosidade intelectual — o que em si mesmo já era um desafio. O desempenho das funções de oficial não representava na época um emprego de tempo integral, de modo que meu pai se formou em direito e passou a exercer simultaneamente a advocacia. Escrevia colunas políticas para jornais do Rio. Também frequentou por breve período de dois anos a faculdade de medicina homeopática, aparentemente por puro prazer. Com base nos conhecimentos lá adquiridos, todo inverno ele administrava colheres de óleo de fígado de bacalhau a mim e a meus irmãos, convencido de que nos protegeria de doenças respiratórias, como se o sol tropical correspondesse às neves do inverno.

Meu pai me parecia um homem que levara uma vida plena e às vezes conflituosa, e apreciava muito certos aspectos da vida doméstica que seus pares poderiam considerar triviais. Muitas vezes ajudava minha mãe a limpar a casa, o que era absolutamente escandaloso numa época em que se considerava inadequado que os homens simplesmente entrassem na cozinha. Tenho para mim que o prolongamento de sua vida de solteiro, passada em postos militares por todo o Brasil, deve tê-lo socializado para a vida cotidiana; ele só se casaria aos 44 anos. Em virtude da idade, ele muitas vezes parecia uma figura de avô, e era maravilhoso com as crianças. Fazia com as próprias mãos pipas e piões que compartilhávamos com as outras crianças da vizinhança. Meus amigos de adolescência o adoravam. Atendia pelo apelido algo esdrúxulo de *Sapo*, originado no fato de ter nascido em Curitiba, no Paraná, em fevereiro, onde, no verão, os sapos literalmente estavam em toda parte. Eu admirava e gostava de meu pai; sua influência sobre mim é imensurável.

Sua bonomia decorria em parte da necessidade, produto de uma época conturbada. Em duas ocasiões ele foi preso durante as revoltas contra a Velha República na década de 1920. Em alguns casos, estabeleceu um bom relacionamento com os carcereiros, que lhe permitiam comunicar-se com os outros presos, entre eles seu irmão. A atitude benevolente do meu pai, associada a uma capacidade de tolerar seus adversários, contribuiu para que suas punições fossem relativamente leves. Depois da revolta de 1924, em uma espécie de exílio interno, ele foi transferido do Rio para Óbidos, uma fortaleza no rio Amazonas, no estado do Pará. De lá, foi mandado para Manaus, onde conheceu minha mãe. Ele costumava brincar que ela fora sua punição por se ter rebelado.

Como costuma acontecer com homens próximos do poder, meu pai também podia tornar-se terrivelmente sério e crítico de uma hora para outra. Não confiava em grandes empresas, mercados financeiros ou qualquer tipo de especulação, pois acreditava que o dinheiro corrompe as pessoas. Não tinha a menor paciência com pessoas insistentes, e, se a conversa se tornasse maçante ou pesada, ele direcionava o ouvido defeituoso (era quase surdo em um lado) para o responsável pela lenga-lenga. Meu pai nunca bebia e se exercitava regularmente, considerando, como bom militar, que um corpo saudável predispunha a uma mente saudável. Agnóstico num país maciçamente católico, ficava um pouco na defensiva quando a conversa se encaminhava para a religião. Qualquer que fosse o vazio existente em sua vida espiritual, era preenchido com a voracidade das leituras. Ainda hoje preservo alguns de seus livros. Ele era um entusiástico consumidor de literatura francesa, apreciando autores como Victor Hugo e Anatole France. Também devorava filósofos como Herbert Spencer, um dos principais adeptos da teoria da evolução, e Auguste Comte, o pai do credo positivista tão caro aos tenentes. Em termos políticos, seguiu os passos do meu avô, com uma apaixonada convicção na construção de um Estado democrático, mas forte e centralizador, capaz de promover o bem do Brasil.

Era um homem inteligente, mas creio que minha mãe, Nayde, era ainda mais arguta. Muito ciosa de sua independência, estava decidida a levar a vida do seu jeito, numa época anterior ao feminismo. Mais perspicaz que meu pai no que dizia respeito às intenções dos outros, era perfeitamente apta a distinguir, com rapidez e precisão, o bem do mal. Mais tarde, quando meu pai entrou para a política, era minha mãe que representava, na hora da avaliação das pessoas, a força equilibradora por trás de tudo. Num comício, como um político criticasse meu pai, ela o botou para correr brandindo seu guarda-chuva. Na maioria das vezes, felizmente, mostrava-se um pouco mais reservada, embora não fosse de esconder seus sentimentos. Não sabia ler francês, mas se debruçava em traduções dos romances de amor em moda na época. Mesmo pelos exigentes padrões de hoje, minha mãe era uma mulher moderna e fora do comum.

Quando eu me aproximava da adolescência, ainda eram profundas na família as feridas resultantes de uma revolta ocorrida em 1932, quando os paulistas pegaram em armas contra o governo federal, temendo que sua região estivesse perdendo influência nos círculos fechados do Rio e que Getúlio conduzisse o Brasil por um rumo que o afastasse ainda mais da democracia. Esse tipo de revolta regional é quase impossível de entender na era moderna, mas demonstra como ainda era tênue o poder federal no Brasil, já bem entrado o século XX. Fábricas locais começaram a produzir tanques para o estado de São Paulo, e as donas de casa ricas vendiam joias para financiar a rebelião. Os combates se prolongaram por três meses, chegando a milhares o número de baixas mortais. Famílias se dividiam, inclusive a nossa. Alguns dos meus primos pegaram em armas em solidariedade a São Paulo, e meu tio-avô, então ministro da Guerra, se viu na delicada situação de ter de encarcerar parentes. Meu pai, embora participasse do gabinete de seu tio ministro, se opunha ao influente general Góis Monteiro e, discretamente, torcia pelos revolucionários paulistas. Em consequência, nossa família dividiu-se para valer. Alguns de seus membros nunca mais voltariam a se falar.

Outras famílias próximas de nós sofreram efeitos muito mais graves dessa constante turbulência política. Em 1935, o Partido Comunista organizou uma revolta armada contra Getúlio, a primeira vez em que comunistas diretamente financiados por Moscou tentavam derrubar um governo pela violência no hemisfério ocidental. O líder do golpe era Luís Carlos Prestes, que uma década antes fora o herói da chamada Coluna Prestes, o grupo de tenentes que havia atormentado a Velha República e escapado à repressão das autoridades com sua longa marcha pelo interior do país. Prestes era admirador de meu avô e antigo companheiro do meu pai, embora passassem a divergir ideologicamente na década de 1930, quando Prestes se exilou na União Soviética. Quando ele decidiu voltar ao Brasil, para disseminar o stalinismo na América do Sul, uma bela judia comunista alemã, Olga Benário, foi destacada como sua guarda-costas. No navio a caminho do Brasil, os dois se apaixonaram. Sufocada a revolta, Prestes foi para a prisão. A polícia de Getúlio prendeu Olga, grávida de uma filha de Prestes, e a deportou para a Alemanha nazista, onde ela foi morta numa câmara de gás num campo de concentração.

Ouvindo essas histórias, e à medida que os nomes de Hitler e Mussolini começavam a ressoar pelo mundo, comecei a me perguntar que tipo de homem era aquele que meu pai estava incumbido de defender. Mas, embora fosse capaz de tolerar uma inexplicável brutalidade, Getúlio preferia cooptar seus inimigos e exercer o poder antes por alianças que pelo terror. Foi isso, mais que qualquer outra coisa, que lhe permitiu manter-se no poder por quinze anos, entre 1930 e 1945.

A essa altura da história do Brasil, a ameaça da violência permeava toda decisão na vida política. Ninguém queria uma repetição de incidentes como o do Massacre de Canudos ou das guerras e revoltas regionais. A prioridade dos dirigentes do país era evitar episódios tão deprimentes. Desse modo, a tendência para buscar a conciliação tornou-se talvez a característica mais exaltada entre os políticos brasileiros. Getúlio terá sido talvez o primeiro presidente a entendê-lo, fazendo da busca do consenso e da cooptação dos adversários a mola propulsora de seu prestígio e durabilidade no governo. Ante o impasse gerado pela luta mortal entre os extremos do comunismo e do fascismo, cada um deles promovendo tentativas de golpe contra ele em diferentes oportunidades, Getúlio conseguiu manter-se a prumo optando pelo caminho do meio, embora sempre ziguezagueando.

Como todo ditador, ele sabia apresentar-se como suave. Baixo, bem-apessoado e algo roliço, sempre com um charuto na mão, Getúlio falava com uma voz mansa e esganiçada que mais parecia de um professor que de um homem autoritário. O historiador Thomas Skidmore referiu-se a ele como "o ditador menos carismático que já se viu", o que num sentido tradicional era verdade. Mas à sua maneira Getúlio sabia ser cativante. Vestia-se corretamente, sempre de paletó e chapéu, mesmo debaixo de um calor tropical. As pessoas o consideravam bondoso e competente, o tipo da sóbria figura paterna que queriam ver à frente de um país tão conturbado.

Por trás da benevolente fachada pública, contudo, havia um homem muito mais sombrio e angustiado. Como vários membros da minha família trabalharam em seu governo, nossa mesa de jantar estava sempre fervilhando de comentários sobre os medos e excentricidades ocultos de Getúlio. Os que o conheciam melhor diziam que ele se tornava surpreendentemente reservado quando os holofotes se apagavam, desconfiado até do círculo mais íntimo de assessores. Parecia solitário, talvez até deprimido. Getúlio era gaúcho, de uma família de estancieiros, o que de certa forma o tornava uma espécie de *outsider* na sociedade do Rio, que na verdade nunca o aceitou integralmente. Em vista das circunstâncias, podemos entender que Getúlio enxergasse conspirações em todo canto; seu diário é um verdadeiro rol de tentativas de golpe militar para derrubá-lo. Muitas eram imaginárias, mas outras tantas eram reais.

Para neutralizar os conspiradores, Getúlio também recorria com frequência ao puro e simples nacionalismo. Lembro-me de ter comparecido na infância a uma gigantesca manifestação de apoio ao governo. Era o Dia da Pátria, o 7 de Setembro. Toda a minha escola esteve presente numa praça do Rio de Janeiro, e cantávamos canções sobre a grandeza do Brasil. Bandeiras tinham sido penduradas nas janelas dos prédios. Getúlio e seus principais assessores ficavam num imenso palanque, acenando para as crianças que desfilavam. Ele se valia de táticas semelhantes com outros setores da sociedade; todo ano, no Dia do Trabalho, milhares de operários eram reunidos num estádio de futebol para ouvir um discurso de Getúlio.

Tudo isso fazia parte de uma mudança mais ampla: o século XX assistiu a um enorme crescimento da economia brasileira. Entre 1900 e 1982, só a economia japonesa cresceu com mais rapidez que a do Brasil. Os efeitos colaterais da Depressão prontamente desapareceram, e as cidades recebiam um grande influxo de trabalhadores para atender aos novos empregos que se criavam. Seus filhos aspirariam a se integrar a uma classe média em expansão, começando a ansiar por uma voz política que fizesse *pendant* à riqueza recém-conquistada do país. Uma vez terminada a Depressão, a indústria se expandia a uma velocidade incrível, e a produção fabril mais que duplicou na década de 1930. Getúlio deu-se conta de que, cooptando as novas classes trabalhadoras urbanas, estaria conquistando um poderoso e promissor aliado e alimentando a máquina do crescimento econômico.

Embora nem sempre tivesse governado atendendo a seus interesses, Getúlio pelo menos era suficientemente inteligente e politicamente sagaz para reconhecer a presença dos trabalhadores — o que era o bastante para lhe assegurar apoio e prestígio. Pela primeira vez no Brasil, criou-se um Ministério do Trabalho. A política oficial era orientada por uma nova ideologia de organização social, o chamado "corporativismo", buscando propiciar a adoção de um capitalismo moderno ao mesmo tempo que evitava tanto uma abordagem de completo *laissez-faire* quanto um total dirigismo de Estado. Criaram-se sindicatos para representar certos setores econômicos, tanto dos trabalhadores quanto dos empresários, e cabia ao governo negociar disputas entre os diferentes sindicatos. Em outras palavras, esperava-se que o Estado resolvesse todos os problemas econômicos e sociais — legado que viria a representar uma dor de cabeça para futuros líderes do país.

A rigor, as comparações com Mussolini e Hitler não tinham cabimento. Getúlio certamente era um autocrata, e seu governo de fato recorreu a intoleráveis atos de tortura, encarceramento e censura para reprimir a oposição. Ele fechou o Congresso em 1937 e gostava de falar da "decadência da democracia liberal e individualista". Mas não faz sentido equiparar Getúlio aos reais responsáveis pela Segunda Guerra Mundial. Embora os militares constituíssem sua base de poder, especificamente os tenentes nos primeiros anos, o próprio Vargas não era um militar, embora tivesse frequentado uma escola para formar oficiais. Cultivou estreitos laços políticos com a Igreja Católica, apesar de agnóstico, e desestimulou a formação de partidos políticos de qualquer natureza. Era a face emergente, em sua expressão mais bem acabada, da conciliação brasileira. Um mestre na arte do cálculo político, da construção e da preservação do poder.

Ironicamente, foi a adesão tardia de Getúlio à causa dos Aliados na Segunda Guerra Mundial que levou a sua queda. Ao eclodir a guerra, não ficou claro de início de que lado o Brasil haveria de se posicionar. Meu pai, por exemplo, como boa parte do Exército, inicialmente apoiou as potências do Eixo, em virtude de sua profunda desconfiança em relação à Grã-Bretanha, por ele encarada como uma potência imperialista. Entretanto, ele e a elite militar acabaram mudando de posição, em parte em decorrência da hábil pressão norte-americana para que o Brasil entrasse na guerra. Washington enviou um grupo de oficiais militares portugueses-americanos ao Rio, num esforço de aproximação com a elite cultural e militar. Essas tentativas — juntamente com a promessa de um generoso financiamento americano para ajudar o Brasil a criar uma indústria siderúrgica — acabaram convencendo Getúlio. O Brasil engajou 25.000 homens no esforço de guerra dos Aliados, enviando para os campos de combate o único exército latino-americano que chegou a disparar tiros. Ao terminar a guerra, 500 brasileiros tinham morrido na luta pela libertação da Itália.

Para mim, a guerra era uma vívida realidade, de modo algum distante do nosso território. Em 1942, submarinos alemães afundaram vários navios brasileiros ao largo do nosso litoral, matando centenas de pessoas. Eu tinha apenas 11 anos, mas meu pai deixou-me acompanhá-lo tarde da noite ao porto do Rio, quando os navios brasileiros partiam protegidos pela escuridão. Eu ficava acordado até tarde da noite ouvindo rádio e acompanhando os movimentos dos exércitos Aliados e do Eixo num grande mapa, usando botões para assinalar a localização das tropas. Não saberia explicar por quê, mas também me lembro claramente de brincar em casa de um de meus tios, que na época era coronel, usando máscara de gás. Membros da minha família usavam distintivos com os dizeres "Royal Air Force" ou "Eu doei para a causa aliada". Inúmeras campanhas de doação e paradas militares uniram então o Brasil de uma forma que nunca se vira antes.

Uniram, pelo menos por algum tempo. Quando as tropas brasileiras retornaram da Europa após a vitória na guerra, deram uma boa olhada no país — e em Getúlio — e se deram conta de que era hora de mudar. Depois de anos derramando sangue em nome da democracia, enfrentando o Holocausto e os outros horrores gerados pelos fascistas europeus, esses oficiais consideravam que o ditador do seu próprio país também precisava ser derrubado. A classe média concordava. Em outubro de 1945, poucos meses depois do fim da guerra na Europa, os militares brasileiros articularam um golpe, e não vai aí o menor senso de ironia ou inadequação — um golpe em nome da democracia. Getúlio foi informado de que, caso não renunciasse imediatamente, o exército cercaria o palácio, cortando a energia, a água e toda forma de suprimento.

Dessa vez, com as cartas marcadas em seu desfavor, Getúlio optou por deixar a presidência exatamente como seus antecessores: sem resistir muito. Resmungou vagamente sobre uma conspiração global para depô-lo, mas no fim das contas saiu sem criar caso. "Fui vítima de agentes das finanças internacionais que pretendiam manter nosso país simplesmente como colônia exportadora de matérias-primas e importadora de produtos industriais", declarou.

Os militares entregaram o poder ao presidente do Supremo Tribunal Federal, que organizou eleições que se revelariam relativamente limpas e transparentes, inaugurando de fato o sufrágio universal no Brasil. Enquanto isso, Getúlio foi poupado do exílio e se retirou para sua fazenda no Rio Grande do Sul, onde imediatamente começou a preparar terreno para um novo ato que haveria de se tornar um favorito da política brasileira: a volta.

* * *

Pouco antes do fim da guerra, meu pai foi transferido do Rio para São Paulo, pela segunda vez. A primeira foi em 1940, mais para auscultar a situação política e dela informar seu velho amigo, então ministro da Guerra, Eurico Gaspar Dutra. A segunda vez que nos deslocamos para São Paulo foi em 1944. A cidade fora visitada pelo viajante e escritor inglês Peter Fleming na mesma época. "O clima é fresco", escreveu ele. "As ruas são barulhentas; anúncios luminosos elétricos desafiam enfaticamente as estrelas. (...) Vendo os chapéus de palha entrando e saindo da Woolworth em movimentada faina, sentimos — com satisfação ou pesar, conforme o temperamento — que aqui está a América do Sul que realmente importa, a América do Sul do futuro."

Um guia de viagem da Grã-Bretanha na mesma época não se mostrava menos entusiástico. "São Paulo estampa a marca da energia. (...) O centro da cidade representa de fato um sólido núcleo de economia, indústria, agricultura, exportações e importações muito bem estabelecidas, por trás da fachada de romance geralmente associada ao Brasil no espírito do visitante."

Pode ser... Para mim, contudo, criado que fui em meio às aparências mais sofisticadas do Rio, São Paulo representou em 1940 um terrível choque. Eu nunca antes tinha visto ruas sem pavimentação; no nosso bairro, Perdizes, muitas delas eram de terra batida, ainda percorridas por cavalos e burros que puxavam carroças. Em apenas três décadas, São Paulo viria a se tornar a maior cidade da América do Sul, mas na época eu tinha a sensação de que nos havíamos transferido para um remoto interior. Agarrei-me meio pateticamente aos usos do Rio, continuando, por exemplo, a exibir na escola os mesmos sapatos preto e branco da garotada do Rio. E fiquei inconsolável à medida que meus ricos sapatos se tornavam cada vez mais imundos com a poeira das ruas e eu coberto de ridículo pelos colegas pelo inusitado colorido dos calçados. Meus colegas insistiam em me chamar de carioca. Passei várias noites planejando uma ousada e imaginária fuga noturna da casa da minha família para ir ao encontro dos meus parentes e amigos de Copacabana.

Felizmente, como em tantas outras ocasiões na minha vida, rapidamente refiz amigos e me adaptei. Na verdade, passaria a maior parte do resto da vida em São Paulo, e passei a me sentir mais paulista que carioca. Acabei deixando de lado meus sapatos do Rio e a envergar o traje formal de camisa social, gravata e paletó de São Paulo, deixando meus parentes do Rio perplexos ao insistir em me trajar com certa formalidade até na praia, em nossas visitas de família. A verdade é que eu era um estranho em São Paulo e também era um estranho no Rio; não importava onde estivesse vivendo. Felizmente, tinha amigos e família dispostos a tolerar e mesmo estimular minhas excentricidades.

Rapidamente descobri as vantagens de viver numa cidade realmente próspera: circos e cinemas, museus e clubes do livro. Na época, prevalecia na maioria das escolas a separação entre meninos e meninas, mas não era assim na minha. Meus amigos e eu, em idade bastante precoce, fizemos amizade com as meninas. O convívio era facilitado pelo fato de que a casa de meus pais ficava estrategicamente situada perto da escola, uma vez que só frequentei duas delas até entrar na universidade e que mudamos de casa a cada mudança de escola. Meus amigos vinham muitas vezes a nossa casa e desfrutavam dos cuidados domésticos de minha mãe, bem como das longas tertúlias com meu pai sobre a história do Brasil. A dança *swing* entrou na moda, e nós nos esforçamos por aprendê-la. Alguns tinham mais êxito que outros; eu era um dançarino não propriamente brilhante. Mas pelo menos tentava. No conjunto, foi um período de formação dos mais idílicos, constituindo um alicerce sólido e feliz para o resto da minha vida.

Numa das paradas militares durante a guerra, eu fui autorizado a subir num dos tanques que percorriam as avenidas do Rio. Influenciado pelo drama da guerra e o exemplo do meu pai, decidi que queria ser general ou cardeal. Foi o único período da vida em que me vi tomado de intensa religiosidade. Minha irmã lembra-se de passar pela porta do meu quarto à noite e ouvir-me rezar fervorosamente a Deus, ajoelhado no chão, para que salvasse a mim e a minha família das tentações.

Na adolescência, comecei a gostar de participar de tudo. Tinha muitos amigos — muitos dos quais não gostavam dos outros. Foi provavelmente o que me ajudou a desenvolver habilidades diplomáticas. Anos depois, Célio Benevides de Carvalho, amigo muito próximo na adolescência, declarou, falando a meu respeito a um entrevistador:

> Ele não era alguém que necessariamente estivesse *sempre* liderando o grupo. Não era o líder, mas antes o homem do consenso, que fazia alianças. Ele é que ia falar com todo mundo. Sua liderança era de outra natureza. Era ele que coordenava, que articulava. Já manifestava um pronunciado e inconfundível gosto pela política. Também salpicava tudo

que dizia ou fazia com uma boa dose de humor, às vezes irônico ou malicioso. Sabia encontrar o lado engraçado das coisas, e seus comentários irônicos sempre acabavam desarmando os piores adversários.*

Essa descrição me faz parecer um pouco demais com um Maquiavel de 14 anos. É o que com alguma maldade pode parecer hoje, pois nunca pretendi ser "político" na infância, mas essencialmente a descrição é exata. A verdade é que nossas iniciativas eram em geral banais, ou pelo menos coisa tipicamente de adolescentes. Organizamos um grupo de teatro, um grupo de leitura, e, mais tarde, até tentamos criar uma revista literária. Estávamos todos desesperados por nos tornar escritores, e fazíamos poesia. Levávamo-nos extremamente a sério. Alguns dos poemas que escrevi sobreviveram, para minha angústia, aparecendo em biografias, entre eles este:

Ai, os agudos acordes do violino
Soando nos meus ouvidos,
E eu que perdi o ritmo da vida
Na luta com os demônios
Criança sem vida
Amiga perdida.

O mundo da literatura provavelmente se tornou melhor desde que eu parei de escrever poesia... Esses versos apareceram na primeira edição de uma publicação chamada *Revista de Novíssimos*. Três jovens escritores que colaboraram nela (Décio Pignatari, Augusto e Haroldo de Campos) viriam a se tornar excelentes poetas, mas, ao que parece, as contribuições

---

* Citado in: LEONI, Brigitte Hersant. *Fernando Henrique Cardoso: o Brasil do possível*. Rio de Janeiro: Nova Fronteira, 1997.

dos companheiros menos talentosos os impediram de alcançar fama precoce. A *Novíssimos* não chegou à segunda edição.

Nosso entusiasmo juvenil, quando menos, refletia a empolgação de viver na época do florescente crescimento de São Paulo. No início da década de 1940, quando chegamos a São Paulo, morávamos no bairro Perdizes, que ficava não muito próximo ao centro da cidade, mas hoje está praticamente integrado ao chamado centro expandido. Com mudanças tão rápidas, São Paulo tornava-se uma cidade de potencial aparentemente ilimitado, se transformando num dos principais centros intelectuais da América do Sul. As pessoas praticamente se acotovelavam em busca de visibilidade e notoriedade. Os candidatos a pensadores se conheciam todos e se cruzavam constantemente nas livrarias, na Biblioteca Municipal, nas casas de chá e nas festas. São Paulo desfrutava de um boom econômico, pois a guerra na Europa gerava para as fábricas brasileiras a necessidade de atender a demandas em casa e no exterior. Depois do golpe de 1945, a democracia representativa se estabeleceu no Brasil pela primeira vez, delegando poderes a um número jamais visto de pessoas. Em última análise, todos esses fatores fizeram de São Paulo um turbulento microcosmo dos conflitos de classe e dos debates ideológicos que sacudiam o Brasil e o mundo na época.

O homem que tomou o lugar de Getúlio foi Eurico Gaspar Dutra, que fora ajudante de ordens do meu avô e, como disse, bom amigo do meu pai. Na década de 1930, Dutra costumava passar em nossa casa pela manhã, para ir com meu pai até o trabalho, na Aviação do Exército, que ele comandava. Dutra ofereceu ao país um projeto político totalmente diferente na teoria, mas que, na prática, muito caracteristicamente, acabou se revelando tradicional. À maneira bem brasileira, parecia típico que o homem que conduzia o país por seus primeiros passos na democracia fosse um general que se mostrara tão retrógrado no início da Segunda Guerra Mundial a ponto de se haver oposto à aproximação do Brasil com os Aliados contra a Alemanha nazista. Ao assumir o cargo mudou de lado: rapidamente tratou de banir o Partido Comunista Brasileiro, apoiou os Estados Unidos nas primeiras trocas de tiros da Guerra Fria e trocou visitas oficiais com o presidente Harry Truman, pedindo-lhe ajuda econômica.

Como entender tudo isso quando se é apenas um adolescente? A inspiração me chegou no mais inesperado dos lugares: à beira da piscina. De férias na estação de Águas de Lindoia com os amigos, puxei conversa com um velho senhor que lia livros que me interessavam. Ele vinha a ser um reputado professor de literatura chamado Fidelino de Figueiredo, um exilado português. Tínhamos um interesse comum pela poesia, embora, como já vimos, meu talento nesse terreno provavelmente não o tenha impressionado e ele se interessasse muito mais pelos clássicos da literatura portuguesa do que pelos poetas modernistas brasileiros que me entusiasmavam. Depois de breve conversa, ele sugeriu que eu me candidatasse à recém-fundada Faculdade de Filosofia, Ciências e Letras da Universidade de São Paulo (USP). Reforçava assim o conselho que eu ouvira do meu professor de geografia, que cursava, na época, a Faculdade de Filosofia, Ciências e Letras da USP, e era deslumbrado por seus professores franceses que ensinavam "geografia humana".

Eu já sabia que viria a frequentar a USP, mas não tinha definido ainda meu campo de estudos. Meu pai nunca pressionou para que eu seguisse a carreira militar, e eu estava mais interessado no mundo das palavras e ideias. O direito parecia uma escolha adequada, ou pelo menos popular: nada menos que um quarto dos estudantes universitários brasileiros dessa época viria a se tornar advogado, o que refletia a persistência do legado burocrático da época imperial. Entretanto, num desses minúsculos acontecimentos aleatórios que podem mudar a vida de uma pessoa, eu não passei no exame de latim para a admissão na Faculdade de Direito, embora tivesse média suficiente para entrar naquela escola.

Entrei, assim, para a Faculdade de Filosofia, como havia sugerido Figueiredo e para cujo vestibular também me apresentara. Lá, imediatamente gravitei na direção da sociologia. Se esse campo não era na época tão respeitado no Brasil quanto a medicina e o direito, pelo menos não era tedioso ou dogmático como pode parecer hoje em algumas escolas. Na década de 1950, a sociologia era um campo de estudos novo e estimulante. Ensinava-nos a entender a sociedade para mudá-la. A sociologia incorporava algo de política, economia, cultura e vida social, permitindo estudar o presente tanto quanto o passado. De maneira científica, aprendíamos a analisar dados concretos e a aplicar o que constatávamos a um mundo dinâmico e em constante transformação. A maioria dos que ali estávamos se sentia movida pelo desejo de mudar o Brasil. Em termos ideológicos, nos posicionávamos majoritariamente à esquerda, talvez mais interessados em ser socialistas do que sociólogos. Mas seríamos disciplinados pelo rigor da faculdade. O Departamento de Sociologia da USP deu origem a uma notável geração de pensadores que haveriam de se tornar alguns dos mais destacados líderes intelectuais do Brasil.

Ansiosos por deixar claro que éramos cientistas neutros e objetivos, andávamos pelo campus de guarda-pó branco, como se fôssemos médicos. O campo de estudos era rigoroso e abrangente: minha primeira dissertação tratava do filósofo pré-socrático grego Parmênides. A prosperidade de São Paulo permitira ao departamento importar vários excelentes professores franceses, e muitas aulas eram dadas em francês. Por outro lado, a vida intelectual fora da sala de aula também era estimulante. Nós havíamos adotado rigorosas regras que teoricamente nos impediam de nos envolver na vida cotidiana com os "sujeitos" de nossas investigações; esperava-se que os sociólogos atuassem num mundo à parte, voltado para a ciência. Naturalmente, isso não era possível na prática, e devo acrescentar que essas regras desmoronaram completamente na década de 1960, quando tanto os alunos quanto os professores se sentiram atraídos pelo glamour das manifestações de rua ou pelos próprios movimentos guerrilheiros.

Logo eu decidiria ser professor. Estava convencido de querer passar a vida pesquisando, escrevendo e tentando entender o mundo — e lecionar era o melhor caminho disponível nesse sentido. E eu também era bom nisso, apesar da nota baixa que recebi na primeira dissertação sobre Parmênides. Quando tinha 21 anos, ainda me formando, fui convidado a dar aulas de história econômica europeia, na Faculdade de Economia. Foi meu primeiro contracheque. Obtive meu diploma em 1952 e fui contratado como professor assistente no Departamento de Sociologia no ano seguinte. Minhas aulas geralmente eram muito frequentadas, meus primeiros livros foram considerados importantes, e eu ascendi na estrutura de liderança da USP.

Em certos países, os acadêmicos são encarados como pessoas que fracassaram na vida, incapazes ou sem disposição para participar do mundo real. Mas no Brasil das décadas de 1950 e 1960 isso não poderia estar mais longe da verdade. A elite intelectual era incrivelmente pequena: havia apenas cerca de 100.000 estudantes universitários, num país de 65 milhões de habitantes. Homens e mulheres com diplomas universitários, assim, eram quase reverenciados. Os principais acadêmicos exerciam papel influente no governo e nos negócios. As universidades eram consideradas um lugar perfeito para alguém se formar e se preparar para uma plena vida ativa. Era como estar num treinamento; nós apenas não sabíamos exatamente para que. Depois de 20 anos de trabalho, um professor podia tornar-se senador ou executivo de negócios. Ainda jovem professor, eu não tinha qualquer intenção de entrar para a política; gostava de ensinar e aprender. Mas sempre achei que estava me preparando para *alguma coisa*.

Enquanto isso, nós, sociólogos, tínhamos a sensação de estar investigando um empolgante mistério. O estudo da sociologia nos levava a tentar explicar as forças maiores que impulsionavam os acontecimentos da vida quotidiana em nossa sociedade. No Brasil, isso significava encarar um turbilhão: o que para nós eram acontecimentos da vida corrente teriam sido traumas nacionais em outros países! Por que o Brasil vivia nesse turbilhão? Quais eram as razões estruturais da pobreza? O que impelia as pessoas das áreas rurais para as cidades? Quais eram suas histórias? Eram as perguntas que motivavam nossa investigação.

Desde o início, eu me concentrei na questão que parecia estar no cerne de tudo: as relações raciais.

Na década de 1950, raça era algo de que ninguém falava no Brasil. O assunto era completamente tabu. Se alguém o trazia à baila, era apenas para repetir a posição oficial, socialmente aceitável: o Brasil era uma "democracia racial". Durante décadas, o Brasil oficial — o governo, os meios de comunicação e boa parte da literatura e da música — promoveu uma imagem popular do nosso país como principal modelo mundial de harmonia entre as raças. Segundo essa linha de pensamento, em nenhum outro lugar os negros e os brancos teriam amoldado suas respectivas culturas e famílias numa mistura tão pacífica. Em nenhum outro lugar a escravidão teria sido tão benigna ao longo dos séculos. Em nenhum outro lugar houvera tão marcada ausência de discriminação ou tão grande abundância de oportunidades para pessoas de ascendência africana.

Havia *uma certa* verdade nessas ideias. Por exemplo, as relações raciais no Brasil sempre se deram num ambiente de menos confronto que nos Estados Unidos. Os negros e os brancos podiam viver juntos, e eram raras as manifestações de violência inter-racial. Não havia leis de institucionalização do racismo semelhantes às normas de "separação entre iguais" em vigor nos Estados Unidos. A mistura de raças era ampla, com o corolário de que se tornava difícil promulgar e fazer cumprir legislação a respeito. Em outras palavras, não havia como definir quem era negro e quem era branco; quase todo mundo no Brasil tem um pouco de sangue africano e indígena. Eventualmente nascem no país bebês de pele escura de pais claros, e ninguém se surpreende realmente, pois vá lá saber o que pode ter acontecido em gerações anteriores...

Em termos gerais, contudo, ser negro no Brasil significava ser pobre. O que podia ser resumido numa palavra: favela. A favela na realidade era muito mais que um conjunto de habitações precárias ou que um bairro muito pobre: na época, significava um amontoado de casas sem serviços sanitários básicos, sem presença policial e sequer constando do mapa. Na imaginação popular, era um lugar que *tecnicamente não existia*, povoado por gente cujo papel na sociedade infelizmente podia ser comparado ao dos intocáveis na Índia. As favelas começaram a proliferar para valer depois da Segunda Guerra Mundial, particularmente nas colinas verdejantes do Rio de

Janeiro, como as de Copacabana, onde eu tinha corrido e brincado na infância.

Qualquer pessoa que entrasse numa favela ou num aglomerado urbano pobre no Brasil da década de 1950 podia constatar facilmente que os habitantes eram em sua maioria negros. Mas não havia estatísticas oficiais sobre a questão, pois o tema era tabu. De modo que nós, sociólogos, decidimos sair em campo para estudar a situação. Achávamos que, chegando a entender a dinâmica racial, poderíamos alcançar inédita e singular compreensão das forças transformadoras do Brasil.

O estudo era conduzido por Roger Bastide, um professor francês, e Florestan Fernandes, filho de humildes imigrantes portugueses. Florestan seria a maior influência no meu desenvolvimento intelectual. Depois de pesquisas efetuadas sob a orientação de ambos em São Paulo, nosso grupo, formado por professores assistentes, empreendeu suas próprias investigações nos estados do Sul: Paraná, Santa Catarina e Rio Grande do Sul. Ao longo de cinco anos, entre 1954 e 1958, fizemos as mesmas perguntas nessas regiões repetidas vezes, tentando chegar ao fundo do mistério.

Eram perguntas simples: Existem muitos negros aqui? Como se dão com os brancos? Seus filhos brincam com amigos de outras raças? Seus filhos frequentam a escola? Você sofre discriminação em seu trabalho? Todas as nossas perguntas buscavam entender de que maneira os negros e os brancos interagiam no Brasil.

Nós devíamos parecer ter uma visão das mais esdrúxulas aos olhos de nossos interlocutores. Éramos homens brancos jovens e relativamente bem economicamente, usando guarda-pós, munidos de pranchetas e entrando em alguns dos bairros mais miseráveis do Brasil, labirintos de casas de madeira, zinco e papelão. Tínhamos às vezes de atravessar valas ou um verdadeiro mar de lama, pois os negros sempre ficavam confinados na pior parte da favela, não raro encostados nas margens de um rio. Às vezes tínhamos dificuldades de comunicação — Bastide, por exemplo, ao pesquisar nos cortiços de São Paulo, falava com um pesado sotaque francês que se tornava ainda mais incompreensível por causa de seu eterno charuto —, mas as pessoas se mostravam extraordinariamente pacientes conosco.

Apesar da aparência algo exótica e do caráter intrusivo de nossas perguntas, as pessoas que encontrávamos eram simplesmente maravilhosas. Hoje em dia, pode ser muito difícil entrar numa favela por causa da violência, mas na época as pessoas eram mais tranquilas, menos indignadas. Aonde quer que fôssemos, nossas perguntas eram respondidas com boa vontade e sinceridade. Os entrevistados mostravam-se cordatos, articulados e francos.

Lenta e seguramente, um perfil foi-se delineando. A colcha de retalhos racial do Sul do Brasil era muito mais complicada e fascinante do que esperávamos. Descobrimos que havia uma pequena burguesia negra, formada essencialmente de netos de negros livres. Os integrantes dessas famílias, durante a escravidão, trabalhavam há gerações na indústria manufatureira, quase sempre nas fábricas de carne-seca — as charqueadas — das cidades meridionais. Frequentavam clubes de negros. Convidado por um amigo, fui a muitas festas de um desses clubes. Eram realizadas em um clube em Porto Alegre, chamado Floresta Aurora.

Já o nome do clube parecia estranho. Só mais tarde, fazendo pesquisas na cidade de Pelotas, eu viria a descobrir seu significado, ao me deparar com velhos exemplares de um jornal do século XIX de mesmo nome, e que era escrito por escravos alforriados e a eles destinado. Havia um outro clube chamado Marcílio Dias, nome do marinheiro mulato que foi herói da Guerra do Paraguai. Ambos os nomes tinham forte ressonância numa vibrante e distinta cultura brasileira negra que em grande medida se mantinha então numa espécie de clandestinidade. Dei-me conta de que era mais um aspecto oculto do mito da "democracia racial": numa sociedade supostamente constituída de iguais, a própria existência de uma cultura negra separada era controversa.

Mas o fato é que a simples necessidade de clubes sociais para negros refletia a discriminação existente na vida cotidiana. Eram dos poucos lugares onde os negros com certo grau de educação e cultura podiam tecer uma rede de relacionamentos. Compreensivelmente, os frequentadores desses eventos muitas vezes se sentiam frustrados por essas limitações. Nunca me esquecerei de uma esplêndida jovem mulata, uma professora de colégio, que conheci no Floresta Aurora. Apontando para a multidão de jovens negros na pista de dança, ela disse, com expressão de repulsa: "Sabe, vou acabar casando com um deles. E eles são muito menos educados que eu."

Favela após favela, procuramos as causas estruturais da pobreza do Brasil. A escravidão deixara um inquestionável legado de violência e desigualdade. Foi essa a base da exposição que fiz em um seminário durante a Conferência da Organização das Nações Unidas para a Educação, a Ciência e a Cultura (Unesco) no Rio de Janeiro. O encontro se realizava no Palácio do Itamaraty, antiga residência presidencial onde meu pai havia residido certo tempo, como filho de um assessor direto da presidência, na época de Floriano Peixoto. Nosso trabalho fora em parte financiado pela Unesco. Quando terminei, o diretor do seminário, um respeitado diplomata brasileiro em idade avançada, aproximou-se de mim.

Ele estava furioso.

— Eu já estava me preparando para expulsá-lo do salão — espumou ele.

— Por quê?

— Porque você não tinha o direito de falar dessa maneira na presença de estrangeiros. Afirmou que existe discriminação racial no país, o que não é verdade. Nós somos uma democracia racial.

Eu fiquei pasmo.

— Eu adoraria viver numa democracia racial — respondi. — Mas os dados de que disponho indicam exatamente o contrário. Que queria que eu fizesse? Que não dissesse a verdade?

Ele nada respondeu e se foi. A resposta honesta, naturalmente, seria um retumbante "sim". Disso dependia a preservação do mito.

* * *

A compreensão da questão racial e, portanto, da história da escravidão alterou completamente a maneira como eu entendia o Brasil.

Os problemas nada tinham de novos; sob muitos aspectos, nada no Brasil havia mudado nos anteriores quatro séculos. Em meados da década de 1950, metade dos 61 milhões de habitantes do país ainda sofria de subnutrição crônica. Metade andava descalça e mais de metade era analfabeta. Apenas um terço das crianças frequentava a escola; um sexto chegava ao colegial. Um terço dos brasileiros era acometido de parasitas intestinais. Em certas regiões mais remotas, metade dos bebês morria antes de completar um ano. A expectativa média de vida era de 46 anos, contra 69,4 nos Estados Unidos. Toda essa miséria tinha a idade do próprio Brasil.

Qual foi então a grande mudança? Numa palavra: urbanização suscitada pela industrialização. À medida que as massas pobres fugiam da marginalização rural transferindo-se para a cidade, processo que começou para valer depois da Segunda Guerra Mundial, a política brasileira veio a ser virada de cabeça para baixo. Era aí que se manifestavam as mudanças no século XX. Esses novos moradores das cidades muito justificadamente viriam a exigir atendimento de saúde, educação, empregos e participação política. O percentual da população vivendo nas cidades aumentaria exponencialmente, chegando a 41 por cento em 1955, 62 por cento em 1975 e 79 por cento em 1995. Esses brasileiros recém-emancipados também haveriam de se multiplicar. Nesse mesmo período, a população nacional aumentaria de 59 milhões em 1955 para 107 milhões e, depois, 172 milhões e assim por diante.

A bolha estava para estourar.

Ao longo desses anos, o país viu-se cara a cara com o que sempre fora. Os pobres viam os ricos e os ricos viam os pobres. O Brasil nunca mais seria o mesmo.

Mas a maior parte da elite brasileira continuava completamente ignorante da realidade do país. A velha guarda tentou governar o país como sempre fizera, mas fracassou redondamente. Ninguém o constatou de maneira tão flagrante quanto Getúlio Vargas, que empreendeu uma malsucedida volta à presidência em 1951.

Getúlio tinha certa consciência das rápidas mudanças sociais, mas não soube canalizá-las, e seu segundo retorno foi mais precário que o anterior. Seu ministro do Trabalho, um jovem conterrâneo gaúcho chamado João Goulart, aterrorizava a elite empresarial. Goulart propôs um aumento de 100 por cento do salário mínimo, que não era reajustado havia vários anos. A grita dos conservadores foi de tal ordem que Goulart foi obrigado a renunciar — mas Vargas anunciou que o aumento salarial seria de qualquer maneira adotado. Alguns patrões recusaram-se então a cumprir o decreto, levando a uma onda de greves em todo o país. Com o aumento da agitação trabalhista, cresciam cada vez mais os boatos de que Getúlio se convertera ao comunismo.

Entrou então no cenário nacional um personagem estrepitoso. Vereador no Rio de Janeiro e proprietário de um influente jornal, Carlos Lacerda haveria de desempenhar um papel importante na queda de três presidentes brasileiros, entre eles Getúlio. Embora tivesse sido comunista na década de 1930, Lacerda renegou as origens com uma veemência que parecia conter boa dose de autodesprezo. Seu jornal dedicava-se quase exclusivamente a atacar todas as formas de comunismo e populismo, valendo-se de todos os meios possíveis para difamar Getúlio e seus ministros. Ele se tornou o porta-voz mais conhecido da oposição, exortando abertamente os militares a derrubar o presidente e "salvar o Brasil".

Getúlio estava desesperado por calar o novo inimigo, mas não tinha claro como fazê-lo. Em seu primeiro período, mais autoritário, a censura teria sido o recurso mais provável, o que, no entanto, era impossível pelo novo regime democrático. Getúlio tentou reagir inicialmente construindo alianças nos meios de comunicação, entrando numa concorrência com Lacerda que mais parecia uma épica corrida armamentista — só que era uma corrida aos jornais, e não às armas nucleares. O Brasil polarizou-se mais. No fim das contas, as armas de Lacerda se revelaram maiores e mais ruidosas. Seu jornal, a *Tribuna da Imprensa*, publicava chocantes histórias de corrupção. Getúlio ficou abalado com a revelação de que um jornalista amigo seu, Samuel Wainer, fora favorecido com empréstimos em condições especiais do Banco do Brasil. O presidente viria a se queixar: "Sinto-me no meio de um mar de lama."

O palácio estava em constante turbulência. Getúlio tornou-se reservado e mais deprimido. Um de seus mais fiéis seguidores, Gregório Fortunato, o guarda-costas e motorista negro do presidente, decidiu ajudar seu querido chefe — contratando um pistoleiro de aluguel para eliminar Lacerda.

No início da manhã de 5 de agosto de 1954, quando Lacerda deixava seu apartamento em Copacabana, seu carro foi crivado de balas. Lacerda conseguiu sair-se com feridas sem gravidade no pé. Mas de qualquer maneira um crime hediondo fora cometido: Rubens Vaz, um major da Aeronáutica que estava no carro com ele, foi morto ao tentar fugir. As forças armadas foram tomadas de indignação, assim como o resto do Brasil. Da cama do hospital, Lacerda retomou seus ataques, já agora ainda mais virulentos. Embora não se pudesse provar que Getúlio aprovara pessoalmente o atentado, a sorte estava lançada. Vinte e sete generais do Exército assinaram um manifesto exigindo a renúncia do presidente. Vargas recolheu-se ao silêncio no palácio presidencial.

Na manhã de 24 de agosto, na iminência de um golpe, Getúlio sentou-se para escrever uma carta. "Lutei contra a espoliação do povo", escreveu. "Tenho lutado de peito aberto. O ódio, as infâmias, a calúnia não abateram meu ânimo. Eu vos dei a minha vida. Agora vos ofereço a minha morte. Nada receio. Serenamente dou o primeiro passo no caminho da eternidade e saio da vida para entrar na História." Tranquilamente retirou-se então para seu quarto, fechou a porta e deu um tiro no coração.

Ao longo de 18 meses após o suicídio de Getúlio, o país passou por um período de instável transição, enquanto políticos e personalidades militares disputavam o poder. Uma sucessão democrática finalmente foi garantida por intervenção do ministro da Guerra, o marechal Henrique Teixeira Lott, que assegurou o apoio do Exército a Juscelino Kubitschek. Já por seu próprio nome, Kubitschek, era uma indicação de que o Brasil estava mudando com rapidez: descendente de tchecos que haviam integrado uma onda relativamente recente de imigração da Europa, ele era o primeiro presidente cujas origens não eram portuguesas. Outros haveriam de se seguir. Juscelino contribuiu para promover a mudança a um ritmo ainda mais rápido em seu mandato, que se estendeu de 1956 a 1961.

JK, como era conhecido, deixou um legado de respeito pela democracia e de tolerância que dificilmente terá sido equiparado por qualquer outro presidente. Duas pequenas sublevações militares tentaram derrubá-lo. Ele não só frustrou essas tentativas de golpe como anistiou os inimigos. Enfrentando dura oposição ao longo do mandato, ele conseguiu não só conceber, mas também implementar — uma novidade no Brasil — um ambicioso plano que lançava as bases da industrialização e da infraestrutura básica do país, tudo isso em parceria com o investimento estrangeiro. Foi também o visionário que construiu Brasília, a nova capital, no centro geográfico do país.

Apesar disso, e possivelmente em decorrência da grande tranquilidade que ele assegurou ao país, foi esse o período em que possivelmente me mantive mais distante da política. Lembro-me de ter visitado o Congresso apenas duas vezes nesses anos em que meu pai era deputado federal por São Paulo.

Meus filhos eram muito pequenos. Quando não estava com eles e Ruth, eu viajava longamente pelo Sul do Brasil para efetuar minhas pesquisas de campo; ou então, em São Paulo, participava de seminários, que se tornaram famosos, sobre o livro de Marx *O Capital*. A esquerda não via JK com bons olhos, em virtude de seu empenho em fortalecer uma economia de livre-mercado com a participação do capital estrangeiro. Ele tampouco era muito admirado pelo mundo acadêmico, que encarava com desconfiança seu exuberante posicionamento democrático, que geralmente lhe permitia conciliar forças conflitantes. Na época, meu pai era, como deputado federal, membro da coalizão partidária que apoiava o governo.

Seja como for, o governo de JK foi um marco no Brasil, um bom período para os brasileiros. Ainda hoje ele é considerado um dos três melhores presidentes que o país já teve. Ninguém então poderia imaginar o desastre que se preparava, na pessoa de seu sucessor, Jânio Quadros.

CAPÍTULO 4

Receita de golpe

Muito conhecido popularmente pela tentativa de proibir o biquíni e a minissaia — logo no Brasil! —, Jânio Quadros não tem equivalente em nossa história como figura excêntrica, instável e trágica. Nossos caminhos se cruzaram das formas mais extraordinárias e inesperadas ao longo da vida. Professor de colegial que a certa altura vendia sua história da gramática portuguesa de porta em porta, Jânio era um conhecido do meu pai. Falava com uma voz aguda que de certa forma parecia engolida pelas espessas lentes dos óculos e um bigode negro ainda mais espesso. Seu olho esquerdo constantemente resvalava para um lado, resultado de uma peripécia carnavalesca. O diário francês *France Soir* o comparou a "Marx — não Karl, mas Harpo". A própria mulher de Jânio o considerava "o homem mais feio que eu conheci".

Luiz Inácio Lula da Silva, popularmente conhecido como "Lula", seria festejado quatro décadas depois como "o primeiro presidente operário do Brasil", mas Jânio também teve um início humilde. Cresceu numa poeirenta cidade de fronteira do estado do Mato Grosso, onde sua primeira residência foi um quarto alugado em cima de uma barbearia. Sua família pulava de cidade em cidade, fugindo de cobradores, até que finalmente se estabeleceu em São Paulo quando Jânio tinha 16 anos. Depois de trabalhar como professor, ele entrou para a Faculdade de Direito pela força de uma grande ambição. Lá, quase ficou cego com a explosão de uma garrafa de lança-perfume, que costumava ser usada no Carnaval. Envergonhado da própria aparência, com um dos olhos já agora constantemente oscilando num ângulo de 20 graus, Jânio recolheu-se à obscuridade e à autocomiseração, passando vários meses a ler obsessivamente uma biografia de Abraham Lincoln, e a escrever poesia de má qualidade. Ao vencer finalmente esse período, decidiu concorrer à Câmara de Vereadores de São Paulo. Sua mulher tentou dissuadi-lo, e não deu outra: ele acabou em 47º lugar na disputa dos 45 assentos. Entretanto, o Partido Comunista foi posto na ilegalidade pouco depois, cerca de uma dúzia de candidatos foi eliminada e Jânio Quadros obteve seu primeiro emprego na política.

Aquele jovem alto e esquelético de olho torto protagonizou então uma inédita e em grande medida surpreendente ascensão ao poder. Foi eleito prefeito de São Paulo em 1952 e em apenas dois anos passava ao cargo ainda mais importante de governador do estado. Em 1960, aos 43 anos, Jânio concorreu à presidência. Seu desempenho de bom administrador ajuda a entender alguns de seus sucessos eleitorais, mas é muito mais provável que os eleitores brasileiros, muitos deles jovens e desfrutando dos direitos políticos pela primeira vez, estivessem simplesmente em busca de um tipo *diferente* de político. E Jânio certamente o era. Em seus discursos de campanha, brandia uma enorme vassoura, dizendo que varreria de uma vez por todas a corrupção. Também carregava uma caixa contendo um rato, anunciando que botaria para correr todos os ratos corruptos do governo. Ao visitar em campanha os bairros japoneses, usava quimono e tamancos. Também foi visto em outras oportunidades usando uma capa de chuva debaixo de um calor tropical.

Os brasileiros de certa maneira achavam todas essas excentricidades divertidas, considerando que fariam de Jânio um bom presidente. Ninguém sabia ao certo o que ele pretendia — seu slogan de campanha era simplesmente "Jânio vem aí" —, mas o fato é que o "antipolítico" que dizia ser, venceu a eleição com o maior mandato popular até então visto no Brasil, ficando com 48 por cento dos votos numa disputa que envolvia vários candidatos. Numa cerimônia pública a 31 de janeiro de 1961, Jânio Quadros recebeu a faixa presidencial de Juscelino Kubitschek. Quarenta e dois anos haveriam de se passar até que um presidente brasileiro democraticamente eleito pudesse de novo transferir o poder a outro num ato público.*

Ao ocupar o gabinete presidencial na recém-inaugurada capital, Brasília, Jânio pendurou um retrato de Abraham Lincoln na parede — e então resolveu ser *realmente* esdrúxulo. Mandou instalar na porta do gabinete luzes vermelhas e verdes de trânsito para que os ministros soubessem quando podiam bater à porta ou quando deviam esperar. Toda vez que entrava na limusine presidencial, Jânio passava vários minutos procurando de forma obsessiva posicionar-se exatamente no meio do assento traseiro. Numa visita ao Cairo, anunciou sua intenção de importar túnicas e xales egípcios, pois eram muito confortáveis e o clima do Egito era muito semelhante ao do Brasil. Além das famigeradas tentativas contra o biquíni e a minissaia, ele também tentou proibir apostas e rinhas de galo.

Suas proibições podiam ser de caráter moralista, mas, como costuma acontecer nesses casos, ele próprio não tinha o sangue da moral correndo nas veias. Atirava-se sobre as mulheres com um ardor indecente e mesmo violento. Era também um bêbado com especial inclinação para uísques caros e vinho do Porto, e ficou famoso por ter declarado certa vez: "Eu bebo porque é líquido. Se fosse sólido, teria comido."

---

* Entreguei o poder a Lula no dia 1º de janeiro de 2003.

Isso explicaria talvez por que se mostrava tão combativo; qualquer que fosse o motivo, ele pegou o talento brasileiro para a conciliação e o virou do avesso.

"A rebelião é invencível!", declarou Jânio ao tomar posse. "É um estado de ânimo, um espírito coletivo, um fato da vida que já ocupou a consciência da nação e não poderá ser comprometido nem paralisado por ninguém — não serei contido, senão por assassinato!"

Jânio nunca esclareceu realmente contra quem seria "a rebelião", e os brasileiros em geral não pareciam se importar. Mas o resto do mundo, especialmente os Estados Unidos, não estava disposto a fazer vista grossa a semelhantes palavras do novo dirigente do maior país da América Latina. Dois anos antes da posse de Jânio, Fidel Castro tomara o poder em Cuba. A estreia do comunismo no hemisfério ocidental deixou em pânico o governo americano, assim como os conservadores brasileiros. O novo presidente do Brasil era na verdade violentamente criticado pelos comunistas, que o chamavam durante a campanha de fantoche do capitalismo. Mas isso já não parecia ter importância: Jânio despertara profundas suspeitas ao visitar Castro em Havana durante a campanha.

Na presidência, Jânio nada fez para dissipar os temores de que conduziria o Brasil por uma via radical. Quando o governo americano ofereceu ao Brasil um empréstimo de 100 milhões de dólares para ajudá-lo a vencer os primeiros três meses no cargo — o governo tinha 176 milhões de dólares atrasados no pagamento da dívida externa —, Jânio recusou a oferta num gesto dramático. Preferiu enviar delegações à Cortina de Ferro para assinar novos acordos comerciais, e anunciou que votaria a favor de um debate pela admissão da China comunista nas Nações Unidas.

Se a Guerra Fria era um gigantesco jogo de xadrez, os jogadores de Washington temiam que uma de suas peças mais importantes tivesse caído em poder de um excêntrico que poderia dar a vitória aos comunistas. "Um Brasil forte e saudável não garante a democracia na América Latina, mas é certo que, se o Brasil não o fizer, poucos haverão de fazê-lo", opinava a revista *Time* com certo grau de presciência numa matéria de capa sobre Jânio em 30 de junho de 1961. A reportagem enumerava com ironia uma série de idiossincrasias pessoais de Jânio, mas o autor, como todo mundo, parecia de qualquer maneira algo fascinado pelo sujeito e tentado a acreditar que poderia conduzir o país numa boa direção. E, na verdade, quem poderia saber? A revista afirmava que Jânio tinha "irrompido no mundo como o próprio Brasil: temperamental, ostentando sua independência, cheio de ambição, perseguido pela pobreza, lutando por aprender, ansioso pela grandeza".

O retrato na capa, contra um surrealista e meio estapafúrdio pano de fundo verde-amarelo que provavelmente se destinava a evocar a bandeira brasileira, quase chegava a conferir a Jânio a aparência de um estadista. Ele trajava um terno azul com gravata, tendo o queixo projetado confiantemente para a frente. Essa capa seria na verdade uma das poucas notícias boas da presidência de Jânio. Apenas dois meses depois, sua partida haveria de se revelar ainda mais grotesca que a chegada.

* * *

Praticamente todos nós que, no Brasil, éramos jovens, progressistas e acima de tudo românticos tínhamos brincado em algum momento com a ideia de seguir o comunismo. Inclusive eu. Foi amor à primeira vista. Num país com disparidades tão gigantescas entre ricos e pobres, o apelo do comunismo era perfeitamente compreensível. Ele representava uma alternativa a um esquema prevalecente que todos nós acreditávamos fracassado. Prometia nivelar condições de jogo flagrantemente injustas e criar uma sociedade baseada na necessidade e no mérito. Mesmo levando em conta o forte sentimento anticomunista que fermentava na elite e em amplos setores da classe média, eu ainda me perguntava quem poderia deixar de aderir a semelhante ideia no Brasil.

Para um intelectual em formação, era impressionante o número de líderes influentes que eram comunistas no Brasil. Eles faziam com que a coisa parecesse incrivelmente interessante. Jorge Amado, o grande romancista brasileiro, herói da minha juventude, era um apaixonado líder comunista. E também Oscar Niemeyer, o arquiteto de Brasília. Na USP, os comunistas não eram em grande número, mas pareciam deter proporcionalmente maior número de posições: o melhor físico, o melhor filósofo e assim por diante. Muitos comunistas no Brasil vinham das fileiras das forças armadas, notadamente Luís Carlos Prestes. Os comunistas também apoiaram a bem-sucedida candidatura do meu pai ao Congresso em 1954. Eram apenas parte de uma ampla coalizão de partidos que o apoiaram, mas eu certamente tomei nota do fato de o homem que eu sempre havia admirado contar com eles.

Eu nunca entrei formalmente para o Partido Comunista, mas tive lá meus flertes. Estudante universitário, escrevia para uma publicação chamada *Fundamentos*, que era considerada porta-voz dos comunistas, publicando entrevistas com Joseph Stalin, condenações da Guerra da Coreia e coisas semelhantes. Muitos dos meus cursos de sociologia abraçavam a ideia de que o sistema capitalista global se encaminhava inexoravelmente para uma implosão, quando então seria substituído por algo melhor. À medida que prosseguia em meus estudos no Sul do Brasil, conscientizando-me mais da pobreza e da desigualdade no meu país, eu me sentia ainda mais atraído por essa teoria. Cheguei a contemplar a ideia de entrar de corpo e alma no partido. E foi aí que finalmente resolvi olhar mais de perto o que realmente significava o comunismo.

Stalin me horrorizava. É a maneira mais simples de explicar por que, depois de um exame mais atento, eu perdi o entusiasmo pelo comunismo. Com o passar dos anos, o mundo começou a tomar conhecimento de detalhes sobre a maneira como Stalin mandara assassinar milhões de pessoas, valendo-se de práticas repressivas para manter a Europa Oriental sob seu tacão. Ficou claro que o comunismo não era a panaceia econômica que alegava ser, parecendo insustentável sem uma opressão de linha-dura. Eu nunca tive qualquer simpatia pelo autoritarismo, e comecei a acreditar que devia haver um melhor sistema para ajudar os pobres. Comecei a escrever para uma outra revista de esquerda, crítica em relação ao comunismo. Quando os soviéticos invadiram a Hungria em 1956, eu já dera completamente as costas ao partido. Acabara de completar 25 anos.

Pouco depois, visitei com alguns amigos Paulo Emílio Salles Gomes, conhecido intelectual e crítico de cinema brasileiro. Falamos-lhe do nosso ciclo de desilusão, explicando por que, em última instância, tínhamos decidido não apoiar o Partido Comunista.

"Mas como? Só agora?", bradou Paulo Emílio, provocando-nos. Ele explicou então que toda geração, inclusive a sua, passava por esse mesmo ciclo de tentação e frustração com os comunistas. Retrospectivamente, creio que ele estava absolutamente certo.

O que não nos impedia, contudo, de buscar alternativas. Mais ou menos por essa mesma época, eu tomava sol na Praia de Copacabana com um grupo de amigos, entre eles meu cunhado, Roberto Cardoso de Oliveira, e José Arthur Giannotti, jovem colega que acabava de voltar da França. Lá, costumava ler textos clássicos exatamente como faziam os filósofos franceses: em grupos, examinando cada palavra do texto para depois debater-lhe o conteúdo geral. Agora, queria testar o mesmo método com alguns amigos na USP.

— Por que não experimentamos o mesmo no Brasil? — perguntou Giannotti.

— Parece interessante — respondi, meio sem convicção. — Quem deveríamos ler?

— Bom, que tal Marx?

O fato de a ideia ter surgido na praia no Rio bem diz da modéstia das pretensões originais. O chamado Seminário Marx viria, no entanto, a adquirir fama quase mitológica nas décadas vindouras.

Na década de 1950, as obras de Karl Marx dificilmente eram estudadas no mundo acadêmico brasileiro; ele ficava quase exclusivamente confinado aos dogmas da esquerda ideológica. Decidimos estudá-lo não só porque suas obras falavam dos problemas de transformação de uma sociedade injusta, mas também porque achávamos que sua visão tinha sido distorcida pelos comunistas, que exerciam um certo monopólio sobre Marx, o que parecia errado. Desse modo, de 15 em 15 dias, encontrávamo-nos na casa de alguém para uma cuidadosa sessão de leitura nos moldes franceses relatados por Giannotti. E então desfrutávamos de um bom e demorado jantar. Marx não foi o único autor que estudamos: na verdade, também examinamos longamente John Maynard Keynes. O que poderia surpreender os críticos, que viam nesse seminário um antro de pensamento esquerdista. Marx era apenas o mais analisado dos nossos muitos temas de estudo, mas em consequência disso eu sou desde então considerado "marxista".

O rótulo é enganoso, pelo menos no sentido tradicional. As obras de Marx de fato me inspiraram, mas antes por seu rigoroso método analítico do que pelas dogmáticas visões novecentistas sobre o capitalismo e a revolução. Todos nós sabíamos que o Brasil da década de 1960 não era a França dos anos 1840. A invasão soviética da Hungria tinha acabado com quaisquer fantasias róseas que acaso tivéssemos sobre a vida num país comunista. Pelo contrário, voltamos a atenção para a maneira como Marx identificava as estruturas de classe — os vários níveis de renda e os grupos de interesse da sociedade — e aquilo por que lutavam, que considerávamos extraordinariamente lúcida e relevante. Em sintonia com nossas aspirações científicas, nos apaixonamos pelo talento de Marx para a análise empírica e por sua técnica de análise dialética mesmo quando não concordávamos com suas conclusões ou recomendações. Dessa maneira, fomos levados a tentar empreender o trabalho que Marx poderia ter efetuado se estivesse vivo na década de 1950 na América do Sul.

Foi uma experiência extraordinária. Muitas vezes ficávamos na mesa de jantar até a madrugada, discutindo até não poder mais. Os debates eram de natureza abstrata e intelectual, muito embora a política concreta do momento nunca estivesse totalmente distante. O Seminário Marx continuou se reunindo com altos e baixos durante sete anos. Seu legado no Brasil é relevante não só pelo que estudamos, mas também pelo incrível número de participantes do grupo que mais tarde viriam a ganhar notoriedade. Além de Giannotti, estavam entre eles Octavio Ianni, que veio a se tornar um conhecido sociólogo; Fernando Novais, um dos melhores historiadores brasileiros; Roberto Schwarz, conhecido crítico literário, que ensinou em Harvard, Brown e Columbia; Bento Prado, um dos mais conhecidos filósofos do Brasil; Paul Singer, economista que viria a ocupar um cargo de destaque no governo Lula; Francisco Weffort, que veio a ser o meu ministro da Cultura; e Juarez Brandão Lopes, famoso sociólogo.

Havia, no Seminário Marx, uma outra participante que teve influência particularmente importante sobre mim. Em 1952, o mesmo ano em que obtive meu diploma de graduação, casei-me com uma bonita e inteligente jovem chamada Ruth Villaça Correa Leite. Nosso primeiro contato não tinha sido particularmente auspicioso, nas reuniões de estudo preparatórias para a entrada na universidade e nos cursos em conjunto com outros amigos. A possibilidade de um romance demorou a me ocorrer, e devo admitir que me mostrei bastante lento na percepção das coisas. Frequentávamos juntos livrarias e museus, como amigos. Quando finalmente tomei a iniciativa de marcar um encontro com ela num teatro em São Paulo, meti-me num terno cinzento perfeitamente sem graça, com gravata. Mais tarde, Ruth não se cansava de zombar afetuosamente de como eu parecia mal-ajambrado naquela noite, para grande surpresa e delícia dos que me conheceram numa época da vida em que eu precisava prestar mais atenção à maneira como me vestia. Seja como for, formamos um casal que se complementava à perfeição, e aquele foi o início de um longo e proveitoso relacionamento. Nos anos seguintes, nasceram nossos três filhos: Paulo Henrique, Luciana e Beatriz.

Em 1960, enquanto Jânio aprisionava ratos e colecionava vassouras nos preparativos de sua campanha presidencial, vivenciamos um grande acontecimento intelectual de outra natureza. O filósofo francês Jean-Paul Sartre, o pai do existencialismo, visitou o Brasil, falando em várias universidades. Ele acabava de concluir uma viagem a Cuba, após a revolução de Fidel Castro, e o mundo aguardava ansioso pela avaliação que Sartre faria de sua experiência. Sartre foi convidado a participar de um debate num teatro. O evento deveria durar duas horas, sendo transmitido ao vivo pela televisão para todo o país. O formato era semelhante ao de uma mesa-redonda, e eu fui convidado a participar da mesa e talvez fazer-lhe uma ou duas perguntas.

Minutos depois de iniciado o debate, ficou evidente que o professor convidado a atuar como intérprete de Sartre, que não falava português, não estava fazendo um bom trabalho. Diante das câmeras, fez-se um apelo por alguém que estivesse presente e falasse francês, para se encarregar da tradução.

Eu me ofereci. Durante duas horas, fiz o melhor que pude. Era muito intimidante. Eu tinha apenas 29 anos, e de repente me via tentando falar em nome de uma lenda viva. Foi realmente um espetáculo: um filósofo ultraesquerdista mundialmente famoso e a mais conhecida feminista do planeta, Simone de Beauvoir, falando pela televisão num país tropical ainda em grande parte analfabeto, com um jovem tradutor que tinha apenas uma certa ideia do que eles estavam dizendo. Mesmo assim, o público se extasiava, bebendo sedento, minha vacilante versão de cada palavra da fala de Sartre. No fim do evento, uma amiga aproximou-se, perplexa.

— Eu não sabia que você falava francês! — sussurrou-me.

E eu lhe confessei ao pé do ouvido:

— Não falo! Mas não diga a Sartre!

Tenho certeza de que cometi erros, mas posteriormente, nessa mesma turnê pelo Brasil, Simone de Beauvoir, sua companheira e também uma figura emblemática, fez um discurso sobre o feminismo em Araraquara e eu igualmente me encarreguei da tradução.

A verdade é que eu entendi *a maior parte* do que estava sendo dito. Disse a minha amiga que traduzir na verdade era mais uma questão de comunicar o sentido, e não necessariamente cada palavra. Por esse critério, eu considerava ter feito um trabalho aceitável. Por outro lado, também podia optar por pensar que o que Sartre desconhecia não poderia incomodá-lo.

Mas o fato é que não devo ter sido tão ruim assim, pois Sartre ficou suficientemente bem impressionado e aceitou meu convite para jantar com amigos meus (entre os quais o psicanalista Luiz Meyer, na época presidente do diretório estudantil da Faculdade de Medicina, responsável pelo convite ao filósofo) em minha casa em São Paulo. Foi uma noite estranha, por vários motivos. Eu morava na Rua Nebraska, no bairro paulistano do Brooklin, cujo nome refletia o aumento da influência americana na cidade desde a Segunda Guerra Mundial. Sob a liderança do presidente Juscelino Kubitschek, o Brasil passara por um boom de prosperidade no fim da década de 1950. Mais tarde se veria que era bom demais para durar muito, mas enquanto isso o Brasil brincava com a ideia de que estava se tornando "americano", comprando carros, televisões e outras maravilhas dessa nova riqueza.

Meus amigos e eu ficávamos embaraçados com esse tipo de imitação cultural, considerando que evidenciava uma falta de originalidade da parte brasileira — e tampouco estávamos muito felizes com o avanço do capitalismo de estilo americano, é claro. Apesar de suas ideias políticas revolucionárias, contudo, Sartre não parecia importar-se. Naquela noite, ficamos fascinados com ele. Ele era um homem feio, vesgo e baixo. Mas quando começava a falar revelava uma personalidade cativante: polido e tímido. Parecia sentir-se mais à vontade falando com jovens como nós. Por isso viera ao Brasil, e por isso sua visita foi tão bem-sucedida.

Simone era uma mulher bela e elegante de cintilantes olhos azuis. Tratava Sartre mais como um bebê do que como um amante. Como tantos visitantes, também chegava aos trópicos com um certo grau de preconceito. Em suas memórias, escreveu sobre o grupo de jovens acadêmicos em São Paulo que sabiam do que se passava na literatura e na filosofia em outras partes do mundo. Ficara surpresa com o fato de sabermos tanto a respeito do existencialismo.

Para nós, aquele episódio foi uma espécie de validação. Durante toda a visita desses intelectuais europeus que estavam no auge da moda, podíamos nos lisonjear com a ideia de que fazíamos parte das grandes correntes intelectuais do mundo. No Brasil, era às vezes tentador sucumbir ao complexo de inferioridade nacional, acreditar que nosso isolamento e a condição de país do Terceiro Mundo nos deixavam irrevogavelmente à margem. Entretanto, o fato de Sartre vir ao país e nos elogiar nos infundia uma inestimável confiança. Fiquei ainda mais emocionado quando Sartre me entregou um bilhete conferindo-me direitos de tradução e publicação de suas obras no Brasil. Nunca cobrei a promessa, que possivelmente revelava a pouca confiança do autor em nossa capacidade de execução, mas era lisonjeiro.

Antes de partir, Sartre fez uma pequena incursão a Araraquara, no interior do estado de São Paulo, onde teria um inesperado encontro com um brasileiro de estatura realmente mundial. O episódio é relatado no belo livro *The Brazilians*, de Joseph A. Page: enquanto Sartre conversava com um grupo de professores em frente a um prédio, veio descendo pela rua Pelé, a maior estrela do futebol mundial, seguido de vários admiradores. Os dois grupos se encontraram numa esquina. Ao se separarem, os entusiastas do filósofo se deram conta de que agora seguiam Pelé, enquanto Sartre prosseguia sozinho. Os professores brasileiros voltaram correndo pela rua algo embaraçado, ao encontro de seu herói francês. Segundo Page, muitos moradores ainda se referem a esse ponto como a "esquina Pelé-Sartre", expressão que devo confessar jamais escutei naquela cidade, que eu visitava constantemente por ser a terra de minha mulher.

Por mais que amasse o país, uma coisa Sartre nunca conseguiu entender no Brasil. No jantar, falamos da eleição de 1960, na qual Jânio enfrentou um marechal e antigo ministro da Guerra chamado Henrique Teixeira Lott. Sartre mostrava-se perplexo com o fato de apoiarmos Lott e não Jânio, que afinal tinha visitado Cuba e, superficialmente, parecia mais receptivo a nossas ideias progressistas.

— Jânio é um populista, o que no Brasil não é necessariamente o mesmo que de esquerda — disse eu a Sartre. — Além do mais, não está vendo que se trata de um farsante?

* * *

Meu primeiro contato pessoal com o estranho e pequeno mundo de Jânio ocorrera alguns anos antes, quando ele ainda era governador do estado de São Paulo. Na época, eu atuava numa associação de professores assistentes, e um pequeno grupo desses professores tinha pedido audiência a Jânio na esperança de obter mais verbas oficiais para modernizar a USP. Meu pai, por breve período, fora companheiro de Jânio na bem-sucedida campanha para nacionalizar a indústria petrolífera no Brasil, e eu achava que talvez pudéssemos começar em bons termos. Por outro lado, e sem um motivo conhecido, Jânio recentemente fizera referências depreciativas à universidade num discurso, de modo que não sabíamos exatamente o que esperar.

Depois de longa espera no dia marcado, fomos conduzidos ao gabinete de Jânio no palácio dos Campos Elísios. Era uma sala escura e apertada, e precisávamos forçar a vista para enxergar algo. Inicialmente, eu mal conseguia distinguir uma silhueta num canto; alguém parecia resmungar em voz baixa, quase inaudível.

Com a vista se acostumando, pude perceber que era Jânio. Estava de costas para nós, e aparentemente ditava para a secretária. Até hoje, estou convencido de que apenas fingia falar com ela, numa espécie de encenação. E lá estávamos nós de pé, achando que fôramos dar nas páginas de um romance de Kafka, esperando que ele concluísse. Então Jânio muito lentamente girou sobre o eixo da cadeira e se voltou para nós, com os olhos cansados mal podendo ser distinguidos na sombra.

— Senhoras e senhores — disse Jânio em sua voz esganiçada —, em que posso ajudá-los hoje?

— Bem — começou o presidente de nossa associação —, estamos aqui em nome da universidade e...

— Não tenho nada a ver com isso! — interrompeu Jânio, gritando. — Por que me fazem perder tempo? Isso é intolerável! Desapareçam da minha vista!

Posso contar nos dedos de uma mão as vezes em que realmente perdi as estribeiras. Quando isso acontece, tudo fica escuro e eu digo coisas muito pesadas de que me arrependo mais tarde: como alguém que se orgulha de estar sempre sob controle e ter maneiras adequadas, não permito que a coisa suceda com frequência. Mas havia em Jânio, desde a primeira vez em que o encontrei, algo que me causava repulsa. Perdi completamente a noção do protocolo.

— O senhor *não pode* falar assim conosco! — espumei, apontando o indicador para ele. — Nós somos professores! Exigimos respeito!

Jânio ficou um tempão boquiaberto. Remexeu em papéis sobre a mesa e nada disse. De repente, olhou para nós e se transformou num homem totalmente diferente. A partir dali, mostrou-se dócil, respeitoso e receptivo — e até encantador. Saímos do seu gabinete com a promessa da verba que buscávamos.

Semanas depois, um colega meu tentou marcar nova audiência com Jânio. Ao que parece, ele respondeu: "Tudo bem. Mas não tragam aquele professor insolente."

Considerando-se meu primeiro encontro com Jânio, fiquei chocado com o que aconteceu logo depois de ele assumir a presidência em 1961. Recebi um telefonema de seu secretário de Imprensa, José Aparecido de Oliveira, que sem fornecer mais detalhes convidou-me a ir a Brasília para me encontrar com Jânio. E foi assim que fiz minha primeira visita ao Planalto, o palácio presidencial.

Tendo ainda presente na lembrança meu primeiro encontro com o personagem, compareci dias depois ao gabinete de Aparecido, nervoso e bastante perplexo. Para meu espanto, Aparecido disse-me que Jânio pretendia convidar-me a participar do Conselho Nacional de Economia, um comitê de assessores do presidente. Era uma posição de muito alto nível, exigindo inclusive aprovação por parte do Senado. Fiquei pasmo, considerando-se que praticamente nada sabia de economia. Meu primeiro impulso foi recusar o convite. Mas me declarei disposto a encontrar-me com Jânio para discutir a questão.

Assim, ficamos esperando. O gabinete de Aparecido tinha uma decoração das mais espartanas, refletindo o frescor que de maneira geral prevalecia em Brasília. Ele tinha apenas uma mesa e um minúsculo interfone usado por Jânio para chamá-lo. De vez em quando, a voz esganiçada de Jânio era ouvida: "Aparecido, venha aqui!", berrava. A coisa não passava de uma performance teatral. Aparecido saía correndo e desaparecia por horas a fio, enquanto eu ficava lá esperando, sem nada para ler, nem obra de arte para admirar.

No fim do dia, Aparecido disse-me que Jânio voltara para casa. Nem fez menção de qualquer explicação. De mãos vazias, e ainda mais perplexo, fui com Aparecido para seu apartamento de hotel e dormi numa dura cama improvisada na sala de estar.

Na manhã seguinte, finalmente caí em mim.

— Veja bem, Zé Aparecido, sinto muito, mas não vou aceitar isso — disse, explicando que eu não era economista e que estava muito mais interessado na minha carreira acadêmica do que em política.

— Você é praticamente um garoto! — protestou Aparecido. — É o presidente do Brasil que o está convidando! Você não pode recusar.

Mas foi exatamente o que eu fiz. Imaginei que talvez estivesse jogando para o alto a melhor oportunidade que eu jamais teria de fazer carreira na política. Mas não me importava. Além do mais, meu instinto me dizia que Jânio era instável demais para que eu ligasse o meu destino a ele. Convidar o jovem professor que anos antes o tinha desafiado para integrar a sua equipe provavelmente não passava de mais um capricho de excêntrico, para cooptar um adversário — eu duvidava que viesse a ter alguma influência realmente. E logo se veria que teria sido de qualquer forma a mais transitória das nomeações.

* * *

Em agosto de 1961, mal se tendo passado um mês da matéria de capa da *Time*, Jânio tornara-se uma extravagante caricatura de si mesmo, se isso fosse possível. Provocava abertamente o Congresso, e parecia tomado de uma temerária tendência a assustar a elite conservadora. Carlos Lacerda, o acerbo jornalista anticomunista, retirou repentinamente seu apoio e começou a pedir em alto e bom som a deposição de Jânio. Enquanto isso, Jânio mandava seu vice-presidente, João Goulart, numa ostensiva visita à China Vermelha. Mas o golpe supremo veio quando Che Guevara foi convidado a Brasília. Jânio condecorou o Che, apenas um ano e meio depois do triunfo da revolução de Fidel em Cuba, com a Ordem do Cruzeiro do Sul, a mais alta honraria que o Brasil pode conferir a um estrangeiro.

Na mesma semana, eu estava em Belo Horizonte em uma atenção ao governo de Jânio. Ao recusar o convite para participar de seu conselho econômico, eu aceitara um papel muito menos importante na organização de uma nova universidade para as classes trabalhadoras, a se chamar Universidade do Trabalho. Parecia um projeto meritório que transcendia a política. Um seleto grupo de professores debatia num salão de conferências a organização dessa instituição quando um de nossos colegas entrou porta adentro, pálido.

— Jânio renunciou! — anunciou o professor, ofegante. — Ele renunciou!

— Ele *o quê*?

— Ele renunciou!

Era como ouvir um trovão num dia ensolarado. Ficamos todos nós ali sentados, sem fala.

Até hoje só podemos tentar imaginar por que Jânio deixou o cargo. A situação econômica ainda estava sob controle, e não havia nenhuma crise política específica. Ele simplesmente apresentou sua renúncia ao Congresso, deixou Brasília — e desapareceu. Alguns historiadores acreditam que a visita do Che naquela semana pode ter levado alguém a ameaçar Jânio.

Outros pensam, de maneira muito mais plausível, a meu ver, que a renúncia era na verdade uma ameaça, uma tática para galvanizar apoio no Congresso. Jânio pode ter achado que os parlamentares implorariam que ficasse, conferindo-lhe poderes ditatoriais — mais ou menos como acontecera com o general Charles de Gaulle na França. Estando o vice-presidente na China naquele momento, Jânio poderia assumir sozinho o inteiro controle do Brasil.

Se era essa sua intenção, a jogada de Jânio fracassou redondamente. O presidente do Congresso, Auro de Moura Andrade, recebeu a carta de renúncia e disse às Câmaras: "Recebi esta carta do presidente, ele renunciou. Ele renunciou, é uma decisão pessoal, de caráter unilateral, e não vamos mais discuti-la." E a coisa ficou por aí.

Em Belo Horizonte, os outros professores e eu nos demos conta de que a Universidade do Trabalho não era mais nossa maior prioridade.* Fomos todos para a casa de José Magalhães Pinto, governador do estado de Minas Gerais. Bebemos até tarde da noite, discutindo aquele novo absurdo da vida política brasileira. Magalhães Pinto tinha excelentes contatos políticos em todo o país, mas, como nós, não pudera prever aquilo. "Não acredito nisto", repetia, com as mãos na cabeça. "Como pôde algo assim acontecer? Não acredito!"

No dia seguinte, de volta a São Paulo, fomos alguns de nós à casa de Roberto Gusmão, que estivera à frente do projeto da Universidade do Trabalho. Ao entrarmos, Gusmão levou o indicador aos lábios, para que ficássemos calados. Caído num sofá estava José Aparecido, o secretário de Imprensa de Jânio, que me tinha convidado a Brasília meses antes. Era uma cena das mais esdrúxulas: lá estava ele, tão arrasado que mal conse-

---

* Na verdade, ela não chegaria a se concretizar.

guia sentar-se direito. Olhava para o teto, mudo, como se nem estivéssemos ali.

Horas depois, chegou o ministro do Trabalho de Jânio. Seu estado de espírito era exatamente o oposto do de Aparecido. Andava enfurecido pela casa, gritando, sem se dirigir especificamente a ninguém: "Onde está Jânio? Onde diabos foi parar Jânio?"

Jânio tinha pegado um avião oficial para São Paulo, parando por algum tempo numa base militar. Segundo testemunhas, bebia muito e quase entrara em luta corporal com o governador. De lá, dirigiu-se para o porto de Santos. Estavam presentes apenas repórteres e alguns curiosos quando Jânio entrou num navio rumo ao exílio no Uruguai. Posteriormente ele seguiria para a Europa. Um repórter da *Time* escreveu que Jânio "era sacudido por soluços" enquanto subia a prancha de embarque e as amarras eram soltas.

Num derradeiro rasgo de delírio, Jânio culpou "forças ocultas" pelo fim do seu governo. "Fui obrigado a renunciar", declarou. "Mas um dia voltarei, como Getúlio, se Deus quiser, para mostrar a todos quem era a escória deste país."

Incrivelmente, estava certo. Ele *de fato* voltaria um dia, inclusive vencendo uma última eleição, e por isso acabei pagando um preço pessoal.

* * *

Pode ser difícil acreditar que alguém fosse capaz de fazer pior que Jânio. Mas a política brasileira nunca decepciona em sua vertente teatral, e Jânio tinha basicamente marcado as cartas para se certificar de que o sucessor seria ainda mais inaceitável aos olhos de boa parte da elite do país. Seu vice-presidente, João Goulart, era detestado por setores militares e pelos conservadores brasileiros. Conhecido popularmente como

"Jango", ele provocara a ira da elite empresarial na década de 1950, quando, na qualidade de ministro do Trabalho de Getúlio Vargas, propôs aumento de 100 por cento do salário mínimo, o que lhe custou o cargo e deu início ao colapso do reinado de Getúlio. No exato momento da renúncia de Jânio, Goulart conversava com Mao Tsé-tung numa visita oficial à China. Começou a fazer as malas para voltar para casa e assumir a presidência do Brasil — mas os militares mandaram dizer que nem precisava se incomodar.

Liderada pelo idoso ministro da Guerra, Odílio Denys, a ala conservadora cada vez mais numerosa entre os militares simplesmente proibiu Goulart de assumir a presidência, advertindo que seu avião seria derrubado se ele voltasse da China. Tanques tomaram posição de combate no Rio, preparando-se para o pior. "Vocês querem que seus filhos sejam criados por comunistas?", perguntou Denys aos brasileiros. "Chegou a hora de escolher."

A única resistência significativa ao golpe contra Goulart partiu do seu estado natal no Sul. Leonel Brizola, governador do Rio Grande do Sul (onde meu avô participara da repressão à revolta da Armada 70 anos antes), tentou levantar seu estado em defesa de Goulart, seu cunhado. Brizola bloqueou o acesso à baía de Porto Alegre, mobilizou a polícia militar estadual, mandou cavar trincheiras, cercou seu palácio de arame farpado e instalou metralhadoras no telhado. "Não daremos o primeiro tiro", declarou, "mas podem estar certos de que daremos o segundo — e muitos outros!"

Depois de um mês de negociações, os militares autorizaram Goulart a assumir o cargo, mas só depois que ele concordou em restringir seus poderes. A solução de compromisso consistia em uma reforma do sistema de governo brasileiro, passando de um presidencialismo à americana para um esquema parlamentarista de estilo europeu. O que significava basicamente enfraquecer Goulart com a instituição do cargo de primeiro-ministro — assumido por Tancredo Neves, um deputado federal competente e combativo, mas conciliador —, que teoricamente deteria mais poderes que o presidente. A estratégia, adotada sem convicção, era ineficaz: uma típica solução temporária que viria mais tarde a causar mais problemas. De qualquer maneira, os militares finalmente permitiram que Goulart voltasse a Brasília. Para não correr mais riscos, o novo presidente esperou que a noite caísse para entrar num jato em direção à capital, e ordenou que os pilotos apagassem as luzes até que o aparelho aterrissasse em segurança.

Enquanto o mundo real parecia sair de controle, eu me abrigava no universo acadêmico. Foi na verdade o único período da minha vida em que de certa forma me recolhi, como se estivesse dentro de uma concha. Recusei convites para ensinar na Universidade de Brasília, muito próxima do olho da tormenta. Devo ter intuído que um desastre era inevitável.

Enquanto isso, o país ficava cada vez mais combativo e polarizado. Alguns colegas e amigos assumiram funções no governo Goulart, entre eles Darcy Ribeiro, conhecido antropólogo, nomeado seu chefe da Casa Civil. Darcy, que era muito próximo de minha família e costumava ir à praia conosco, telefonou-me certa noite para dizer que vinha a São Paulo fazer um discurso.

— Pense bem, Darcy, acho que é arriscado — disse-lhe.
— Se vier a São Paulo, traga proteção.

Dias antes, o ministro da Reforma Agrária de Goulart estivera em São Paulo, sendo atacado por manifestantes. Não fora exatamente uma tentativa de assassinato, mas ele tinha sido violentamente agredido. Enquanto isso, bandos de milicianos favoráveis a Goulart tinham formado os chamados "Grupos dos Onze". A ideia, inspirada por Brizola, era a constituição de grupos de onze pessoas para "proteger a democracia". Era absurdo, mas na época esses grupos aparentemente representavam a única forma confiável de proteção para Darcy e outras personalidades do governo. Mais uma indicação de como a vida política do país se tornara surrealista.

— Venha com os Grupos dos Onze — disse eu a Darcy —, pois de outra forma poderá ser morto.

Eu não sabia que meu conselho a Darcy estava sendo ouvido: nossa conversa telefônica fora gravada pelos militares e mais tarde viria a ser usada contra mim.

* * *

Goulart conseguiu durar mais do que esperava qualquer um de nós. Era um homem simples e um político astuto. Mas cabe afirmar que em 1964 boa parte dos brasileiros estava apavorada com ele. Pessoalmente tímido, Goulart era por demais audacioso quando se tratava de exercer o poder — especialmente poderes que não detinha. Aconselhado por vários comunistas, entre eles Luís Carlos Prestes, Goulart fez uma canhestra tentativa de reforma agrária. Também apregoava ruidosamente uma "reforma urbana" — e até hoje ninguém sabe realmente o que ele pretendia com isso, mas a simples ameaça deixou os brasileiros, nas cidades como no campo, aterrorizados com a perspectiva de perder suas casas. Milhares de fazendeiros e outros se armaram, formando milícias para defender suas terras.

Era de fato uma receita de golpe.

Que poderia ter feito o Brasil?

Por um lado, é difícil retrospectivamente argumentar a favor de Jânio ou de Goulart. Ambos transformaram a presidência numa catástrofe. Provocavam abertamente os setores mais poderosos da sociedade brasileira — Jânio com seu esdrúxulo flerte com o comunismo, Goulart com seus planos de reforma agrária —, ao mesmo tempo fazendo muito pouco para ajudar os pobres. A inflação disparou e os investimentos despencaram. Dessa perspectiva, o argumento a favor da intervenção militar parecia até racional. Mas a história mostra que os militares estavam tão excitados que oscilariam quase tão radicalmente para a direita quanto Goulart fora para a esquerda, posto que este nunca foi um radical, muito menos de esquerda. Os militares tinham intervindo várias vezes na história brasileira, mas nunca para tomar o poder em favor da instituição armada. Dessa vez seria diferente. E o resultado seria desastroso.

No dia 13 de março de 1964, eu visitava meu pai em sua casa no Rio. Nesse dia, Goulart promoveu um espetacular comício em frente ao Ministério da Guerra no Rio, talvez sentindo que o fim estava próximo. Ao cair da noite, deixei o apartamento e percebi que a cidade estava banhada numa luminosidade diferente. Por toda parte velas tinham sido acesas nas janelas, simbolizando um silencioso apoio a um golpe contra Goulart. No prédio do meu pai, só duas janelas estavam escuras: a dele e a do famoso poeta Carlos Drummond de Andrade.

Fui para a estação ferroviária, que ficava na esplanada onde se realizava o comício, e encontrei vários jovens amigos que, como eu, pegavam o trem noturno de volta a São Paulo. Foi uma viagem lúgubre, sombria, assustadora. "Isso não vai acabar bem", disse alguém. Pela primeira vez se aventou a possibilidade de que alguns de nós teríamos de deixar o Brasil.

A maior parte do tempo, contudo, ficamos em silêncio.

Um mês depois, eu estaria no exílio.

CAPÍTULO 5

O amargo caviar do exílio

Horas depois do golpe, a polícia militar deteve um professor de sociologia de trinta e três anos chamado Fernando Henrique Cardoso. Ou pelo menos achava que tinha detido. Na verdade, os policiais prenderam um colega mais jovem que eu, Bento Prado, quando se dirigia à universidade, interrogando-o por algum tempo e depois começando a levá-lo sabe Deus para onde. Felizmente, ele conseguiu convencê-los de que não era eu, e com relutância o deixaram partir. Mas não era necessário um doutorado para entender a mensagem: eu estava sendo procurado.

Perplexo, passei as noites seguintes em casas de amigos, dormindo em sofás e camas improvisadas, mudando de esconderijo periodicamente. Mas naquele momento a coisa não parecia particularmente grave ou sequer assustadora: estava mais para o ridículo. Lá estava eu, um professor foragido, transformado da noite para o dia numa espécie de revolucionário de paletó de tweed. Quase me deu vontade de me entregar para conseguir respostas para algumas perguntas básicas: Por que queriam prender-me? Quem dera a ordem? Que lei eu tinha infringido? E sobretudo: Com que autoridade? Quem estava no comando no Brasil?

Ninguém tinha a menor ideia do que estava acontecendo. Sabíamos que os militares tinham tomado o poder, mas tínhamos apenas uma vaga ideia da facção interna que acabaria no controle no Brasil. Na noite de 31 de março de 1964, tropas hostis tinham se aproximado do Rio provenientes de Minas

Gerais e São Paulo. Goulart ficara sabendo do plano e fugiu para o Sul do país e, pouco depois, para o exílio no Uruguai. Assim, simplesmente, mais um golpe aparentemente incruento se efetivava. Dessa vez, contudo, a mudança seria mais drástica. Com a partida de Goulart, os militares queriam acabar de uma vez por todas com a era de Getúlio Vargas, com seu foco nas classes trabalhadoras urbanas, devolvendo o poder aos militares e à elite econômica.

Nos dias subsequentes, a Goulart não se sucedeu um fragor de raiva ou autoritarismo, mas antes um vazio em que prevalecia a desinformação. Não havia notícias, apenas boatos conspiratórios. O rádio praticamente se limitava à transmissão de marchas militares. Os jornais eram censurados, perdendo credibilidade. Soldados nervosos com cara de criança percorriam as ruas armados de metralhadoras. Carros de polícia passavam sem destino, tocando sirenes exclusivamente para assustar. Era ridículo, mas funcionou. Na verdade, praticamente nada acontecia.

Um dos boatos mais persistentes falava de um bolsão de resistência no Sul. Um amigo meu, Paulo Alves Pinto, era parente do poderoso general Osvino, que apoiava Jango. Num surto de idealismo juvenil, Paulo, Leôncio Martins Rodrigues, Bento Prado e eu, certa noite, lançamos mão de revólveres e, já tarde, entramos num carro, rumamos para o aeroporto do Campo de Marte e... quem poderia dizer o que tínhamos em mente? Pensávamos juntar-nos às forças resistentes gaúchas... Pura maluquice. Eu podia ser filho de um general, mas mal sabia disparar um revólver. Tenho para mim que nos deixamos arrebatar pelo momento, horrorizados com o que poderia significar uma ditadura. Naquela noite, fomos forçados a dar meia-volta por uma barreira militar. Poderíamos ter tido pior sorte. E assim terminava, sem incidentes, minha imprudente incursão pela resistência armada — a única tentativa que jamais faria nessa direção.

À parte essa incursão abortada, de que ninguém tomou conhecimento, nunca cheguei a saber exatamente por que os militares estavam atrás de mim. Eu não era membro do Partido Comunista nem tinha especial apreço por Jango. Mas havia algumas outras razões para tentar me calar. No dia seguinte ao golpe, tive com os alunos na faculdade uma reunião na qual tentamos entender o que estava acontecendo e como deveríamos agir. Havia muito mais perguntas que respostas. O golpe duraria? Haveria resistência? Alguém tinha visto fulano e beltrano? Estão sabendo quem foi preso? O pior pecado que cometemos não foi uma conclamação à resistência, mas na verdade o crime exatamente oposto: o silêncio. Meu departamento, o de Sociologia na Faculdade de Filosofia, Ciências e Letras, por pouco não lançou imediatamente uma declaração, por parte dos mais esquerdistas, de repúdio ao "golpe do Jango". Como eu tinha certa influência entre os professores, quero crer que meu silêncio de reprovação a tal descalabro e a opinião de jovens professores mais próximos do PC brasileiro devem ter ajudado a evitar o despautério.

Ainda assim, é um mistério o motivo pelo qual os militares foram me buscar com tanta pressa e açodamento. Desconfio que, no fim das contas, um fator decisivo terá sido menos a política do que pequenas picuinhas pessoais. Na universidade, eu participara de um movimento de reforma da cátedra, um sistema hierárquico quase feudal pelo qual os professores eram designados em caráter vitalício e detinham poder absoluto sobre os alunos, os estudos acadêmicos e outros professores. Nosso objetivo era tornar o sistema mais democrático. Naturalmente, sentiram-se muito ameaçados os professores mais velhos que já tinham chegado a esse patamar. E para se livrar de mim eles precisavam apenas dar um telefonema ao coronel certo...

É onde reside o caráter insidioso dos golpes. Inicialmente eles sempre são apresentados como nobres iniciativas de depuração, mas acabam degenerando em vulgares acertos de contas nas mãos de quem estiver do lado certo. Vem então uma caça às bruxas, e os inescrupulosos começam a cantar os nomes daqueles que têm como principal pecado o fato de serem seus adversários pessoais. Naquele momento, o Brasil deixaria envergonhadas as feiticeiras de Salem. Vidas foram arruinadas. Carreiras, destruídas. E muitas das vítimas jamais saberiam por quê.

Ruth passou horas percorrendo São Paulo, entrando e saindo de delegacias de polícia, tentando desesperadamente descobrir por que havia um mandado de prisão contra mim. Finalmente conseguiu encontrar um amigo da família, o ex-ministro do Trabalho de Dutra, Honório Monteiro, que falou com o secretário de Segurança Pública de São Paulo, o eminente professor de direito Miguel Reale. O amigo perguntou a Reale por que a polícia procurava com tanto zelo um jovem professor sem particular vinculação política.

— Esse homem não é apenas um professor universitário! — exclamou Reale. — É um militante!

Não era exatamente o caso. Nos dias que se seguiram ao golpe, o "militante" trabalhava duro em sua tese de cátedra. Mal consigo acreditar hoje, mas enquanto pulava de casa em casa continuei escrevendo minha dissertação sobre empresários latino-americanos e desenvolvimento. Ficava até tarde da noite na sala de estar das casas dos amigos, um olho tomando conta da porta de entrada, o outro revendo rascunhos e folheando teses universitárias. Não exatamente as atividades esperadas de um líder rebelde.

À medida que o tempo se arrastava e a polícia ia fechando o cerco, devo ter aderido a um velho estereótipo a respeito dos brasileiros: sob pressão, busquei refúgio na praia. Acompanhado de Ruth, de nossos filhos e de um amigo, Leôncio Martins Rodrigues, retirei-me para um apartamento de outro amigo, Thomas Farkas, a cerca de 80 quilômetros de São Paulo, no Guarujá. O apartamento ficava a pequena distância a pé do mar e, por uma dessas coisas do destino, bem atrás de uma base do exército. E lá estávamos nós, debaixo do nariz deles, enquanto inutilmente batiam em portas a nossa procura numa outra cidade. Mas a ironia não servia propriamente para nos animar, e aqueles foram alguns dos mais longos dias da minha vida. Estávamos completamente isolados, sem jornais nem rádio, recebendo apenas alguns poucos telefonemas. Passados quatro ou cinco dias, chegamos à conclusão de que devíamos estar parecendo muito suspeitos — um homem na praia com os filhos em abril, que não é época de férias no Brasil —, e então Ruth e as crianças voltaram para São Paulo.

Leôncio e eu passávamos horas infindáveis matando o tempo na praia, bastante preocupados com o que estava acontecendo com nossas famílias e nosso país. O sol nem sequer aparecia. De modo que quase senti alívio ao receber um telefonema de São Paulo.

— A situação aqui está piorando — disse Ruth em voz baixa, com delicadeza. — Todos nós achamos que seria melhor se você deixasse o Brasil por um tempo.

Aquelas palavras me deixaram abalado. Mas eu imediatamente percebi que ela estava certa. Muitos de nossos amigos estavam desaparecendo, e já ficara claro que as relações de família não bastariam para me proteger. Apesar de discreta, a oposição do meu pai ao golpe indispunha a hierarquia militar. Em 1964, ele já estava suficientemente velho e tranquilo para evitar maiores problemas. Mas eu não mereceria o mesmo tratamento especial. Ruth muitas vezes enxerga as coisas com mais clareza que eu, e nessa circunstância específica seus instintos acertaram na mosca.

Leôncio e eu voltamos de carro para São Paulo, onde fiquei na casa de um arquiteto que estava construindo uma casa para nós. O arquiteto era amigo de um cônsul americano, um homem afável que veio ao apartamento e me deu um visto de viagem para os Estados Unidos. Logo depois de sua saída, contudo, ocorreu-me que, se funcionários americanos sabiam onde eu estava, os militares brasileiros também saberiam. O golpe fora inteiramente brasileiro — vale dizer, ocorrera sem apoio americano direto —, mas não restava dúvida de que lado os Estados Unidos estavam. Agradeci então ao arquiteto e deixei seu apartamento assim que possível. Mas fiquei com o visto.

A única saída a essa altura era o aeroporto, o que, no entanto, representava um sério risco. Um grande amigo nosso, Maurício Segall, tinha contatos na Air France e, portanto, acesso a uma lista fornecida pelos militares às companhias aéreas com os nomes de "subversivos" que não podiam deixar o país. A lista nunca era a mesma, com diferentes versões em cada aeroporto, e Maurício descobriu que eu não constava da que se encontrava no aeroporto de Viracopos, em Campinas, perto de São Paulo. Comprou uma passagem para que eu deixasse o país numa companhia aérea sul-americana de reputação não muito boa — e naquele momento um medo parecia se sobrepor a outro, e eu disse a Maurício que, se era essa a única alternativa, preferia ficar e correr o risco de enfrentar a polícia brasileira. No fim das contas, contudo, encontramos uma companhia mais aceitável pela qual eu voaria até a Argentina, e ficou decidido que eu tomaria o avião na tarde seguinte.

Lembro-me muito pouco do dia em que deixei o Brasil. Minha cabeça rodava, numa mistura de raiva e medo que eu nunca tinha sentido. Os detalhes desse dia seriam mais tarde reunidos por Ruth. Fico sabendo que primeiro paramos na casa do meu amigo Roberto Gusmão para deixar uma cópia da minha tese, que ele tratou de esconder — esconder! — por trás de uma caixa de som. Maurício nos dera instruções muito precisas sobre o que fazer em seguida, e nos meses seguintes Ruth e nossos amigos se valeriam do mesmo sistema repetidas vezes para ajudar outras pessoas a fugir do Brasil: tomei um ônibus até uma das saídas da cidade, onde fui orientado a esperar num bar à beira da estrada. Enquanto isso, Ruth e vários outros amigos foram para o aeroporto verificar se era muito forte no dia a presença policial. Constatando que o caminho estava livre, voltaram ao bar para me apanhar.

Trajávamos todos nossas roupas melhores e mais caras. Eu vestira um terno com colete, enquanto Ruth e as amigas usavam longos vestidos esvoaçantes e salto alto. A teoria por trás disso não poderia ser mais eloquente sobre certos aspectos da sociedade brasileira: com aparência de gente da classe média alta, a polícia não ousaria nos incomodar ao chegarmos ao aeroporto. E estávamos certos: não fomos incomodados. Na tarde de 17 de abril de 1964, entrei num avião e deixei o Brasil.

Poucas coisas são mais revoltantes que o exílio. Eu me sentia emasculado, impotente. Deixava minha família para trás, assim como meu país — um país que tantos antepassados meus tinham lutado por construir e melhorar. Achava que meu exílio duraria apenas algumas semanas, talvez meses, mas me preocupava a possibilidade de perder o emprego e os amigos. A única coisa de que me lembro nesse dia foi a vontade de chorar ao entrar no avião para a Argentina. Recordo que pensei: Meu Deus, estou deixando o Brasil, deixando para trás minhas raízes e meu país. E para quê? Por quê?

* * *

A Argentina ficava bem ao lado, mas poderia perfeitamente estar a meio mundo de distância. Nessa época, telefonar do Brasil para Buenos Aires, ou vice-versa, podia levar horas. Parece incrível pensar que foi há apenas quatro décadas. Simplesmente encontrar alguém com telefone em casa era um verdadeiro calvário. E para dar um telefonema tínhamos de tirar o telefone do gancho, colocá-lo na mesa e ficar esperando o sinal. O que às vezes podia levar vinte minutos, em geral mais ainda. A ligação era praticamente ininteligível e podia ser cortada a qualquer momento. Cabe notar, todavia, que a Argentina era o máximo da modernidade em comparação com o Chile, aonde fui dar um mês depois — e onde o único meio de comunicação disponível com membros da família em Araraquara era o rádio de ondas curtas.

A informação no interior do Brasil era igualmente irregular, o que dava carta branca aos militares para fazer o que quisessem. Na virtual ausência de notícias, o regime não se sentia na obrigação de assumir qualquer compromisso, anunciando quais seriam afinal suas intenções. Podia dar-se ao luxo de optar pelo silêncio, e o vazio era preenchido com boatos, mentiras e medo. Contra esse pano de fundo de desenfreada especulação, a ideia de uma ordem militar estável parecia ainda mais atraente, e assim as forças armadas puderam consolidar seu domínio. Todo mundo achava, contudo, que os militares interviriam apenas por breve período, como tantas vezes acontecera na história do Brasil, e em seguida entregariam o país a dirigentes democraticamente eleitos, assim que voltasse a se estabilizar. "Assim que..." transformou-se em 20 anos.

O que aconteceu em abril de 1964 não foi apenas um golpe, mas um profundo conflito na sociedade brasileira. As classes da elite achavam que a experiência democrática tinha fracassado. Consideravam que um eleitorado ingrato tinha posto o país em risco — especificamente, os privilégios de que sempre haviam desfrutado — escolhendo dirigentes incompetentes como Jânio e Goulart para governar o Brasil. Como observou o historiador Kenneth Maxwell, de Harvard, "no Brasil a democracia com muita frequência tem sido considerada inimiga do progresso, prenúncio de anarquia, desunião e atraso". E assim a democracia foi descartada.

Os militares foram usados como instrumento para tomar o poder em nome da elite empresarial e de uma classe média frustrada. A "reorganização" que se seguiu não eliminou apenas pessoas, mas setores inteiros da sociedade. O poder de barganha que Vargas, Kubitschek e Goulart tinham transferido aos trabalhadores urbanos nas décadas anteriores lhes foi retirado praticamente da noite para o dia. Nos quatro anos que se seguiram, o novo governo militar baixou mais de 3.000 decretos presidenciais para reformar a economia. Os gastos do governo foram reduzidos em um terço, enquanto a arrecadação do imposto de renda quadruplicava. Os sindicatos perderam toda influência. As greves, que no governo de Goulart eram quase diárias, foram proibidas. O regime empenhou-se em remodelar o Brasil à sua própria imagem e semelhança: autoritário, secreto e com muito pouca preocupação com os pobres ou os direitos humanos.

Seria um exagero dizer que "o Brasil sequer era capaz de instituir direito uma ditadura". Mas havia nisso alguma verdade, pois os militares se mostraram suscetíveis de muitos dos mesmos problemas que afetavam o resto do país, levando a um regime que era um híbrido muito estranho e muito tradicional. O resultado não foi um clássico governo militar latino-americano de punhos de ferro. Afinal, ele era formado por brasileiros, com o traço de caráter dado à improvisação e à busca do consenso que sempre caracterizou a maioria de nossos governantes, fossem militares ou civis. Em vez de impor um único ditador iconoclasta — como logo aconteceria no Chile com Augusto Pinochet —, a presidência brasileira continuava mudando de mãos de quatro em quatro anos. O Congresso continuou reunido, sendo responsável até pela eleição do Executivo com essa periodicidade quadrienal (embora o candidato do regime sempre vencesse, é claro). Um único partido de oposição, o Movimento Democrático Brasileiro, o MDB, estava autorizado a concorrer às eleições nos estados e no Congresso. Uma titubeante liberdade de imprensa também foi restabelecida. Os sequestros, a tortura e os assassinatos só se banalizariam alguns anos depois do golpe.

Retrospectivamente, creio que provavelmente eu poderia ter permanecido no Brasil sem correr risco de violências, pelo menos a curto prazo. Se eu me tivesse entregado naquela primeira manhã, poderia ter ficado detido por um dia ou dois, sendo libertado. Entretanto, teria sofrido sérias restrições ao meu trabalho acadêmico e estaria sujeito ao sufocante clima intelectual e às perseguições sofridas pelos suspeitos de esquerdismo. Não teria crescido profissionalmente. Além do mais, nenhum de nós sabia quais eram as intenções dos militares quando tomaram o poder; sabíamos apenas que nossos amigos estavam sendo encarcerados. Examinando aquela época, creio que minha decisão de partir para o exílio foi correta, apesar das terríveis consequências.

Pouco a pouco, montando uma peça após outra, no tênue fio das conversas telefônicas, de cartas e de pessoas que chegavam do Brasil, fiquei sabendo que minha vida no Brasil estava sendo vasculhada. Comissões de inquérito foram constituídas na universidade, com a participação dos militares; como eu fosse chamado a depor e não comparecesse, o tribunal me declarou como incorrendo em ameaça à segurança nacional, decretando minha prisão à revelia. Eu deixara com Ruth uma carta pedindo formalmente licença da USP, para não perder o emprego, mas as pressões da direita acadêmica acabaram levando à minha pura e simples demissão.

Essa história se repetia Brasil afora, muitas vezes em circunstâncias muito mais terríveis que as minhas. Meu mentor na USP, Florestan Fernandes, chegou a ser encarcerado por breve período depois de redigir um manifesto condenando o golpe. Outros profissionais ao chegar ao trabalho encontravam as mesas esvaziadas e seus pertences depositados numa caixa. Alguns simplesmente desapareciam. O período de violência política em massa só teria início vários anos depois, mas de qualquer maneira vidas estavam sendo arruinadas. Aos poucos, aqueles que haviam apoiado o golpe — principalmente a classe média — deram-se conta de que estavam afundando num longo pesadelo nacional. Como costuma acontecer em tais tragédias, era tarde demais para voltar atrás.

* * *

Em Buenos Aires, continuei trabalhando na minha tese, na esperança de que os problemas no Brasil de alguma forma desapareceriam e a vida voltaria ao normal. Eu passava a maior parte do tempo no apartamento de um amigo — José Nun, posteriormente ministro argentino da Cultura,* lendo os jornais que me chegavam às mãos. Evitava usar muito o telefone, temendo que os militares argentinos estivessem em

---

* José Nun exerceu esse cargo entre 2004 e 2009.

entendimento com os brasileiros. Tinha um pequeno grupo de amigos argentinos que conhecera em congressos acadêmicos anteriores — entre eles o eminente sociólogo Gino Germani e Torcuato Di Tella, engenheiro e sociólogo que muitos anos depois seria nomeado ministro da Cultura na Argentina.* A maior parte do tempo, contudo, eu passava esperando. Sem saber muito bem o quê.

Finalmente, algumas semanas depois de deixar São Paulo, recebi uma visita de Nuno Fidelino Figueiredo, antigo colega na Faculdade de Economia da USP. Seu pai era o velho cavalheiro que, vinte anos antes, à beira de uma piscina, tinha me estimulado a entrar para a USP e estudar sociologia. Pois agora aparentemente chegara o momento de um outro Figueiredo me dar um empurrão para a próxima etapa da minha vida. Nuno trabalhava na Cepal (Comissão Econômica das Nações Unidas para a América Latina e o Caribe), cuja influência ia muito além do seu papel oficial como organismo de assessoramento da política econômica. Ela atraíra alguns dos melhores intelectuais da região, e seus pareceres em questões que iam do comércio ao desenvolvimento industrial ganharam enorme influência entre governos latino-americanos em busca desse fugidio tonificante chamado "progresso". Nuno disse-me que José Medina Echevarría, reconhecido sociólogo espanhol vivendo no exílio, queria me oferecer um emprego na sede da Cepal em Santiago do Chile. Tratei de agarrar a oportunidade.

No exílio a gente acaba se voltando mais para si mesmo, e também fazendo o relógio voltar atrás. Ao chegar a Santiago, aluguei uma casa com três colegas da Cepal: Celso Furtado,

---

* Ocupou o cargo de secretário de Cultura durante a presidência de Néstor Kirchner (maio de 2003 a novembro de 2004). Desde 2010 é embaixador argentino na Itália.

economista de grande projeção, organizador da Sudene e ex-ministro; Francisco Weffort, que viria a ser o meu ministro da Cultura; e um outro professor chamado Wilson Cantoni. Todos nós começamos a nos comportar de novo como solteiros de poucos recursos econômicos. Meu novo emprego na verdade tinha uma remuneração razoável, mas estávamos tão inseguros quanto à eventual duração da nossa permanência que nos entregamos a uma absurda e doída sovinice. Éramos tão avaros, que não queríamos gastar com o aquecimento da casa. O que era ridículo. Em Santiago a temperatura muitas vezes é enregelante, e eu me lembro do primeiro inverno como particularmente cinzento e frio. Não havia aquecimento central naquela época, de modo que precisávamos comprar um aquecedor e enchê-lo de querosene, que nem era tão caro — mas não importava. Tínhamos brigas longas sobre a conveniência ou não de comprar um aquecedor; mas a maioria acabou optando por não comprar. Nem é preciso dizer que quase morremos de frio.

Havia muitíssimos outros cujo sofrimento era muito mais concreto. Havia brasileiros exilados que eram advogados, engenheiros ou médicos, e que, naturalmente, não podiam exercer suas profissões num país estrangeiro. Em termos financeiros foram reduzidos a dispor de quase nada. Outros, como os professores, simplesmente não dominavam o idioma espanhol o suficiente para se aclimatar. Que dizer dos sindicalistas? Até os profissionais mais qualificados podiam esperar meses até encontrar um emprego. Um grupo dos mais afortunados, que encontraram emprego na ONU ou em instituições equivalentes, abriu um fundo de doações em dinheiro para ajudar os que acabavam de chegar a se pôr de pé. Esse fundo viria mais tarde a tomar um rumo inesperado, pois o bolo inicial aumentou e foi usado para construir um restaurante e depois uma lavanderia. O lucro era inteiramente usado para ajudar exilados brasileiros em necessidade.

Apesar do companheirismo, muitas pessoas ficavam ensimesmadas, tornando-se incrivelmente amarguradas. Não muito depois da minha chegada, almocei com Samuel Wainer, o famoso jornalista brasileiro que apoiara Vargas na década de 1950, contribuindo para sua queda ao aceitar empréstimos questionáveis do Banco do Brasil. Fomos ao centro da cidade para desfrutar de um longo jantar com *cazuela* de mariscos e vinho.

Depois da segunda garrafa, Wainer caiu em lágrimas.

— Estou no exílio pela segunda vez na vida! — soluçava. — Quando é que vou voltar para casa?

Celso Furtado debruçou-se sobre a mesa, tentando reconfortá-lo.

— Não se preocupe — disse. — A ditadura vai durar no máximo dois anos.

Wainer encarou Celso, indignado.

— Não existe a menor possibilidade de os militares ficarem no poder *tanto tempo*! — afirmou.

Eu assenti, externando firmemente a mesma opinião. Nossos cálculos estavam errados em quase duas décadas.

Para mim, os tempos duros nunca chegaram a ser tão duros como para muitos outros. Não demorou e Ruth e as crianças foram também para Santiago. Nossa estada temporária transformou-se em quatro anos, e o Chile tornou-se nossa segunda casa. A vida era agradável, apesar da saída forçada do Brasil, e retrospectivamente eu costumo comparar meu exílio a um "amargo caviar". Alcancei certo reconhecimento internacional no meu emprego, e vim a ser promovido. Ganhava um bom salário, e meu status diplomático permitiu-me importar um sedã Mercedes, o que, na época, era um modo de guardar dinheiro para o futuro incerto. Meus filhos pequenos aprenderam a falar espanhol e inglês, e posteriormente minha filha Luciana ficaria falando o português por algum tempo com um sotaque estrangeiro algo estranho. Nós nos tornávamos cidadãos do mundo, desenvolvendo uma visão mais global e aberta, o que nos seria de grande valia nos anos seguintes.

O exílio propicia certa camaradagem, um certo estresse que une as pessoas de um mesmo país, fazendo a vida parecer um pouco mais vívida, como se houvesse um constante fluxo de adrenalina, estímulo misturado com tristeza. Compatriotas que de outra maneira talvez não fossem amigos descobrem que têm uma história em comum — e por causa disso eu muitas vezes me sentia de certa forma mais brasileiro em Santiago do que em São Paulo. Muitos de nós regularmente nos reuníamos para uma tradicional feijoada, algo que só raramente eu fazia no Brasil.

Também foi em Santiago que despertei para o conceito de "América Latina". Hoje ele parece perfeitamente natural, mas a ideia da região como um bloco político e cultural ainda não estava tão disseminada na época. Nós simplesmente não acreditávamos que o Brasil, com sua herança portuguesa e sua extensão continental, tivesse muita coisa em comum com o Peru, a Venezuela ou o México. Só quando vivia em Paris no início da década de 1960 é que me ocorreu que para nós era mais fácil a comunicação com argentinos ou uruguaios do que com os franceses — embora na época meu domínio da língua francesa fosse muito maior que o do espanhol. Dessa mesma época, lembro-me também de uma incursão por Amsterdã, onde um grupo de latino-americanos se reuniu para ouvir pelo rádio notícias sobre a crise dos mísseis em Cuba, e as únicas palavras que entendíamos em holandês era a expressão "Doctor Castro". Todo esse companheirismo me parecia dos mais estranhos. Só ao entrar para a Cepal em 1964, trabalhando com outros exilados de toda a região, é que me dei conta de que na verdade os países latino-americanos eram muito semelhantes.

A lembrança mais viva que me ficou de Santiago é que havia um cheiro bom e um cheiro ruim. O cheiro ruim vinha daquele terrível querosene que inicialmente, ao chegar, obstinadamente nos recusávamos a comprar — no inverno, a fumaça ia para a rua e impregnava tudo: as roupas, o cabelo. Santiago está aninhada num vale cercado das dramáticas montanhas andinas cobertas de neve, que nem sempre podem ser vistas da cidade em virtude da sufocante poluição e da bruma. As montanhas, nesses dias, parecem não ser mais do que mero espectro. O inverno é frio, seco e cinzento e aparentemente infindável, especialmente para um brasileiro acostumado ao calor ameno do litoral atlântico.

Até que chegava a primavera, e com ela o cheiro bom. Em Santiago, ele vem das flores e da explosão de vida que ocorre nos amplos jardins e parques da cidade. O ar de certa forma se ilumina nos meses de verão, e as montanhas dominam a cidade como monstros, tão próximas e imponentes que não podemos deixar de nos maravilhar com o fato de algo tão enorme ter desaparecido por certo tempo, por causa do nevoeiro e da poluição. O clima é seco e saudável, e as douradas encostas gretadas das montanhas ficam vermelho-vivas ao pôr do sol — uma visão fantástica para um brasileiro que cresceu acreditando que todas as montanhas eram verdes. Na maior parte do ano, é o cheiro bom que perfuma a cidade, que me parecia um lugar incrivelmente bem-cuidado e civilizado.

Santiago brilhava como o mais destacado centro cultural e intelectual da América Latina, condição tragicamente arruinada em virtude do que aconteceria mais tarde. A cidade na época era ainda pequena, mais parecendo um segredo íntimo compartilhado por apenas alguns poucos estrangeiros de sorte. O Chile era a mais antiga democracia parlamentar da América Latina, e as ideias circulavam livremente. Havia em Santiago um conselho de relações internacionais no qual funcionários governamentais e intelectuais das mais variadas tendências políticas se reuniam para debater ideias: um fórum organizado dessa natureza seria impensável no Brasil, e lembro-me de que fiquei pasmo com o caráter refinado e democrático da sociedade chilena. Nós frequentávamos museus, saraus de poesia e conferências acadêmicas. Fizemos amigos chilenos no trabalho e na vizinhança. Em frente à nossa casa viviam os sogros de Ricardo Lagos, que em 2000 seria eleito presidente do Chile. Ricardo e eu somos bons amigos até hoje, e ele faz parte de um grupo de chilenos que trago no coração.

E havia as festas. O adido cultural brasileiro na época era Thiago de Mello, poeta que tinha sido nomeado por Jango e permaneceu na função depois do golpe. Amazonense, parecendo um índio com sua pele morena, Thiago era carismático e de presença muito forte. Com sua mulher chilena, alugava a casa do famoso poeta Pablo Neruda. As festas se estendiam até a madrugada, com maravilhosos frutos do mar, ótimos queijos e abundância de vinho e pisco, a excelente aguardente chilena. E nelas circulavam celebridades tanto brasileiras quanto chilenas, entre as quais o próprio Neruda.

Neruda era como um deus. Todo mundo nessas festas fazia tudo para homenageá-lo. Pessoalmente, eu o achava algo maçante, mas como poeta ele era inquestionavelmente fantástico, merecendo todas as deferências que recebia, e mesmo mais. Sempre fazia entradas triunfais nessas festas — afinal, era a sua casa —, e me lembro de uma noite em que ele entrou pela porta da frente com estardalhaço, recitando um de seus mais famosos poemas com uma voz muito estranha, estridente e ofegante: "*Puedo escribir los versos más tristes esta noche.*" Depois dessa declamação melancólica, mas forte, a festa era incontestavelmente sua.

Outra presença, menos constante, nos almoços em casa de Thiago era Salvador Allende, o líder de esquerda eleito presidente anos mais tarde e depois derrubado pelo general Augusto Pinochet. Encontrei-me com Allende em algumas oportunidades. Lembrava-me políticos brasileiros dos velhos tempos: formal, elegante, arquitetando alianças. Usava *blazers* azul-marinho sob medida. Refinado, de fala mansa, gostava de conversar sobre poesia e literatura, mas só raramente sobre política.

Allende não parecia alguém que logo viria a se envolver numa das mais brutais e trágicas revoltas da América Latina. Mas o fato é que tampouco no Chile nada indicava o inferno que se aproximava. Entristece-me pensar que tampouco eu fui capaz de perceber isso.

Dizem que a palavra "saudade" não tem como ser traduzida. Entre suas conotações está a simultaneidade de sentimentos de tristeza e felicidade. Se existe alguma emoção mais brasileira, eu não conheço. Apesar de nossa fama de maiores festeiros do mundo, existe sempre um toque subjacente de melancolia em nossas celebrações. E era assim que eu me sentia no Chile. Por mais agradável que fosse aquela vida, eu não estava em casa. Tinha muita saudade do Brasil. Estava sempre pensando em alguma maneira de voltar.

Enquanto não era possível, eu ia tocando, esforçando-me por fazer algo e estar com gente que me lembrasse do Brasil. Tentava manter afiado meu talento de professor dando aulas de sociologia em diferentes escolas de Santiago, na de Economia e na de Sociologia da Universidade do Chile, e na Faculdade Latino-americana de Ciências Sociais (Flacso), da Unesco. Eu não pedia salário, nem mesmo um título: queria apenas manter aquela ponte com o passado. Era uma espécie de gratificação nostálgica que me ajudava tanto quanto a meus alunos. Entre eles estava a filha de Salvador Allende, Isabel, que décadas depois viria a se destacar também na política. Havia ainda um outro aluno que desde o primeiro contato causou forte impressão em mim. Haverei de me lembrar sempre de sua figura sentada no fundo da sala de aula com aqueles enormes olhos de gavião, bebendo cada palavra. Encerrada essa conferência, ele desceu os degraus do anfiteatro e se apresentou: era o jovem exilado brasileiro José Serra.

No Brasil, os políticos tendem a ter carreiras excepcionalmente longas, começando na faixa dos vinte anos e prosseguindo por mais meio século — desde que consigam de alguma forma sobreviver ao estresse e prolongar tanto a vida. José Serra, que viria a ser meu ministro da Saúde e depois o candidato do meu partido à sucessão presidencial nas eleições de 2002 e 2010, já era um político ativo quando nos conhecemos naquela sala de conferências chilena na década de 1960. Durante o governo Goulart, Serra estivera à frente da influente União Nacional dos Estudantes, e tivera participação destacada no comício pró-Goulart que precipitou o golpe. Obviamente, viu-se forçado a buscar o exílio, e chegou ao Chile em 1965, meio perdido. Mas não demorou para que sua lendária maturidade e obstinação o levassem de volta ao jogo político. No Brasil, Serra estava a ponto de se formar em engenharia, mas no Chile ele tomou a firme decisão de se reinventar como economista. Logo descobriríamos que quando José Serra quer alguma coisa, consegue. Ele alcançou um mestrado em economia sem jamais ter-se graduado e mais tarde doutorou-se em Cornell. Quatro décadas depois, ainda me espanto com sua obstinação.

Serra fez amizade comigo e logo estaria participando de um seminário que montamos no Chile, semelhante ao Seminário Marx de São Paulo. Era um grupo talvez menos famoso, mas não menos notável. Um dos seus integrantes era o cineasta Leon Hirszman, e outro viria a ser mais tarde meu líder do governo no Senado, Paulo Alberto Monteiro de Barros. Almino Affonso, que tinha sido ministro do Trabalho de João Goulart, e meu velho amigo de infância Plínio de Arruda Sampaio também participavam. Esse "Seminário de Santiago" era muito mais declaradamente político que aqueles anteriores encontros sobre Marx, transformando-se num *think tank* que refletia a diversidade dos exilados. Com o passar dos anos, começamos a imaginar maneiras de tentar influenciar a política brasileira. Dirigentes empenhados na volta à democracia sempre apareciam, e assim fomos agraciados num verão com a visita do irascível ex-presidente Jânio Quadros.

Depois de uma longa volta ao mundo, Jânio chegou ao Chile de navio: tinha pavor de aviões, uma das poucas coisas que, reconheço, na época, compartilhávamos. Sua chegada coincidiu com um momento em que parecia que o controle do poder pelos militares no Brasil podia estar cedendo. Formava-se uma frente ampla de líderes em favor da democracia, e Jânio tentava amealhar apoio para moderados da hierarquia militar que pudessem restabelecê-la. Vinha então sondar o sentimento dos numerosos brasileiros exilados em Santiago com vistas a possíveis adesões. Fomos a um almoço organizado por um amigo, Cleantho de Paiva Leite, então representante em Santiago do Banco Interamericano de Desenvolvimento, o BID. Almoçaram, entre outros, Plínio de Arruda Sampaio, Paulo de Tarso Santos (que fora ministro da Educação e governador de Brasília) e Pedro Paulo Poppovic. Jânio chegou diretamente do navio, vestido nos trinques e com a mãe e a esposa a tiracolo.

Jânio ainda era relativamente jovem, mas já então um homem preso ao passado. Enveredou por um esdrúxulo monólogo sobre a necessidade de reviver a qualquer custo a economia do café. As divagações pioravam à medida que se seguiam as doses de uísque: ele era capaz de beber absolutamente qualquer coisa, mas é claro que preferia os de boa qualidade. A noite sucedeu à tarde, e os homens foram para uma sala à parte das mulheres para discutir questões supostamente sérias com um indivíduo que fora, vale lembrar, chefe de Estado no Brasil. Mas a essa altura Jânio estava para lá de bêbado, e ficou completamente aturdido quando veio da outra sala o grito estridente:

— Jânio! Meu filho! Temos de ir!

Inicialmente ele optou por ignorar a mãe, tentando com evidente desconforto levar adiante sua falação sobre o nascente movimento democrático no Brasil.

— Meu filho! Jânio! Precisamos voltar para o navio!

Nós todos nos entreolhávamos com uma mistura de constrangimento e perplexidade. Será que estavam mesmo para voltar para o navio naquela noite? O porto mais próximo era Valparaíso, a cerca de duas horas de Santiago.

— Jânio!

Finalmente, ele respondeu aos berros:

— Mããããããããããe! — gemeu, parecendo uma criancinha.

— Não me atrapalhe, mamãe, estou conversando com amigos!

— Jânio! — fez a mãe com severidade, adentrando a sala.

— Vamos embora! Eles aqui têm terremotos!

Ficamos sabendo que a família Quadros se recusava a dormir em terra firme, apavorada com os terremotos moderados que com frequência sacudiam Santiago. Dissemos então que a permanência a bordo provavelmente era mais perigosa, pois um tremor mais forte podia desencadear um tsunami — destino muito pior, segundo informamos aos nossos apavorados convidados. Eles então ficaram ainda mais assustados, chegando a contemplar a ideia de permanecer. Mas no fundo não queriam saber, e acabaram voltando para Valparaíso.

Como se poderia esperar, com líderes assim, a frente pela democracia acabou se evaporando, não obstante o empenho de muita gente boa. A facção militar de linha-dura retaliou, promovendo uma repressão ainda mais forte. Os anos subsequentes seriam dos mais brutais da história do Brasil.

* * *

Certa manhã de domingo eu vinha do clube Manquehue de uma aula de tênis quando Osvaldo Sunkel, um economista da Cepal, chegou com um envelope para mim. Logo percebi que algo estava errado, pois Osvaldo se mantinha estranhamente calado. Ficou diante de mim com a cabeça baixa enquanto eu o abria, encontrando um telegrama que dizia simplesmente: "Sapo morreu."

Eu sequer tinha ideia de que meu pai estivesse doente. Com comunicações tão precárias, só muito depois eu viria a saber que ele tivera problemas cardíacos. Não ficara doente por muito tempo. Minha dor logo evoluiu para uma raiva turva e confusa. Que fazer? Voltar ao Brasil? Pranteá-lo de longe? Eu não tinha a menor ideia se seria possível voltar a tempo para o enterro, nem mesmo se eu poderia ir: ainda havia uma ordem de prisão contra mim. Era uma das piores coisas que podiam acontecer a alguém no exílio, e meu coração se encheu de ódio ao regime que me impedia de estar ao lado do meu pai no momento de sua morte.

Eu precisava tomar uma decisão imediatamente. Reza a tradição no Brasil que uma pessoa seja enterrada em prazo de vinte e quatro horas após a morte, de modo que se eu quisesse chegar ao Rio para o funeral teria de deixar o Chile naquele mesmo dia. Meu passaporte diplomático das Nações Unidas teoricamente me dava certa imunidade, mas os militares brasileiros tendiam a obedecer apenas às próprias regras. Apesar do enorme risco, contudo, era evidente para mim qual devia ser minha decisão.

Despedi-me demoradamente de Ruth e das crianças, deixei Santiago e cheguei ao Rio por volta da meia-noite. Não encontrei qualquer problema no aeroporto. Tomei um táxi até o apartamento do meu pai, assustadoramente vazio, e peguei no sono por algumas horas. Na manhã seguinte, houve uma cerimônia fúnebre íntima na qual encontrei meu irmão, minha irmã e minha mãe pela primeira vez em muito tempo. Minha mãe chorava, inconsolável com a perda do companheiro de trinta e cinco anos e também abalada, estou convencido, com o súbito reaparecimento do filho exilado.

O caixão do meu pai estava num canto da sala do Cemitério São João Batista. A distância, percebi que estava aberto, o que por algum motivo me chocou. Fiquei paralisado por um bom tempo, sem fala, até que me voltei para meu irmão e disse:

— Bom, acho que não temos muita escolha. Vamos dar uma olhada em papai.

Creio que estava tentando dar alguma leveza à situação, mas então, ao nos aproximarmos do caixão, vendo-o ali estendido, me veio uma tristeza avassaladora. Pensei que não estivera presente nos últimos anos daquele homem marcante, que eu sempre emulara. E me permiti derramar algumas lágrimas.

Houve também uma cerimônia pública mais formal, uma missa de sétimo dia, com o comparecimento talvez de umas 200 pessoas. Muitos eram militares, naturalmente. Vinham ao mesmo tempo para prestar homenagem ao meu pai, afinal um general, e para ficar de olho no filho rebelde. Lá estavam eles de carranca fechada, uniformizados, com um olho no padre e outro em mim. A certa altura, um veterano oficial aproximou-se e começou a sussurrar algo para um primo meu. Este chegou-se a mim e botou a mão no meu ombro.

— O general apresentou pêsames pela morte do seu pai em nome dos militares brasileiros — disse meu primo baixinho. — Disse também que você terá de deixar o Brasil assim que possível, após a missa de sétimo dia, ou será detido.

Completamente atônito, minha cabeça rodava exatamente como no dia em que eu partira para o exílio. Fui tomado de um sentimento de alienação em relação ao meu país. Meu pai estava morto, minha história me fora arrancada e minha vida não tinha mais raízes. Seriam necessários anos para que eu me recuperasse dessas injustiças e voltasse a estabelecer uma relação positiva com o Brasil.

* * *

O mandado de prisão contra mim acabou sendo revogado em 1967, quando meu caso foi levado ao Supremo Tribunal Militar, onde um general chamado Peri Constant Bevilacqua — neto de Benjamin Constant, o famoso professor do meu avô que liderara o golpe contra Dom Pedro II em 1889 — fez uma violenta crítica da opressão militar. Em consequência, o processo foi arquivado. Um ano depois, quando o regime enveredou por uma linha ainda mais dura, o próprio Peri passou a ser perseguido. As autoridades o forçaram a passar para a reserva, privando-o de suas condecorações militares. Quase três décadas haveriam de se passar até que finalmente eu pudesse, na presidência, devolver as medalhas à família.

* * *

A morte do meu pai infundiu-me novo ânimo. Eu queria deixá-lo orgulhoso. Não terá sido por mera coincidência que pouco depois, em 1967, concluí um livro que é provavelmente meu trabalho acadêmico mais conhecido. Era um projeto conjunto com o cientista social chileno Enzo Faletto, intitulado *Dependência e desenvolvimento na América Latina*. Publicado em espanhol em 1969, em português em 1970, e em mais de 15 línguas até 2012 [em italiano em 1971, em alemão em 1977 e em francês em 1978], ele projetou minha carreira acadêmica no cenário internacional. Ao sair em 1979 a tradução inglesa, a versão espanhola já chegava à décima sexta impressão.*

Por que esse livro teve tanta influência? Basicamente, ele articulava um modelo explicando o que acontecia em termos sociais, políticos e econômicos na América Latina. No início da década de 1960, mergulhada a maior parte da região na estagnação econômica, os que se posicionavam ideologicamente à esquerda estavam convencidos de que uma crise terminal do capitalismo global seria inevitável. Eles acreditavam que o sistema em vigor estava falido. Os países ricos, vale dizer, os Estados Unidos e as nações da Europa Ocidental, haveriam de subjugar o "Terceiro Mundo" num estado de impo-

---

* Para mais informações sobre minha carreira acadêmica e política, ver o excelente livro de Ted G. Goertzel: *Fernando Henrique Cardoso e a reconstrução da democracia no Brasil* (São Paulo: Saraiva, 2002).

tência e permanente pobreza e atraso até que eles finalmente rompessem as amarras, por assim dizer. Muitos dos meus contemporâneos consideravam que isso não se aplicava apenas à América Latina, mas a todo o mundo em desenvolvimento. Eles esperavam — e desejavam — uma revolução global.

Na metade da década de 1960, contudo, algo estranho estava acontecendo: muitos países do "Terceiro Mundo", entre eles o Brasil, experimentavam um crescimento econômico dos mais robustos. Especialmente na Coreia do Sul e em Taiwan, ficava perfeitamente claro que os países pobres que acolhiam o investimento estrangeiro e desenvolviam um modelo de exportação competitivo tinham condições de prosperar no contexto do sistema capitalista em vigor. Enquanto isso, países que de fato haviam passado pela tão sonhada revolução socialista — a Coreia do Norte, Cuba e a Alemanha Oriental, por exemplo, — tinham economias vacilantes e regimes totalitários. Para aqueles que tinham abraçado o chamado dogma marxista ao longo de suas carreiras, a justaposição dessas duas realidades era ao mesmo tempo intrigante e perturbadora.

Faletto e eu não tentávamos abordar essas realidades formulando uma nova teoria, mas pelo frio exame de certos fatos capitais em diferentes países latino-americanos. Examinamos a gestão econômica em cada país e constatamos que certos governos e comunidades empresariais tinham sido mais capazes que outros de acumular capital próprio, de atrair capital estrangeiro e de promover o crescimento da economia. Vimos também que certos países, especialmente a Argentina e o Brasil, tinham conseguido acomodar-se à presença de empresas estrangeiras sem ceder o controle dos interesses nacionais. Postulávamos então que países pobres em situação de "dependência" em relação aos ricos podiam dar certos passos em direção ao progresso, apesar do sistema em vigor. E que havia vários tipos diferentes de vinculação de cada país ao sistema capitalista internacional dominante. Tudo isso parece perfeitamente óbvio e elementar hoje em dia, mas na América Latina de 1968 tais ideias beiravam a heresia.

O livro foi em geral considerado de esquerda por sua visão de mundo: a descrição das diferenças entre países ricos e pobres, assim como das relações *de fato* existentes. Mas as conclusões não eram muito esquerdistas.

A principal mensagem de *Dependência e desenvolvimento* era que as populações da América Latina poderiam ter o controle de seu próprio destino. Em certas circunstâncias, podíamos de fato melhorar nossa posição relativa no sistema existente. Muitas alternativas eram possíveis nesse sistema embora fosse capitalista e com ele mantivéssemos certas formas de dependência. O fatalismo que dominava a região na época condenando-nos ao atraso era perfeitamente sem sentido, dizíamos. Naturalmente, haveria certas restrições, e nós não preconizávamos um cego capitalismo de livre-mercado. Na verdade, não preconizávamos muitas iniciativas específicas. Simplesmente descrevíamos o mundo em mutação que podíamos ver, mais ou menos a partir das análises histórico-estruturais de Marx. Postulávamos que os dirigentes latino-americanos eram capazes de tomar decisões independentes e de peso nesse contexto. "O curso da história depende em grande medida da ousadia daqueles que se propõem a agir em termos de metas historicamente viáveis", escrevíamos. Em outras palavras: o problema enfrentado pela América Latina era de natureza antes política que econômica. Éramos nós os responsáveis pelo nosso atraso, e ninguém mais. Essa provocadora responsabilização é que tornou o livro tão polêmico.

O livro foi lido por acadêmicos, dirigentes políticos e público em geral. Retrospectivamente, acho que fez sucesso por ser um oportuno reconhecimento de uma nova força que mal começava a transformar o mundo: estávamos na verdade escrevendo sobre o início da globalização, que ainda não tinha na época um nome chamativo. Nós constatávamos que o planeta era interligado por comunicações cada vez melhores e que surgiam empresas implantadas em diferentes países ao redor do mundo. Os países que pudessem tirar proveito da acolhida a essas empresas, se mantivessem as suas, haveriam, por sua vez, de prosperar. Hoje, tais empresas seriam chamadas de "multinacionais", que na época era uma expressão nova, pois seu uso se generalizou apenas a partir da década de 1970. A vida tem suas ironias: por mais incipiente que fosse nossa compreensão desse novo fenômeno na década de 1960, seus gigantescos efeitos terão constituído provavelmente a força mais importante, problemática e desconcertante atuando sobre minha presidência trinta anos depois.

* * *

Dependência e desenvolvimento abriu-me as portas da França. Com a grande repercussão do livro, meu amigo e antigo professor Alain Touraine, do Laboratório de Sociologia Industrial da Universidade de Paris, com quem eu tinha estudado em 1961, convidou-me a ensinar no novo campus da Universidade de Paris em Nanterre. Por mais feliz que estivesse na Cepal no Chile, agarrei a oportunidade. Depois de anos de turbulência na América Latina, eu ansiava por um breve hiato, na plena expectativa de encontrar na França um revigorante oásis de paz e prosperidade de "Primeiro Mundo". À primeira vista, o país parecia tão plácido. As pessoas diziam que de Gaulle era como Luís XIV, só que melhor, pois não havia rebeliões.

Havia apenas um detalhe: estávamos em 1968.

Quando Ruth e eu chegamos, a fachada ainda estava no lugar. Mas acho que devíamos ter identificado as primeiras fissuras. O campus universitário de Nanterre, um agradável subúrbio perto do *16ème arrondissement* em Paris, era uma das regiões mais ricas da cidade, de onde provinham muitos dos estudantes. Eram, portanto, em sua maioria da classe média alta, e desde o início ficou claro que sofriam de uma espécie de inquietação burguesa. Queixavam-se da formalidade tradicionalista da universidade. Ao entrar na sala de aula, por exemplo, o professor era antecedido por um bedel que anunciava: *"Monsieur le Professeur!"* Todos os alunos deviam levantar-se, e o faziam, mas cada vez mais devagar e com eventuais resmungos. Fumar também era proibido. Lembro-me dos primeiros cigarros que surgiram na minha turma, e das expressões de rebeldia e orgulho dos alunos fumantes. Claro que eu não me importava em absoluto que fumassem. Mas de fato me ocorreu que uma estranha transformação poderia estar ocorrendo.

O gatilho que disparou a "Revolução de Maio" em 1968, assim como a enorme confusão que se espalhou pelo planeta, também tinha esse caráter trivial. O ministro dos Esportes visitou nosso campus em Nanterre para inaugurar uma piscina. Foi desafiado por um grande grupo de alunos indignados com a proibição de que os estudantes do sexo masculino visitassem as mulheres em seus dormitórios. O ministro sugeriu, zombeteiro, que talvez pudessem mergulhar na piscina para acalmar o ardor sexual. O que levou um dos meus alunos, Daniel Cohn-Bendit, a chamá-lo de nazista.

Foi um pandemônio. Cohn-Bendit, nascido na França, mas cidadão alemão, foi convocado a depor num inquérito policial para se explicar sobre o insulto. Pouco antes de prestar depoimento, ele me procurou em minha sala. "O senhor está envolvido em política na França?", perguntou-me.

Eu respondi que certamente não. Ainda assim, ofereci-me para falar com Alain Touraine, que frequentara a escola com o ministro francês da Educação e poderia interceder em seu favor.

No fim das contas, de nada adiantou. Os estudantes de Nanterre organizaram uma manifestação de apoio a Cohn-Bendit, que ficou mundialmente conhecido como "Danny o Vermelho", por ser ruivo e por suas simpatias políticas. O protesto acabou num brutal confronto com a polícia antimotim, o que levou os professores de Nanterre a fechar a universidade, alegando condições por demais caóticas para o prosseguimento das aulas. Os estudantes retaliaram invadindo a universidade e ocupando-a, o que provocou novos confrontos com a polícia. Em questão de poucas semanas, o que tinha começado com um comentário descuidado à beira da piscina se transformara numa greve geral, em protestos estudantis e trabalhistas de alcance nacional que abalavam as próprias bases da França. Desesperado por restabelecer a ordem, De Gaulle mandou os tanques para a rua.

Aos olhos de um latino-americano, os acontecimentos em Paris naquele verão pareciam... quase brasileiros, em sua mistura de alto emocionalismo e ingenuidade política. Se os manifestantes gritavam contra a guerra do Vietnã, por exemplo, era porque sabiam da agitação estudantil no campus de Berkeley da Universidade da Califórnia, em ebulição desde anos anteriores. Adotaram também a linguagem das causas tradicionais — imperialismo, desigualdades sociais —, mas em geral essas questões pouco tinham a ver com sua luta. Lembro-me de ter visto nos desfiles franceses gordos cantando o hino da Internacional (De pé oh famintos da terra!) e descendo as ruas com cartazes que diziam "Não à fome no mundo!". Embora dificilmente o reconhecessem, os estudantes estavam muito mais preocupados com questões de liberdade pessoal e liberação; as moças já tinham o direito de visitar os dormitórios dos rapazes — e agora os rapazes queriam visitar os das moças. Nessa época, era proibido proibir; a pauta do momento era sexo, drogas e *rock'n'roll*.

Os motivos acabaram se revelando irrelevantes. As pessoas hoje esqueceram como o mundo era inseguro em 1968: todos os pilares da ordem mundial estavam sendo questionados. Foi um ano de assassinatos, revoluções e turbulência. Nesse contexto, a simples visão da anarquia nos elegantes bulevares de Paris, reproduzida no mundo inteiro por um veículo de comunicação de massa cada vez mais popular como a televisão, bastou para inspirar iguais manifestações na Europa. Estas por sua vez adquiriram significado local — e talvez maior relevância. No Brasil, a Revolução de Maio teria repercussões incomensuráveis, de que eu só me daria conta plenamente alguns meses depois.

Eu não estava motivado em participar diretamente dos protestos: não era a minha luta. Como sociólogo, contudo, não podia deixar de achá-los fascinantes. Representavam uma irresistível oportunidade de pesquisa de campo e uma ocasião para entender a sociedade de massas que se formava celeremente. Havia um grande grupo de exilados brasileiros trabalhando nas universidades em Paris, e muitas vezes ficávamos observando as manifestações e as barricadas estudantis até tarde da noite. Touraine às vezes nos acompanhava. Houve uma vez em que saímos com o historiador Eric Hobsbawm, o sociólogo italiano Alessandro Pizzorno, Frédéric Heller, o crítico Mario Pedrosa e o sociólogo Luciano Martins. Os estudantes e operários — que se juntaram às manifestações — tinham montado barricadas, e se sentavam nas ruas conversando, até que a polícia chegasse. Às vezes o cheiro de gás lacrimogêneo continuava pairando no ar das noites de primavera. Nós conversávamos amigavelmente com os manifestantes, muitas vezes entrando pelas primeiras horas da manhã na discussão de seus problemas, os da sociedade e suas frustrações pessoais. Graças a essas experiências, aprendi como as pessoas podem ser mobilizadas por uma causa, estando na verdade entusiasmadas com algo completamente diferente.

Muita gente tende a esquecer que a coisa toda chegou ao fim mais depressa do que se esperava. Um amigo nosso, sobrinho do ministro Pierre Joxe, convidou-nos a ir à casa do tio para ouvir um discurso de De Gaulle pelo rádio. Todos estávamos apavorados com o que ele diria, imaginando talvez que o velho general renunciaria.

Mas ele não renunciou. *"La réforme, oui; la chienlit, non"*, disse de Gaulle à nação. "A reforma, sim, a palhaçada, não." Isso depois de haver-se certificado da lealdade da tropa aquartelada na Alemanha e de haver entabulado negociações com os comunistas franceses, que tampouco estavam felizes com os movimentos de rua, que escaparam de seu controle.

E realmente eles haviam ido longe demais na visão burocratizada da elite francesa. Os protestos começaram a perder força em junho, e, embora De Gaulle nunca se tenha recuperado realmente, todo mundo voltou a atenção para outras questões. A verdade é que minha cabeça nunca estivera inteiramente na França: estava voltada para as possíveis maneiras de retornar ao Brasil. Aproveitando a agitação lá fora, eu praticamente me tranquei em casa, escrevendo minha tese e conversando com amigos no Brasil, na tentativa de sentir o pulso do país. Falava-se de uma certa abertura, de um esmorecimento da ditadura. Ruth e eu estávamos ansiosos por voltar, depois de quase cinco anos no exterior; nossos filhos quase já não falavam português. Sentíamos que, se nossos vínculos com o país enfraquecessem ainda mais, talvez nunca mais tivéssemos a chance de retornar.

Depois de sondar alguns velhos contatos, fui informado de que talvez houvesse a possibilidade de colocar-me na Universidade de São Paulo. O mandado de prisão contra mim vinha de ser revogado, e não parecia haver grande risco de censura. O falecimento de um catedrático abria a brecha para um concurso de reingresso à universidade. Ruth e eu decidimos que valia a pena correr o risco.

Voltaríamos para casa.

CAPÍTULO 6

Jeitinho

Poucas semanas depois da volta ao Brasil, uma bala perdida pôs fim a toda expectativa de que eu ainda tivesse de uma vida tranquila.

Pouco adiante na rua Maria Antônia, na Faculdade de Filosofia da Universidade de São Paulo, onde eu voltara a ensinar, havia uma outra universidade, privada, chamada Mackenzie. As duas escolas sempre tinham sido diferentes, mas agora, de uma hora para outra, se detestavam. Alunos da nossa universidade afirmavam que a Mackenzie era um viveiro de tropas de choque da direita. Os estudantes da Mackenzie, por sua vez, consideravam a USP um antro de guerrilheiros radicais de esquerda. No dia 3 de outubro de 1968, mais de 5.000 alunos das duas universidades se enfrentaram numa violenta batalha de rua. Atiravam ovos, barras de metal e coquetéis molotov. A polícia interveio com bombas de gás lacrimogêneo. Tiros foram disparados. Um estudante de 20 anos de uma terceira instituição, que por acaso passava pela rua e tentara refugiar-se na retaguarda quando a confusão eclodiu, foi atingido por uma bala e morreu a caminho do hospital.

Da janela da minha sala no segundo andar, eu assistia indignado àquela grande demonstração de violência. Mal conseguindo acreditar, peguei o carro, fui com outros professores para a Secretaria de Segurança Pública, entramos pela porta e exigimos a presença do responsável. Fomos informados de que ele estava ocupado e que teríamos de esperar. Aguardamos horas, até que um funcionário se dignou receber-nos.

— A universidade está um caos! — disse eu. — O que a polícia vai fazer para restabelecer a ordem e punir os responsáveis?

— Talvez o senhor devesse estar mais preocupado consigo mesmo — soprou ele, com um brilho nos olhos.

Sem mais dizer, deu-nos as costas e se foi.

Eu me arrastei de volta ao escritório, com uma sensação de derrota. Ao abrir a porta, deparei-me com meus arquivos, inclusive fotocópias do Floresta Aurora, parcialmente queimados e destruídos. Parte do meu trabalho se perdera. Fiquei sabendo mais tarde que alunos da Mackenzie tinham jogado um coquetel molotov na minha sala.

E me perguntava: Foi para *isso* que eu voltei ao Brasil?

Eu provavelmente devia ter farejado confusão desde o momento em que voltei a São Paulo. Eu mal conseguia reconhecer o meu país; era como voltar para casa na Lua. Toda aquela conversa em Paris a respeito de uma abertura no regime militar não passava de um total absurdo. Na verdade, era o contrário que acontecia. Depois do confronto naquele dia entre alunos das duas universidades, dei-me conta de que eu voltara na realidade a tempo de presenciar o período de mais grave violência política jamais vivido no Brasil.

Inspirados pela revolução cubana, por Che Guevara e, sim, pelos acontecimentos daquela primavera em Paris, muitos estudantes universitários pouco tempo depois da "batalha" da Maria Antônia tinham fundado pequenos grupos guerrilheiros dispersos. Lançavam bombas, assaltavam bancos e sequestravam políticos e empresários, acreditando que esse tipo de heroísmo derrubaria o governo. Tudo perfeitamente inconsequente e inviável. Nos assaltos a bancos, por exemplo, três ou quatro guerrilheiros se encarregavam do trabalho sujo da ameaça na ponta das armas e do roubo do dinheiro, enquanto outro grupo gritava pela rua slogans revolucionários e distribuía panfletos. Quando as forças da ordem chegavam em seguida, os policiais percorriam as ruas apressadamente recolhendo a propaganda e enfiando no bolso para que ninguém pudesse ver. Os transeuntes se limitavam a dar de ombros, perplexos.

Na verdade, perguntados sobre o movimento guerrilheiro, os brasileiros em sua maioria faziam exatamente isto: davam de ombros. Os jovens guerrilheiros eram quase todos estudantes, quase sempre de classe média e nominalmente marxistas em sua retórica. Em 1968, contudo, a opinião pública não se sentia muito atraída pelo marxismo, o comunismo ou qualquer "ismo" que pudesse sugerir uma volta ao caos da época de Jânio e Jango. A economia crescia num ritmo saudável, a inflação era relativamente baixa, e àquela altura a maioria dos brasileiros acreditava que os benefícios acabariam chegando ao seu bolso, embora a situação no momento ainda fosse difícil.

Em seu esforço de recrutamento em comunidades pobres na distante selva amazônica, outros guerrilheiros pregavam sobre Lenin e justiça social para camponeses de fervorosa fé católica e que não tinham qualquer contato com o governo, fosse bom ou ruim. Seus atos obedeciam a um impecável idealismo pelos padrões de suas convicções revolucionárias, mas eram na prática perfeitamente sem sentido. Uma das estratégias consistia em sequestrar embaixadores dos países que mais investiam no Brasil — pela ordem —, começando pelos Estados Unidos, depois a Suíça e assim por diante. Essas ações não despertavam simpatia entre os pobres, que não encaravam o embaixador da Suíça como um problema do seu dia a dia. Os guerrilheiros tentavam fazer uma revolução proletária sem o proletariado.

O resultado foi uma tragédia. O movimento guerrilheiro deu à ditadura um excelente pretexto para reprimir toda forma de dissidência. Entre 1964 e 1985, os militares mataram 325 suspeitos de esquerdismo, e mais de 1.500 foram torturados, segundo posteriores estimativas da Anistia Internacional. A esmagadora maioria das baixas ocorreu entre 1969 e 1973, o período em que a violência da guerrilha e dos militares chegou ao auge. A esquerda e a direita se radicalizaram, e o centro se encolheu, desaparecendo do mapa por vários anos. É provável que em nenhum outro lugar essa batalha se tenha mostrado mais dramática e cruel do que na Universidade de São Paulo, onde o ensino parecia a essa altura uma espécie de interlúdio entre abalos sísmicos.

Eu enfrentava um profundo conflito. Por um lado, apoiava com entusiasmo qualquer iniciativa de resistência ao regime militar. Também reconhecia o impacto que a resistência civil podia ter num Estado autoritário. Mas era isto o principal: tinha de ser uma resistência *civil*. No Brasil, onde a conciliação é tão valorizada, uma ampla campanha coordenada de manifestações pacíficas poderia (como veio a acontecer mais tarde) exercer uma enorme e positiva pressão sobre a ditadura. Mas era evidente que, se o calcanhar de aquiles da ditadura eram os direitos civis e políticos, a adesão da opinião pública brasileira nessa questão não seria estimulada por grupelhos de guerrilheiros de classe média encapuzados atirando bombas, assaltando bancos e sequestrando diplomatas desconhecidos. Acima de tudo, minha paixão era a democracia, ao passo que a maioria dos guerrilheiros sonhava com a instauração de um Estado que seria tão autoritário quanto aquele que tínhamos, só que socialista. Nossa luta não era a mesma.

Dito isso, a resistência civil sem dúvida era uma ideia ligeiramente fora de propósito no contexto fortemente polarizado da época. O que explica que alguns dos meus amigos estivessem, de alguma forma, ligados à resistência armada. Não eram necessariamente guerrilheiros: a fronteira, no caso, não era assim tão clara. Alguns chegavam a pegar em armas, mas outros se envolviam em atividades muito menos declaradas: por exemplo, oferecer um quarto em casa para um rebelde em fuga passar a noite. A vida política e social tendia a ser uma só. Certa vez, eu me vi num carro com um grupo de amigos para entregar uma pequena carga de metralhadoras na casa de alguém. O que era feito com perfeita naturalidade, como se fosse apenas mais uma tarefa do dia. Nem sequer me lembro de ter ficado particularmente nervoso. Tenho certeza de que eu protestaria se estivéssemos assaltando um banco ou fazendo algo violento. Na época, contudo, andar pela cidade com armas ilegais não parecia nada demais.

Talvez eu estivesse meio anestesiado, pois desde o momento em que eu descera do avião vindo de Paris a luta contra a ditadura parecia afetar cada aspecto da minha vida. Como eu fora um dos primeiros exilados políticos a voltar, transformei-me numa espécie de símbolo na USP. Muitas vezes dava palestras para auditórios superlotados. Não necessaria mente porque minhas conferências sempre fossem fascinantes, mas porque, aos olhos de certos estudantes, o comparecimento era uma forma de mostrar oposição à ditadura. Eu achava essa projeção algo desgastante, pois não queria chamar a atenção. Querendo ou não, entretanto, ganhei uma certa celebridade *underground*, e logo seria eleito pelos alunos chefe do Departamento de Ciências Sociais.

Infelizmente, era uma época de extremismos, e o barulho que causavam encobria tudo mais. Certos estudantes radicais ficaram furiosos comigo porque disputei uma posição no controvertido sistema de cátedras, que concedia título vitalício e outros privilégios a um pequeno grupo de professores. Eu também me opusera a esse sistema antes de partir para o Chile, considerando-o superado e tendente a concentrar o poder nas mãos de um círculo muito restrito de pessoas. Agora, esses estudantes me acusavam de trair meus ideais em busca de vantagens pessoais.

Essas acusações chegaram ao auge no momento em que defendi minha tese, o último passo na disputa da cátedra. Era um solene ato público perante uma banca de eminentes professores e outros observadores interessados. Enquanto eu falava, um grupo de estudantes irrompeu no salão de conferências gritando que eu deveria me desvincular da universidade. Ostentavam cartazes e começaram a cantar que eu era um hipócrita.*

Enquanto o público acompanhava perplexo, tentei explicar meus motivos. "Se eu não ocupar esse cargo, alguém o fará", disse. "Acho que é melhor que ele seja ocupado por um progressista capaz de mudar o sistema de dentro, e que tentará transformar esta universidade."

De nada serviu. Eu me vi cercado pelos dois lados. Se a esquerda radical apenas não gostava de mim, a extrema direita manifestava rígida oposição. O próprio ministro da Justiça entrou em contato com o reitor da universidade, deixando claro que minha candidatura a uma importante posição no corpo docente não teria aprovação oficial. Em franco desafio à autoridade do regime, a comissão universitária me nomeou para o cargo, com voto unânime de 5 a 0.

---

* Além da dissertação escrita, é escolhido aleatoriamente um tema sobre o qual o candidato deve discorrer, num exame oral. Por sorte, meu tema foi "As revoluções dos tenentes de 1922 e 1924". Desnecessário dizer que me saí muito bem.

A essa altura, todos sabíamos que o *status quo* não duraria. Esperávamos ansiosos pela provocação final. Eu pensava com frequência na minha experiência na França, onde o confronto entre Danny o Vermelho e o ministro dos Esportes fora a partida que dera início ao incêndio. Suponho que não terá sido uma surpresa que no Brasil a fagulha tenha sido algo igualmente trivial.

Um jovem deputado do Rio chamado Márcio Moreira Alves propôs que a população boicotasse a parada militar do Dia da Independência para protestar contra a ditadura. Horrorizada com essa demonstração de desrespeito, a linha dura dos militares ordenou que o Congresso, que àquela altura ainda desfrutava de alguma autonomia, expulsasse Alves. Quando ficou claro que o Congresso não cederia, os dirigentes militares resolveram dar um basta.

O regime retaliou em 13 de dezembro de 1968 baixando o Ato Institucional nº 5, decreto de nome muito apropriadamente orwelliano que punha fim ao que restava de arremedo de democracia no Brasil. O decreto, conhecido como AI-5, equivalia a um segundo golpe, ainda mais severo; expurgava o Congresso de parlamentares dissidentes, demitia centenas de juízes e prefeitos e impunha pesada censura aos jornais, inclusive estrangeiros. As fileiras militares foram expurgadas de oficiais "brandos" simpáticos à democracia. A USP passou relativamente ilesa inicialmente, mas o aviso fora dado: logo mais viria sua vez.

Numa ensolarada manhã de abril de 1969, dirigindo meu Volkswagen azul para o trabalho, ouvi no rádio que eu fora "aposentado" da Universidade de São Paulo. Nós éramos 70 na lista dos chamados professores militantes, entre os quais Florestan Fernandes, além de José Arthur Giannotti, Octavio Ianni, Bento Prado e outros do Seminário Marx. Essa lista fora feita logo depois do golpe de 1964 com a ajuda de professores conservadores, que assim aproveitavam uma excelente oportunidade de acertar contas pessoais. Os militares demitiram todos nós em caráter imediato.

As demissões foram tratadas de uma maneira bem brasileira. Por um lado, éramos declarados ameaça à segurança nacional e privados de nossos empregos e de nossos direitos políticos. Entretanto, também éramos estranhamente tratados com certa deferência. Os militares nos concederam pensão vitalícia proporcional ao número de anos da atuação de cada um como professor. Também éramos autorizados a permanecer no país com nossas famílias. Dessa vez, nosso exílio seria profissional.

Em qualquer ditadura, todavia, o respeito é algo relativo. Ao chegar à universidade naquela manhã, eu ainda estava descendo do carro quando um aluno veio em minha direção, acenando com os braços.

— A polícia veio aqui à sua procura — informou, suando e nervoso. — Ficaram furiosos ao não encontrá-lo. Disseram que terá *problemas* se ficar e tentar dar aula.

Eu entrei de qualquer maneira. Um grupo de cerca de 100 alunos e vários professores juntou-se no saguão, tentando entender o que acontecera. Enquanto discutíamos, ouvi sirenes policiais a distância. Antes que pudéssemos nos dispersar, cerca de uma dúzia de policiais armados de revólveres irrompeu, ordenando que fôssemos para um salão no prédio principal da USP. Fomos acompanhados até lá por eles, que trancaram as portas. Os estudantes ficaram aterrorizados e começaram a trocar nervosamente histórias que tinham ouvido sobre os horrores da prisão, preparando-se mentalmente para o que certamente viria em seguida.

Minha salvação foi pura sorte. Um guarda plantou-se à porta conferindo carteiras de identidade e permitindo que saíssem aqueles cujos nomes não constassem de uma lista manuscrita. Eu me aproximei dele, disse que não estava com minha carteira de identidade e mostrei meu talão de cheques, cobrindo meu nome para que não pudesse vê-lo. Ele assentiu solenemente e me mandou passar. Nunca entendi exatamente por quê.

Tive realmente sorte; vários estudantes foram levados à prisão naquele dia. Passei o resto da tarde numa longa caminhada pela cidade, pensando no meu futuro. De uma hora para outra, aos 37 anos, eu encarava a possibilidade muito concreta de que a carreira que vinha tentando transformar no trabalho da minha vida chegasse ao fim meses apenas depois de retomada em meu próprio país. Nas semanas seguintes, recebi convites para ensinar em Yale e Nanterre. Não me faltavam oportunidades para dar prosseguimento a uma prestigiosa carreira acadêmica no exterior. Mas declinei de todas. Recusava-me a me exilar uma segunda vez: já percorrera esse caminho e não tinha a menor vontade de voltar a ele. Assim foi que permaneci em São Paulo, dedicando-me a trazer de volta a paz e a democracia ao Brasil.

* * *

Eu conhecia várias pessoas que foram mortas pelo regime militar. Entre elas, Rubens Paiva, um amigo que tinha sido eleito deputado federal antes do golpe de 1964. Eu tinha participado de sua campanha. Anos depois, Rubens visitou o Chile, e várias vezes nos encontramos em Santiago. Ao voltar ao Brasil, ele teria entregado uma carta a uma jovem — filha de um amigo e ex-deputado — que participava do movimento guerrilheiro. Informada do encontro, a polícia o deteve e o levou para a prisão. Rubens nunca mais voltaria a ser visto.

Não houve nada de ambíguo no destino do jornalista Vladimir Herzog, um amigo casado com uma ex-aluna minha. Quando eu ensinava em Paris, Vladimir, chamado de Vlado pelos amigos, vivia em Londres, e costumava nos visitar. Ele voltou ao Brasil e foi convidado em 1975 a trabalhar numa estação da televisão estatal em São Paulo. Pouco depois, foi intimado a comparecer a uma delegacia policial para "explicar" um noticiário noturno de tom crítico. Foi a última vez em que foi visto com vida. Dias depois, os jornais publicavam fotografias de Vlado pendurado por um cinto de couro numa cela carcerária, o que supostamente provaria que cometera suicídio. A afrontosa mentira seria desmentida quando sinais de tortura foram encontrados em seu corpo.

A mulher de Vlado, Clarice, me procurou.

— É óbvio que o mataram! Estão mentindo! — disse.

Naturalmente, ela estava certa, e no caso de Vlado a diferença era de colossal importância. Ele era judeu, de modo que, se fosse constatado que a causa da morte era suicídio, sua religião determinava que ele fosse enterrado numa área à parte do cemitério, para deixar bem claro seu derradeiro pecado.

— Há alguma coisa que possa fazer para esclarecer isto? — perguntava-me sua mulher.

Procurei então meu amigo, o cardeal Paulo Evaristo Arns, arcebispo de São Paulo. Homem de extraordinária coragem, Arns decidiu realizar uma cerimônia ecumênica em memória de Vladimir. Mais de 10.000 pessoas compareceram. Foi uma das primeiras manifestações públicas de oposição à ditadura. Saberíamos mais tarde que quase todos os presentes tinham sido fotografados. O rabino da congregação israelita de São Paulo, Henry Sobel, e o cardeal Arns concordaram em que Vlado fosse enterrado na parte principal do cemitério — o que significava desafiar abertamente o laudo de suicídio.

Muitos amigos foram torturados. Alguns desapareciam por dias, às vezes semanas, e voltavam com terríveis marcas e escoriações no corpo. Havia também casos, documentados por organizações de defesa dos direitos humanos após o fim da ditadura, nos quais a polícia militar aplicava choques elétricos nos órgãos genitais dos presos, ou então mantinha suas cabeças sob a água por longos períodos, tentando extrair confissões. A maioria dos sequestrados, é claro, era inocente e pouco tinha a contar; como não podiam "confessar" nada muito concreto, eram tratados ainda mais brutalmente.

Nesse clima de medo, um telefonema noturno podia ser aterrorizante. As pessoas se metiam debaixo da cama quando soava a campainha da porta. Não dava para viver assim.

A repressão dos guerrilheiros pelos militares foi imoral e desproporcionalmente violenta. De uma forma perversa, também foi muito eficaz. No meio da década de 1970, o movimento guerrilheiro brasileiro tinha sido varrido do mapa pela convergência da repressão e um total desinteresse da opinião pública. A resistência armada tinha sido um humilhante fracasso. "A esquerda radical", escreveu meu amigo Boris Fausto em seu livro *História concisa do Brasil*, "se equivocou completamente ao achar que poderia transformar o Brasil num outro Vietnã." A oposição precisaria assumir uma forma completamente nova e diferente.

Como resistir, então? Naquele clima de medo, qualquer um sabia que não poderíamos fazê-lo de maneira direta e aberta. Assim, a rebelião assumiu outras formas, menos evidentes. Transformou-se num jogo, numa espécie de exercício intelectual. Filmes, peças e discursos adquiriram enorme importância: qualquer coisa que mencionasse democracia, liberdade ou simplesmente *mudança* era um ato revolucionário. Todo mundo conhecia os riscos, inclusive o regime. Se uma peça ou um show fossem longe demais na pregação, as portas do teatro eram derrubadas por tropas que espancavam atores e músicos. Livros de todos os tipos foram proibidos, gerando um mercado negro de materiais acadêmicos: mensageiros clandestinos traziam-me textos proibidos no meio da noite. No fim, por mais graves que pudessem ser as consequências, as pessoas sempre encontravam alguma maneira de expressar sua opinião. A insatisfação simplesmente era grande demais para ser completamente sufocada.

Inicialmente eu enfrentei dificuldades, em busca do meu nicho. Queria dar vazão a minha energia e minha juventude, mas tecnicamente estava impedido pela aposentadoria forçada de pesquisar e ensinar. Mas eu também sabia que a ditadura não podia estar em todo lugar ao mesmo tempo. Existe uma maneira tipicamente brasileira de quebrar as regras, pela qual, se você insistir em que está obedecendo à lei, pode se sair bem com praticamente qualquer coisa. Temos para isso uma palavra muito própria, intraduzível: jeito ou jeitinho. Ela significa que sempre há uma maneira de contornar o sistema, uma certa tolerância às infrações contra a autoridade. Embora a ditadura se tivesse tornado mais violenta, seu foco ao mesmo tempo se tornara mais reduzido; havia uma possibilidade muito concreta de que fôssemos deixados em paz. Meus colegas e eu achávamos que talvez pudéssemos cansar o regime com um jeitinho aqui, outro ali, quebrando uma pequena regra de cada vez.

Tendo isso em mente, decidimos criar um *think-tank* chamado Centro Brasileiro de Análise e Planejamento, o Cebrap. Essa fundação produziria estudos sociológicos e econômicos, mas o objetivo político continuava sendo apoiar a democracia.

O recente expurgo nas universidades através do AI-5 permitiu-nos formar um *dream team* com os melhores acadêmicos do país. Cinco das principais figuras do Cebrap tinham participado do famoso Seminário Marx: José Arthur Giannotti, Juarez Brandão Lopes, Paul Singer, Octavio Ianni e eu. Cândido Procópio de Carvalho e Elza Berquó também estiveram presentes desde o início. Todos nós estivéramos ligados à Universidade de São Paulo. Era um grupo impressionante, todos nós com uma bagagem de peso. Outros viriam juntar-se a esse grupo inicial, entre eles Bolívar Lamounier, Carlos Estevão Martins, Vilmar Faria, Francisco Weffort e Maria Hermínia Tavares de Almeida.

Ironicamente, ao nos impor a aposentadoria e continuar a nos pagar um salário, os militares nos tinham liberado para que pudéssemos nos dedicar inteiramente a combatê-los. Para que o Cebrap fosse viável e pudesse contratar outros intelectuais, todavia, demo-nos conta de que seria necessário financiamento externo. Através de um amigo, sondamos a Fundação Ford sobre a possibilidade de uma subvenção. Era uma verdadeira heresia para alguns amigos e colegas, que consideravam receber dinheiro dos americanos o mesmo que se vender ao inimigo. Em protesto, Florestan Fernandes não entrou para o Cebrap, optando por ensinar no Canadá, o que me partiu o coração.

A Fundação Ford, contudo, não era propriamente uma representante do governo americano. Os principais funcionários de seu programa latino-americano eram acadêmicos liberais, muitos dos quais tinham trabalhado no governo de John F. Kennedy. Apesar de anticomunistas convictos, não tinham o mesmo reflexo automático de rejeição a ideias progressistas que levara Richard Nixon a apoiar ditaduras no Brasil e em outros países da América Latina. Queriam financiar grupos que, como o Cebrap, pudessem explorar uma solução democrática e capitalista para os problemas da região — uma espécie de "terceira via", expressão ainda não cunhada nessa época. Nós também representávamos uma oportunidade para eles. Numa viagem anterior ao país, uma equipe de representantes da Ford escreveu que o Brasil estava "pronto para evoluir (...) para a condição de 'nação real', em vez de uma simples faixa litorânea semidependente da Europa e dos Estados Unidos".

O que podia eventualmente faltar em diplomacia aos representantes da Fundação Ford era mais que compensado em generosidade. Peter Bell e William D. Carmichael, os representantes da Fundação no Brasil, nos ajudaram imensamente. A Fundação nos concedeu uma verba de US$ 100.000 para que o Cebrap se pusesse de pé. Seus representantes não apresentaram quaisquer condições prévias para o apoio da Fundação, e basicamente nos deixaram em paz. Ao contrário do que temia Florestan, foi o melhor benfeitor que podíamos ter imaginado. Alguns anos depois, a Fundação Ford nos deu mais um milhão de dólares. Ao longo dos anos, também receberíamos apoio da Igreja Católica da França, assim como de instituições da Suécia, da Holanda e do Canadá voltadas para causas dessa natureza em países em desenvolvimento. Obtivemos ainda vários contratos com empresas do setor privado para levar a cabo pesquisas econômicas.

A influência do Cebrap decorria de sua capacidade de fornecer informações que não estavam ao alcance de mais ninguém. Com o firme controle dos militares sobre os jornais e outros meios de comunicação, era grande a ignorância sobre o que acontecia no Brasil. As pesquisas mostravam que quase 80 por cento dos brasileiros eram a favor da ditadura. Mas nós acreditávamos que se as pessoas soubessem o que *realmente* estava acontecendo, especialmente no que dizia respeito à economia, seríamos capazes de solapar o monopólio de poder da ditadura.

Eu costumava comparar o Cebrap a um mosteiro. Estávamos isolados da turbulência da sociedade em geral, e, por trás de nossas paredes, livres para fazer o que quiséssemos. Não havia nada parecido no Brasil. Nós éramos o único espaço confiável para um debate político maduro pautado pelo rigor intelectual. Toda semana promovíamos um *mesão*, uma mesa-redonda para a qual convidávamos outros atores e pensadores políticos a um *brainstorming* conosco em torno das questões cruciais com que se defrontava o país. Muitos daqueles que, décadas depois, estariam governando o Brasil — Pedro Malan, Celso Lafer e Celso Furtado, para citar apenas alguns — vinham debater conosco. Qualquer que fosse o tema, nunca perdíamos de vista nossa meta central de apoio à democracia.

O Cebrap contratou várias pessoas que tinham sido presas, como Vinicius Caldeira Brant e Francisco Oliveira. E também homens como Lucio Kowarick, um cientista social independente. Aqueles que, como eu, tinham sido "aposentados" pelo regime através do AI-5 tinham absoluta prioridade para ocupar as diferentes posições. Com o passar do tempo, nossos nomes ganharam maior peso e passamos a assumir maiores riscos. Num discurso no Sul do país, eu acusei publicamente o regime de torturar. Era uma aberta provocação aos militares, mas nada me aconteceu. Conscientizamo-nos de que, para que a opinião pública brasileira começasse a apoiar uma volta à democracia, precisávamos ganhar a batalha das ideias. A melhor maneira de combater o regime era assumir uma ampla e inatacável posição de superioridade moral e aferrar-se a ela.

Nenhum tema era mais provocativo ou potencialmente polêmico que a economia brasileira. No início da década de 1970, a economia crescia a uma taxa média de mais de 10 por cento ao ano, um ritmo impressionante que levava alguns a falar de um "milagre econômico brasileiro". A produção industrial e o investimento estrangeiro aumentavam exponencialmente. Entretanto, o forte crescimento encerrava uma grave distorção: entre 1960 e 1978, 80 por cento da população brasileira viu a sua renda *diminuir*. Isso ocorria porque o governo militar promovia uma política econômica destinada a beneficiar sua base de poder — a elite rica — à custa da maioria pobre. O governo controlava os sindicatos, e com isto os trabalhadores não podiam reivindicar aumentos salariais, o que significava que sua remuneração recuava em relação à inflação. Além disso, apesar do crescimento do produto interno bruto (PIB), setores como a saúde e a educação eram negligenciados; os índices de qualidade de vida — a mortalidade infantil, por exemplo — praticamente não melhoraram ao longo desses anos.

Muitos brasileiros invocavam o "milagre" econômico como prova de que a ditadura era um sucesso. Para nós, a verdade era exatamente o oposto. As estatísticas serviam apenas para reforçar nossa convicção de que só a democracia poderia levar a prosperidade a todos os cidadãos do Brasil.

Decidido a chamar a atenção para essas tendências econômicas, o Cebrap publicou um livro intitulado *São Paulo 1975: crescimento e pobreza*, que foi um sucesso de crítica e de vendas. Com apenas 128 páginas, ele era ilustrado com imagens sórdidas de favelas cada vez maiores e das terríveis condições de trabalho nas fábricas. As fotos eram particularmente importantes por reforçarem de forma inegável as conclusões que expúnhamos no livro. A obra era um trabalho coletivo, de uma equipe da qual participei. Refletia um amplo espectro de opiniões, e, embora certas conclusões talvez não fossem acertadas, a mensagem geral ia direto ao ponto: os militares estavam ignorando as necessidades da maioria da população brasileira.

A credibilidade do livro foi reforçada pela corajosa participação da Igreja Católica, que o encomendou. No Brasil, a Igreja era influenciada pela crescente prevalência na América Latina da "Teologia da Libertação", que estimulava os bispos a pressionar em nível local de maneira ativa — e às vezes violenta — pelos direitos dos pobres. O prefácio de *São Paulo 1975: crescimento e pobreza* foi escrito pelo meu amigo, o cardeal Arns. Ele dava o tom do livro, denunciando o "mal" causado por um "modelo de crescimento econômico baseado na destruição de vidas de trabalhadores obrigados a trabalhar horas em excesso para compensar a redução do poder aquisitivo de seus salários". No resto do livro, não se omitia nada, ficando bem claro que "toda a organização do Estado brasileiro destina-se a impedir, e se necessário reprimir, qualquer forma de oposição organizada".

Eram palavras fortes, corajosas, dizendo a verdade, num momento em que poucos mais o faziam. Nossa provocação não ficou sem resposta. Logo depois da publicação do livro, uma bomba explodiu na sede do Cebrap, na rua Bahia, em São Paulo. A intenção era antes intimidar que matar — a bomba explodiu à noite —, mas muitos livros e arquivos pessoais foram destruídos. O secretário de Segurança Pública do Estado de São Paulo, coronel Erasmo Dias, teve o desplante de nos acusar publicamente de plantar a bomba para atrair publicidade. Disse aos meios de comunicação que nosso livro era "basicamente marxista".

— Esta é a minha bíblia — disse ele, furiosamente brandindo um exemplar. — Leio este livro diariamente para ficar indignado.

Dias esquecera a regra capital do mundo editorial: qualquer publicidade é boa publicidade. Suas declarações contribuíram para aumentar em milhares de exemplares as vendas do nosso livro. Como ficássemos cada vez mais conhecidos, ganhando popularidade, o regime retaliou, decretando que o Cebrap era uma "organização subversiva". As autoridades enviaram uma carta exigindo que todos os pesquisadores do Cebrap, inclusive eu, se apresentassem à delegacia da polícia onde funcionava a famigerada Operação Bandeirante (Oban), lugar de torturas, para prestar depoimento em determinado dia.

Eu compareci à delegacia no dia marcado, acompanhado de meu amigo Roberto Gusmão. Na entrada dos fundos, um capuz foi posto na minha cabeça. Tudo ficou escuro, e eu tinha dificuldade de respirar. Senti então uma enorme manopla nas costas, me empurrando para o interior do prédio.

Lá dentro, os funcionários retiraram o capuz e tiraram uma foto de mim, aplicando no meu terno um adesivo numerado, com se eu fosse um preso comum. Acompanharam-me então a uma sala imunda, onde me fizeram sentar numa cadeira. Uma pilha de escritos meus, sobretudo artigos de jornal e revista, podia ser vista, ameaçadora, num dos cantos. Dois grandalhões entraram na sala e começaram a andar de um lado para outro como animais no zoo, calados.

Começaram então a me fazer perguntas tão absurdas que eu não sabia responder. Quando eu hesitava, eles gritavam no meu ouvido. Me empurravam o peito com o dedo. Quando minha resposta não parecia satisfatória, os dois capangas, que mal falavam corretamente o português, desapareciam numa outra sala, onde outros evidentemente faziam as perguntas. E eles voltavam, ainda mais exaltados, gritando e cuspindo perto do meu rosto.

— Podemos botá-lo no pau de arara se não cooperar! — gritavam os guardas.

O pau de arara é um instrumento de tortura primitivo, mas muito temido e amplamente usado durante a ditadura. A vítima era suspensa numa barra pela parte traseira dos joelhos dobrados, com os punhos presos aos tornozelos. Uma vez no poleiro, quase sempre nua, era submetida a espancamentos, choques elétricos e ameaças de afogamento.

— E se eu confessar coisas que não sei? — berrei, indignado.

Eles me interrogavam sobre a Argentina e o Uruguai, onde os movimentos guerrilheiros eram mais fortes que no Brasil, perguntando se eu tinha "contatos subversivos" nesses países. Também faziam perguntas sobre o governador do estado de São Paulo, Paulo Egydio Martins, que nos ajudara na organização do Cebrap.

— Aquele filho da puta! — disse um dos capangas. — Um dia vamos trazê-lo para cá. E ele vai ver o que pode lhe acontecer!

Meus interrogadores pareciam obcecados com Ernest Mendel, intelectual belga que era uma figura importante no movimento trotskista internacional. Meses antes, eu o tinha encontrado numa conferência de sociologia em Oaxaca, no México. Ironicamente, eu passara o seminário inteiro discordando abertamente de Mendel, que tinha uma visão de mundo muito mais radical que a minha. Terminada a conferência, encontrei-me com ele e sua esposa no aeroporto da Cidade do México. Querendo ser polido, ofereci-me para carregar as malas dela até o terminal. Aparentemente foi assim que câmeras de vigilância me fotografaram na companhia de Mendel, e essas fotos eram agora furiosamente brandidas diante de mim pelos interrogadores à luz de uma lâmpada, prova de que eu participava de uma conspiração trotskista mundial.

— Está metido em sérios problemas, senhor professor — zombava um dos capangas com voz arrastada. — Sérios problemas.

Meus pensamentos voltaram-se para meu pai e os conselhos que me dera na infância, sobre a conveniência de puxar conversa informal com o carcereiro. Foi o que tentei, mas devo reconhecer que era difícil. Confuso e cansado, eu só conseguia pensar numa maneira de diminuir a tensão: perguntei se podia me levantar para ir ao banheiro.

Caminhando por um corredor escuro, passei por várias pequenas celas. Através das barras, via indivíduos derrotados caídos no chão, encostados na parede. Não emitiam um som, e aquele silêncio resignado ecoava nos meus ouvidos. Eram salas de interrogatório, uma pessoa por cela, e nelas os prisioneiros eram espancados e depois conduzidos a outros lugares para detenção mais prolongada — ou execução. Não vi cenas de tortura com meus próprios olhos naquela noite, mas era evidente o que acontecia. Muitas pessoas, algumas delas amigas minhas, foram violentamente espancadas naquele mesmo prédio. Outras, como Vlado, morreram.

Retrospectivamente, vejo que cheguei por vezes a me sentir culpado por ter sobrevivido à luta contra a ditadura. Muitas pessoas que lutaram pela democracia muito mais corajosamente que eu de fato perderam a vida. Outras até hoje levam cicatrizes psicológicas e físicas da tortura. Embora eu nunca tivesse explicitamente recorrido às relações da minha família para me livrar do perigo, é provável que meu status social e meu prestígio profissional me tenham poupado de maiores traumas. Não resta dúvida disso, embora essa realidade não pudesse estar mais distante dos meus pensamentos naquela noite à meia-noite, quando fui libertado incólume. Não havia espaço para qualquer outra emoção que não fosse o alívio. Essa prisão, nos porões de um comando policial aparentemente como qualquer outro, ainda existe em São Paulo. Nunca tive estômago para voltar lá.

* * *

Essa interminável luta entre esquerda e direita era como um vírus que se disseminava metodicamente por todos os países da América Latina. Em 1973, já tinha contaminado até o único país que eu sempre achara imune: meu querido Chile.

Nesse ano, voltei a Santiago com minha família para um par de meses de trabalho de consultoria para a Cepal. O invejável oásis de maturidade e tranquilidade democrática que eu conhecera no exílio, uma década antes, estava completamente irreconhecível. Salvador Allende, que eu conhecera nas glamorosas festas na casa de Pablo Neruda, fora eleito presidente, comprometendo-se com uma transformação socialista do Chile. Bem de acordo com a paranoia da época, a elite chilena e o governo americano ouviam "socialista" e pensavam "comunista". Henry Kissinger, em particular, se convencera de que Allénde estava decidido a transformar o Chile numa outra Cuba.

Sempre questionei essa análise; o Salvador Allende que eu conheci não se parecia propriamente com Fidel Castro. Dizia-se inclusive que, em suas visitas a Havana na década de 1960, Allende fora alvo de troça por parte dos próximos de Castro por suas preferências aristocráticas: bons vinhos, ternos bem-cortados e obras de arte. No momento do nosso contato pessoal, Allende era antes um social-democrata, e me parecia que sua virada radical na presidência decorria mais da aliança política com os comunistas e simpatizantes de Castro no Chile do que de convicções ideológicas profundas.

No fim das contas, contudo, era apenas uma questão acadêmica. Nixon ordenou a Kissinger que "fizesse a economia chilena gritar", e os Estados Unidos impuseram um sufocante embargo comercial e de investimentos. Em consequência, Santiago sofreu uma generalizada escassez de alimentos e combustíveis. Era tão difícil conseguir um carro que, para me locomover pela cidade, eu tive de alugar na agência americana Hertz. Estranhamente, a Hertz não parecia enfrentar o mesmo problema de falta de gasolina.

Curiosamente, o passado de estabilidade do Chile transformou-se na pior das maldições. Sem experiência de agitação política, o país reagiu mais ou menos como uma criança confusa, partindo para o ataque de forma muito mais desajeitada e severa do que teria feito em circunstâncias semelhantes qualquer dos seus vizinhos latino-americanos, mais experientes em matéria de caos político e econômico. A vida cotidiana tornava-se cada vez mais surrealista. Certa noite, fui jantar na casa de José Serra, meu antigo aluno brasileiro e colega na Cepal. Como não voltara ao Brasil, Serra já estava em Santiago havia nove anos, e a essa altura assessorava o ministro das Finanças de Allende, Fernando Flores. Estávamos acompanhados de um estatístico inglês que estava montando no Ministério das Finanças uma "sala de crise" ao estilo da Guerra Fria, supostamente para que os economistas pudessem acompanhar a situação em segurança enquanto o país ia para o inferno.

Lá pelas tantas, um telefonema para Flores.

— Sinto muito, tenho de ir — disse ele friamente, desculpando-se com polidez por deixar o jantar.

Soubemos mais tarde que ele fora informado de que um importante terrorista de direita estava jantando num restaurante no centro; Flores juntara-se a um grupo de militantes para efetuar a prisão. O ministro das Finanças dando voz de prisão! Era o cúmulo.

Em agosto, bombas e assassinatos se haviam tornado lugar-comum. Temendo pela segurança de minha família, mandei Ruth e as crianças de volta para São Paulo. Eu mesmo não pretendia ficar muito mais tempo. Com os crescentes boatos sobre a iminência de um golpe, Allende nomeou meu amigo Ricardo Lagos embaixador na União Soviética. Antes de partir, Lagos convidou-me e a Francisco Weffort a jantar em sua casa, onde também se encontrava Clodomiro Almeyda, o ministro do Exterior e da Defesa de Allende que, quando diretor da escola de Sociologia, me levara a ensinar lá. Não era propriamente um jantar trivial: tínhamos a impressão de estar numa casa sitiada.

Almeyda acabava de voltar de uma visita a Moscou com Carlos Prats, comandante das forças armadas chilenas. Perguntei-lhe como fora a atitude de Prats durante a viagem.

— Não sei — suspirou Almeyda. — Eu e ele mal falávamos sobre política. Essas questões ficaram por conta de Salvador (Allende), *"que tiene muñeca"*.

— Entendo — eu disse.

Longo silêncio.

— Quanto tempo ainda vai ficar no Chile?

— Talvez um mês — respondi.

— Bem... — fez Almeyda, com a voz quase inaudível. — Talvez veja uma página da história sendo virada.

Sua intuição do que estava por vir foi impecável. Pouco antes de minha partida do Chile, Allende demitiu Prats, substituindo-o por um general que tinha fama de ser mais moderado e pró-democracia: Augusto Pinochet. A traição final se aproximava. No segundo 11 de setembro mais famoso da história, Pinochet liderou um golpe espetacularmente brutal. Enquanto jatos da aeronáutica bombardeavam o palácio presidencial de La Moneda, Allende, isolado em seus aposentos, matou-se com um tiro, como Getúlio Vargas.

Decidido a devolver ao Chile a condição de oásis de paz concedida por Deus, Pinochet tratou imediatamente de assassinar todos os criadores de caso. Um esquadrão da morte deixou Santiago de helicóptero e fez paradas em várias cidades do interior, abatendo a tiros dezenas de vítimas, num massacre que ficou conhecido como "Caravana da Morte". Milhares de outros supostos agitadores foram conduzidos à força ao estádio nacional de futebol em Santiago, entre eles um brasileiro que havia ficado: José Serra.

Ao concorrer à presidência décadas depois, Serra raramente falaria sobre o que então lhe aconteceu. Quero crer que ele não queria que ficasse parecendo que explorava suas experiências com o objetivo de obter ganhos políticos. Mas não seria exagero afirmar que Serra pode ter ludibriado a morte naquele dia. Com efeito, muitos dos prisioneiros foram levados para as escadarias subterrâneas do estádio e executados pelos capangas de Pinochet. Numa suprema manifestação de sua lendária teimosia e capacidade de persuasão, Serra conseguiu convencer o guarda de que seu passaporte das Nações Unidas lhe conferia imunidade diante da ordem de prisão.

Ao sair do estádio naquele dia, Serra fora deixado na mão pelo seu próprio país e pelo país de adoção. Se tivesse procurado a embaixada brasileira, provavelmente teria sido entregue aos chilenos. Buscou então refúgio no único lugar que lhe restava: a embaixada da Itália, país de origem de seus pais. Lá, passou vários meses sem poder sair.

O Chile nunca mais seria o mesmo. A ditadura de Pinochet deixou um rastro de mais de 3.000 mortos; só a junta argentina revelou-se mais sanguinária. Nos anos subsequentes, fiz várias visitas a Santiago, em geral para trabalhos de consultoria na Cepal. Passava boa parte do tempo visitando famílias de velhos amigos; alguns, como Almeyda, estavam na prisão. Quando saía à noite, sempre em algum carro das Nações Unidas e com as luzes acesas para a identificação policial, voltava apreensivo passando por ruas vazias. Inevitavelmente, ouvia tiros a distância, passavam carros de polícia com as sirenes ligadas e eu tinha de abreviar a caminhada, apavorado, e pular do carro em algum porto seguro, como a casa de Enrique Iglesias, diretor da Cepal, onde me hospedei algumas vezes.

De vez em quando, ao sentir aquele cheiro bom de flores e a doçura do ar da primavera que associava a Santiago, e que fora tão civilizada e esclarecida, ficava bastante irritado comigo por me sentir bem na cidade de que eu tanto gostava, agora palco de tanto horrores.

* * *

Foram os dias mais sombrios, não apenas para nós, mas para toda a América Latina. Como peças de dominó, as democracias caíam por toda parte: Uruguai, Chile, Argentina. No Brasil, ninguém sabia como ou quando a ditadura acabaria. Ou, na verdade, *se* acabaria. Enquanto prosseguisse a Guerra Fria, os militares teriam um pretexto para se aferrar ao poder. Na época, ninguém imaginava que o Muro de Berlim um dia cairia; até onde sabíamos, a ditadura brasileira ficaria no poder enquanto vivêssemos. Apesar disso, alguns de nós estávamos convencidos de que, se fossem encontrados os argumentos certos e alcançados os *compromissos* certos, poderíamos por fim criar uma oportunidade para restabelecer a democracia no Brasil. Se essa era nossa esperança, a realidade era puro inferno. Toda vez que eu tentava encontrar essa oportunidade de mudança, batiam-me a porta na cara.

Em busca de um público maior, comecei a escrever colunas num semanário de oposição chamado *Opinião*, cujo editor, Fernando Gasparian, era um dos meus amigos mais próximos. Escrevíamos sobre temas inofensivos como sociologia econômica, mas nosso trabalho sempre era, no fundo, um protesto contra o regime. Alcançamos enorme repercussão. Havia quem comprasse o jornal e o mantivesse à vista na mesa da sala de estar, não necessariamente porque quisesse lê-lo, mas para mostrar que era contra os militares. No nosso melhor momento, a tiragem passava de 40.000 exemplares, o que era muita coisa na época: quase a metade das vendas semanais da principal revista noticiosa do Brasil, *Veja*.

Mais uma vez, nosso sucesso atraiu a atenção. Os militares nos submeteram a censores que cortavam até mesmo as mais ínfimas referências a questões políticas. Não demorou, e as palavras cruzadas da publicação estavam sendo censuradas também. Começamos a editar duas versões de cada edição do *Opinião*: uma para os censores, outra para nós mesmos. Pela altura da vigésima quinta edição, o jornal era tão retalhado pelos nossos supervisores que o produto final se tornava ilegível, de maneira absurda. Nossa tiragem caiu pela metade. Pouco depois, o *Opinião* seria fechado. Tentamos nos reagrupar e fundar uma nova publicação chamada *Argumento*, que seria de natureza mais literária e muito menos política, mas a essa altura eles já estavam de olho em nós: a quarta edição foi totalmente proibida.

Eu me via forçado a lançar mão do meu último recurso. Pela primeira vez na vida, tentei valer-me da rede de conexões da minha família para impedir que a *Argumento* afundasse. Decidi procurar Oswaldo Cordeiro de Farias, general reformado que ainda tinha influência na hierarquia militar, como uma espécie de padrinho. Ele fora um dos mais respeitados tenentes que tinham contribuído para a derrubada da Velha República na década de 1920. Na verdade, juntamente com meu pai, Cordeiro de Farias era um dos que apareciam em uma foto dos tenentes reunidos em torno de um piano na prisão. Era o homem que poderia me ajudar a devolver alguma normalidade a minha vida intelectual.

O general recebeu-me em seu gabinete com um sorriso aberto mas parecendo estranhamente cansado. Eu estava acompanhado de Antonio Candido, renomado intelectual, professor da USP e crítico literário.

— Tudo que eu sei, aprendi com seu avô — declarou o general calorosamente.

Passada a troca de amabilidades, contudo, Cordeiro de Farias rapidamente assumiu um ar sério e lançou mão de um bilhete em sua escrivaninha.

— Alguém deixou isto aqui — disse, com ar grave.

O bilhete dizia: SEU TELEFONE ESTÁ GRAMPEADO.

Meu queixo deve ter caído.

— Receio não poder ajudá-lo muito, meu caro — disse Cordeiro de Farias.

A expressão no rosto deixava claro que ele compartilhava minha perplexidade. A ditadura tomara rumos tão extremos que até setores militares relativamente moderados caíam no ostracismo. Ele deu um profundo suspiro.

— Esta loucura não pode continuar.

Se um homem como ele não podia me ajudar, quem poderia? Ele bem que tentou: conseguiu uma entrevista minha com o famoso general Golbery, chefe da Casa Civil do presidente Geisel. Este mandou-nos (Antonio Candido, Paulo Emílio Salles Gomes e eu) à busca do ministro da Justiça, Armando

Falcão, que nos recebeu rispidamente e não tomou providência alguma. A revista continuou proibida e deixou de circular.

Eu me sentia perdido. Fora banido da vida acadêmica e era censurado quando publicava algo. Nos meses seguintes, muitas outras pessoas do Cebrap seriam atiradas na prisão, às vezes por dias seguidos. Simultaneamente, os militares me julgavam secretamente por causa de um livro que eu vinha de publicar, *Democracia e autoritarismo*, que abertamente delineava as vantagens daquela ao mesmo tempo que depreciava este. Certos ideólogos do regime pressionavam para que o livro fosse proibido e eu viesse a ser detido de novo — e encarcerado, talvez por um bom tempo. Eu só viria a tomar conhecimento desse julgamento duas décadas depois, quando fui eleito presidente, mas não consultando arquivos do governo: foi nos jornais que pude ler a respeito.

O velho general estava certo. Aquela loucura não podia continuar. Depois de todas as portas que se fechavam para mim, examinei longamente minha vida e me dei conta de que só havia uma maneira de seguir em frente.

CAPÍTULO 7

Mudanças já!

Numa esdrúxula reunião acadêmica em Brasília no meado da década de 1970, minha decisão de entrar para a política se cristalizou como nunca antes. Nós passávamos mais tempo olhando preocupados para a porta do que ouvindo as exposições. Corriam boatos de que a polícia chegaria para deter Florestan Fernandes e eu e nos levar para a prisão. Toda essa confusão em torno de algo tão normal como uma reunião da Sociedade Brasileira para o Progresso da Ciência (SBPC). Eu estava acompanhado de um amigo, Albert Hirschman, o lendário professor no Institute for Advanced Study em Princeton e economista do desenvolvimento, que muito compreensivelmente ficou perplexo com aquele clima. Toda vez que a porta se abria, as pessoas saltavam na cadeira e engoliam em seco. Inevitavelmente, era apenas mais um professor que entrava meio sem graça com uma xícara de café, e a sala inteira exalava um suspiro de alívio.

Entre os discursos, Albert se inclinava na minha direção e sussurrava:

— Deve ser a reunião mais estranha a que eu já compareci!

Naquela noite, as coisas ficaram ainda mais estranhas. Fomos a um jantar oferecido por Severo Gomes, o ministro do Comércio e Indústria do governo militar. Severo era reconhecidamente um moderado no regime, sendo aquele jantar uma declaração aberta de apoio à nossa causa. A lógica da coisa era que, enquanto estivéssemos jantando com Severo, não podíamos ser detidos e, de qualquer modo, implicava uma proteção para frear eventuais repentes arbitrários contra nós. Lembro-me de ter achado que Albert se demorou na sobremesa um pouco mais que de costume.

Ao acordar na manhã seguinte e nos dar conta de que estávamos em liberdade, Ruth e eu decidimos pegar o carro para ir de Brasília até Goiás, a antiga capital estadual onde viveram meus antepassados. Levamos Albert e sua mulher, Sarah, mostrando-lhes o palácio do governador, o Palácio dos Remédios, onde um retrato do meu bisavô ainda podia ser visto pendurado no saguão. Goiás é uma cidade barroca de prédios alvíssimos, numa árida planície avermelhada e sem árvores. Chegando direto de Brasília, com seus monumentos parecendo naves espaciais e seu traçado futurista, Albert deve ter achado que acabava de voltar ao século XVIII.

De lá, seguimos diretamente para o século XVII, indo almoçar na fazenda de meus primos perto de Jaraguá. Nosso minissedã se sacudia em estradas poeirentas e acidentadas, desenvolvendo velocidades inacreditáveis pelas vastas extensões despovoadas do cerrado. Meu senso de direção é péssimo — ficou famoso o episódio em que me perdi certa vez dirigindo o carro entre o escritório e minha residência —, e por algumas horas de forte tensão eu não tinha a menor ideia se de fato conseguiríamos encontrar os primos. Seguíamos no carro em nervoso silêncio. Por um milagre, contudo, chegamos a tempo para o almoço.

A casa da fazenda era uma construção simples, com um só salão e telhado de telha vã. A cozinha ficava do lado de fora. A casa estava cheia dos meus primos distantes, relaxando numa tarde de domingo. Quanto à fazenda, pouco mais era que uma cerca infindável, um punhado de cabeças de gado esquálidas e umas poucas árvores extremamente solitárias. O professor Hirschman mostrava-se sempre impecavelmente polido, mas eu já o conhecia o suficiente para decifrar a expressão do rosto: É *aqui* que vamos almoçar? Eu já estava pensando que talvez tivéssemos de dar meia-volta e retornar a Brasília a toda para ter direito a uma refeição quente quando ouvi Albert gritar:

— Meu Deus, que é isto?

Sobre uma velha mesa capenga de madeira, no meio da sala, reluzia um exemplar da mais recente edição do *New York Review of Books*. Albert o apanhou com cuidado e começou a folhear com toda a preocupação e a perplexidade de alguém que acabasse de encontrar água no meio do deserto.

Um dos meus primos, vestido como um peão, exatamente como os demais, levantou-se, sacudiu vigorosamente a mão de Albert e sorriu.

— Acabei de chegar da União Soviética, e comprei isto no aeroporto em Nova York. Mas realmente *não* está entre as melhores edições recentes — disse a Albert, falando casualmente um excelente inglês.

Meu primo explicou que era diplomata, servia em Moscou e estava de passagem pelo Brasil, e em seguida começou a conversar com Sarah, mulher de Albert, num russo perfeitamente fluente.

Albert parecia a ponto de desmaiar. O sorriso do meu primo se escancarou.

— Posso oferecer-lhes algo para comer?

— Seria ótimo — suspirou Albert, abrindo por sua vez um sorriso.

Nessa tarde, fui-me sentar a um canto, comendo e observando enquanto Albert saltitava pela sala como uma criança, refestelando-se nas alegrias da vida no Brasil. Lá estava ele numa fazenda primitiva num ermo perdido, comendo um suculento bife e conversando sobre literatura francesa com um grupo de pessoas, alguns dos quais de refinada educação. Era reconfortante ver o meu país pelos olhos de um estrangeiro entusiasmado, o que me fez pensar. Eu tinha esquecido o quanto o Brasil é um país diversificado. Quantos séculos não tínhamos atravessado nas últimas 48 horas? Pelo menos três. Durante todos aqueles anos em que mantivera uma relação tão problemática e distante com meu país, eu talvez não tivesse sido capaz de ver que o Brasil era mais que uma simples ditadura militar. Era na realidade vibrante, diversificado e cheio de complexas possibilidades.

Se o país era tão diverso, pensei, o mesmo devia acontecer com suas lideranças — inclusive entre os militares. Comecei então a meditar, ali mesmo, sobre nosso jantar com Severo na noite anterior, voltando a examinar seu significado. Tínhamos jantado com um *ministro* que nos apoiava e se opunha abertamente à política de "segurança" do governo. Ernesto Geisel, o novo presidente militar nomeado, também se revelava surpreendentemente moderado, em termos relativos. Promovia uma política de *distensão* destinada a desmantelar o Estado policial, lenta e seguramente. Pouco depois, chegaria a revogar o temido AI-5, o decreto que suspendera as liberdades civis em 1968. Embora Geisel não pudesse controlar plenamente a linha dura das forças armadas, era inegável que os tempos mudavam. O movimento guerrilheiro chegara ao fim, e, com ele, qualquer pretexto tolo que até então houvesse para reprimir reuniões acadêmicas, publicações literárias e assim por diante.

Pela primeira vez em muitos anos, comecei a me perguntar se não seria possível acelerar o processo e mudar as coisas *de dentro* do governo. Não seria melhor aproveitar a distensão e levar a luta pela democracia também ao interior do regime? Depois de toda a censura dos anos anteriores, depois de todas as prisões de amigos, eu começava a ficar cansado da inércia do mundo acadêmico.

Naquela noite, voltei para Brasília com novos projetos. Albert e eu conversávamos animadamente sobre as maravilhas do Brasil, tentando entender as chances da democracia e da mudança. Dessa vez, de volta para casa, eu nem sequer me perdi no caminho.

* * *

Pouco depois, apresentou-se a oportunidade que eu esperava. Para minha grande surpresa, meu líder, Ulysses Guimarães, convidou-me a me candidatar ao Senado nas eleições de 1978. O Cebrap ajudara Ulysses a formular uma plataforma para o partido de oposição nas eleições anteriores, o MDB, e agora ele buscava um candidato para ajudar a arrebanhar o voto de classe média educada em São Paulo.

Havia apenas um pequeno problema: candidatar-me seria quase certamente ilegal. Ao ser "aposentado" à força da Universidade de São Paulo uma década antes, meus direitos políticos tinham sido suspensos por tempo indeterminado. Por uma interpretação rigorosa (e provável) da lei, portanto, eu não podia me candidatar. No fim das contas, todavia, decidimos usar essa mesma circunstância em nosso proveito. Ulysses e eu optamos por uma candidatura de protesto: se eu viesse a ser impedido de concorrer, tanto melhor, pois isso provavelmente provocaria mais publicidade favorável que a própria campanha.

Além disso, em hipótese alguma eu de fato esperava *vencer* a eleição. Seria apenas um dos dois candidatos concorrendo ao Senado em São Paulo pelo Movimento Democrático Brasileiro (MDB), o guarda-chuva oposicionista presidido por Ulysses. No sistema bipartidário brasileiro da época, cada partido podia ter três candidatos concorrendo à mesma vaga do Senado. O que obtivesse mais votos ia para o Congresso, desde que seu partido alcançasse maioria de votos. Já havia um candidato forte, André Franco Montoro, amplamente considerado o favorito ao primeiro lugar entre os candidatos do MDB. Eu era apenas um ex-professor universitário, talvez bem conhecido nos meios intelectuais, mas dificilmente capaz de atrair maciço apoio popular. O único motivo para me candidatar era dispor de uma tribuna de maior visibilidade para discursos enérgicos a favor da democracia em São Paulo e imediações.

Garanti a minha família que não havia a menor chance de que eu de fato me tornasse senador.

— É uma possibilidade ridícula demais para ser levada a sério — disse a Ruth.

No início, minha campanha foi uma comédia de erros. Meus primeiros discursos literalmente fizeram o público dormir, pois eu parecia um professor de sociologia dando aula. Como vivera na Europa, era visto como um intelectual esnobe e desligado da realidade brasileira. O fato de eu citar autores franceses e ingleses nos meus discursos não ajudava. Numa etapa particularmente desastrosa da campanha, ao ser perguntado sobre o que achava do movimento dos sem-terra no Brasil, respondi com uma aula sobre a distribuição de terras na Inglaterra do século XVI. Um dos meus amigos presentes diria mais tarde numa entrevista: "Posso lhe assegurar que ninguém sabia de que diabos ele estava falando."

Esses mesmos amigos tinham ciência de que certos aspectos da política não casavam muito bem comigo. "Da primeira vez que o vi erguer os braços e fazer os gestos que todos os políticos costumam fazer, fiquei meio embaraçado", recordaria José Arthur Giannotti. "Ele era um bom orador, mas ainda guardava um pouco daquela típica arrogância intelectual. Mais tarde, acho que nos acostumamos."

Eu também me acostumei. As campanhas políticas no Brasil, como em qualquer lugar, são sempre a mesma rotina; talvez a única característica própria aqui seja que, no Brasil, a coisa também envolve quantidades inacreditáveis de café a ser tomado. O café é o elixir que move todo contato social no Brasil, e a cada reunião política se haverá de tomar pelo menos uma xícara. A maior parte dessa primeira campanha se passou entre um cafezinho e outro. Geralmente eu me levantava às cinco da manhã, quando ainda estava escuro, e tomava minha primeira xícara com Ruth. Viajava então, em geral de ônibus ou trem, para os subúrbios industriais de São Paulo, onde passava a manhã em reuniões com vereadores ou líderes sindicais — para cada grupo, mais uma xícara de café. No almoço, outra xícara, às vezes duas. Seguia-se uma tarde inteira de discursos, depois do que eu era muitas vezes convidado a visitar estranhos para um bate-papo, o que, geralmente, significava a última gota nesse processo de hipercafeinização clínica. No jantar, reunia-me com os assessores ou representantes do partido, e concluíamos a refeição com mais uma xícara. Muitas vezes podia acontecer de eu me juntar a outro grupo para um *segundo jantar*, podendo durar até uma ou duas horas da manhã. E, naturalmente, nenhum jantar era completo sem um pouco mais de... Bem, já deu para entender.

À margem dessas nove ou dez xícaras de café por dia, eu lentamente ia sendo treinado na arte da política. Aos poucos me dei conta de que os talentos mais importantes são muito simples: ouvir os problemas das pessoas e falar numa linguagem que possam entender. Desde os tempos de jovem professor assistente explorando as favelas do Sul do Brasil, de prancheta em punho, eu nunca tive problemas em me relacionar com pessoas das mais variadas origens. Posso sustentar uma conversa com qualquer um. Mas precisava aprender a incorporar uma mensagem política direta: só a democracia poderia resolver os problemas do Brasil. Nesses encontros mais íntimos, frente a frente ao redor de um expresso, eu podia facilmente avaliar se minha mensagem estava passando, bastando para isso observar a expressão no rosto de alguém. Assim de perto, dá para perceber se o olhar de alguém está brilhando. De modo que o café me ensinou duas lições fundamentais, às quais sempre daria valor em campanhas políticas: passar uma mensagem breve e simples e sempre, *sempre* aceitar se alguém me oferecesse o uso do banheiro.

A receptividade das pessoas me surpreendia. Operários de fábrica, garis e transeuntes igualmente recebiam meus panfletos, os dobravam com grande cuidado e os guardavam no bolso para levar para casa e mostrar à família. Nos comícios, o público aplaudia e aclamava quando dizíamos que a ditadura não fazia o necessário para melhorar seu padrão de vida. Pode parecer estranho que fôssemos capazes de dizer coisas assim sem sermos perseguidos, considerando-se os acontecimentos do passado recente. Mas era esta a chave para entender o sistema: como estávamos participando do jogo "legítimo" da política eleitoral, tal como definido pelos militares, seria muito mais difícil que nos acusassem de subversão. Estávamos jogando pelas regras, ainda que as distorcêssemos um pouco. Por esse motivo, alguns amigos da esquerda ideológica me acusaram de legitimar a ditadura ao disputar um cargo eletivo. Eu respondia que, a cada discurso falando a dezenas de trabalhadores numa rua lamacenta, eu me convencia mais de que a participação no sistema, usando-o em nosso benefício, era o caminho mais seguro para uma mudança democrática.

Além do mais, como dizia aos amigos, sempre céticos, essa campanha era absolutamente *romântica*. Eu acabava de completar 47 anos, mas me sentia revigorado pelo apoio de jovens artistas, professores e músicos que aderiram a nossa causa. De acordo com a chamada Lei Falcão, decretada pelos militares, os candidatos só podiam fazer propaganda pela televisão com uma minúscula foto e um currículo; toda outra forma de campanha pela TV era proibida. O que, naturalmente, tornava fundamental o contato pessoal — donde todos aqueles cafezinhos e jantares. Por outro lado, como não podíamos contar com financiamento partidário ou de empresas, quase todos os nossos gastos foram financiados pela venda de cerca de 2.000 gravuras doadas por artistas brasileiros. Promovemos muitos comícios em teatros. Um dos nossos melhores e mais conhecidos compositores, Chico Buarque, compôs um *jingle* para a campanha.

O presente de campanha mais comovente — e o que mais chamou a atenção — foi dado por Severo Gomes, o ministro rebelde que oferecera um jantar a mim e a Albert Hirschman em Brasília. Seu filho Pedro morrera recentemente num acidente, e Severo deu-me seu carro. Era o nosso único veículo de campanha. Além da utilidade, o presente também foi uma significativa demonstração de apoio de alguém àquela altura ainda integrante do regime.

Ao se aproximar o fim da campanha, eu recebi outro presente eleitoral — desta vez, da ditadura. Minha campanha foi declarada ilegal por promotores públicos, que tentaram impedir que meu nome constasse das cédulas. Foi um enorme erro tático. Os meios de comunicação brasileiros, mais ousados a cada dia que passava, publicaram uma série de matérias altamente corrosivas sobre o professor que pregava a democracia e era proibido de se candidatar. De uma hora para outra, gente de todo o Brasil estava sabendo quem eu era. Mais importante ainda, era grande a indignação com o que me acontecia. Meu caso evidenciava o fato nada agradável de que ainda se vivia sob um regime autoritário de linha dura 14 anos depois de um golpe que supostamente seria transitório.

Meus amigos e eu concluímos que nossa meta fora alcançada, com essa nova celebridade nacional. Tínhamos lançado uma bem-sucedida candidatura de protesto, falado a milhares de pessoas sobre os benefícios da democracia e com isso chamado a atenção em nível nacional. Eu achava que voltaria ao Cebrap para dar continuidade ao meu trabalho, embora talvez com mais renome.

E então ocorreu algo inesperado.

Duas semanas antes da eleição, o Supremo Tribunal Federal sentenciou que eu de fato podia me candidatar. Numa decisão vazada em palavras muito fortes, o Tribunal declarava que nem eu nem qualquer outro brasileiro podíamos ser indefinidamente privados de direitos políticos. Os parlamentares cassados perdiam seus direitos políticos por dez anos. Na aposentadoria compulsória pelo AI-5 os professores eram proibidos, por extensão, de se candidatar, mas sem limite de prazo, o que seria inconstitucional. Eu fiquei pasmo. Era um gesto monumental, o mais ousado desafio institucional à autoridade dos militares em muitos anos. Em consequência, minha história voltou aos meios de comunicação nacionais. Sem que qualquer mérito pessoal meu estivesse envolvido, eu me tornei mais do que um simples candidato: transformava-me de repente num poderoso símbolo contra a ditadura. A decisão judicial tornara inevitável que meu nome aparecesse nas células, sinônimo de um voto pela mudança.

Obtive 1,2 milhão de votos, mais que o candidato do governo. Foi um resultado surpreendente para um professor universitário até então desconhecido. Só Montoro, meu colega no MDB, recebeu mais votos. Ele se tornava o novo senador por São Paulo, enquanto eu era seu suplente.

A suplência não tinha, que eu soubesse, **real significado**, mas ainda assim era uma vitória. Minha primeira incursão pela política tinha me apresentado ao Brasil, e eu me tornara um protagonista nacional na luta pela democracia. A recompensa estava no próprio resultado, e assim, tendo evitado o ofício de família por 47 anos, eu de repente me via fisgado.

* * *

Durante a campanha de 1978 para o Senado, contei com o apoio de um homem que viria a se tornar uma das mais importantes figuras da vida pública. Existem fotos amareladas da época, mostrando-nos lado a lado na campanha, o que muitos brasileiros acham engraçado, por tudo que aconteceu entre nós nos anos subsequentes (e também, provavelmente, porque parecemos tão mais jovens!). No último quarto de século, esse homem tem sido alternadamente um aliado fundamental e às vezes meu maior adversário político. Nossa relação continua muito complexa, mas temos procurado não perder o respeito mútuo. Ele foi meu adversário nas campanhas presidenciais de 1994 e 1998, e viria afinal a me substituir na presidência em 2003. Alcançou a essa altura considerável celebridade ao redor do mundo, conhecido apenas pelo nome de Lula.

Eu conheci Luiz Inácio Lula da Silva no meado da década de 1970, quando pesquisava para o Cebrap. Já então tomara conhecimento de elementos de sua notável história de vida, o tipo de ascensão da extrema pobreza para a proeminência política que infelizmente era incomum no Brasil na época. Sexto dos 23 filhos de um pequeno produtor rural, nascido no ambiente de pobreza do interior do estado de Pernambuco,

Lula enfrentou dificuldades desde o início. Foi o único dos irmãos a concluir a escola primária. Ainda garoto, vendia amendoim, tapioca e laranja nas ruas, depois que a família se mudou para um subúrbio industrial de São Paulo em busca de trabalho. A família vivia num minúsculo apartamento nos fundos de um bar, compartilhando o banheiro com os clientes. Foi então, recordaria Lula mais tarde, que se deu conta pela primeira vez de que sua família era pobre.

Na adolescência, Lula encontrou trabalho numa fábrica de parafusos. Trabalhando à noite certa vez, ele trocava uma porca numa máquina enquanto um colega segurava a trava. O colega cochilou e a lâmina da máquina escapuliu, decepando o dedo mínimo da mão esquerda de Lula. Ao completar 18 anos, Lula já era um experiente membro da emergente classe operária brasileira. Até então, sua vida, com a típica mistura de dificuldades e infortúnio, era perfeitamente característica das negligenciadas massas brasileiras — mas pouco parecia indicar o caminho que o esperava.

Todos nós tínhamos nossos motivos para entrar para a política. Lula nunca me disse quais teriam sido os seus, mas eu sei que na juventude ele enfrentou o mais horrível e sombrio aspecto da pobreza brasileira. Em 1971, sua mulher, Lourdes, estava grávida de vários meses do primeiro filho do casal quando começou a vomitar. Lula levou-a ao hospital. Os médicos inicialmente não deram importância. Disseram que a náusea era normal numa mulher grávida, que comesse mais gelatina, e a mandaram para casa. Dias depois, Lourdes desmaiou. Levada às pressas para o hospital, constatou-se o que os médicos não tinham visto da primeira vez: hepatite. Mas era tarde. No dia seguinte, ao chegar ao hospital com roupas para o bebê, Lula foi informado de que a mulher e a criança tinham morrido.

Depois disso, Lula aparentemente passou por um despertar político, arquitetando uma rápida ascensão ao poder no sindicato dos metalúrgicos de São Bernardo do Campo, no cinturão industrial de São Paulo. O sindicato era integrado por operários da linha de montagem de grandes montadoras estrangeiras como a Volkswagen, a Ford e a Mercedes-Benz, e assim tinha a possibilidade de exercer uma enorme influência na economia nacional. Para surpresa geral, Lula reinventou então o sindicato como um dos mais surpreendentes protagonistas na luta contra a ditadura no Brasil.

Até o fim da década de 1970, os militares exerciam sufocante controle sobre as relações entre sindicatos e empresas. Quando surgiam disputas em torno de salários ou condições de trabalho, a federação sindical, cujos dirigentes estavam sob forte domínio do governo, decidia em favor dos interesses corporativos com infalível constância. Sob a liderança de Lula, contudo, o sindicato dos metalúrgicos teve a coragem de ignorar a federação e começar a apresentar suas reivindicações diretamente a tribunais do trabalho que adotavam uma abordagem diferente, mais nuançada, não sendo inteiramente controlados por fantoches do governo. A ameaça de intervenção dos tribunais obrigou as montadoras a começar a fazer importantes concessões. De repente, pela primeira vez em anos, as cartas não eram marcadas contra a classe operária. Foi quando o sindicato de Lula começou a ter gosto pelo poder.

A grande habilidade de Lula, então como hoje, era sua capacidade de se relacionar com as pessoas. Ele jamais esqueceu suas origens. Na juventude despreocupada, não tinha interesse por política, preferindo os esportes. Lula passou a organizar campeonatos de futebol no sindicato, com o objetivo de aproximar os operários. Antes das partidas, falava por cinco minutos. Depois, cerveja e churrasco para todos. Aos poucos, uma nova geração de operários foi politizada, na sucessão das partidas de futebol.

Foi nesse contexto que vim a conhecer Lula, na tentativa de saber mais sobre a crescente influência dos sindicatos para um estudo do Cebrap. Lula foi entrevistado como teria sido entrevistado qualquer outro, quase tratado como objeto de uma experiência científica, ao passo que ele aparentemente encarava o encontro como uma curiosidade ligeiramente deslocada. Tratava-se de uma pesquisa dirigida por Francisco Weffort e por Regis de Castro Andrade sobre o novo sindicalismo. Fiquei, assim, algo surpreso quando, anos depois, em minha campanha para o Senado em 1978, Lula literalmente me convocou a encontrá-lo em seu escritório no sindicato.

No Brasil, os sindicatos, há muito, são um intrigante mundo à parte. Não raro têm seus próprios advogados e médicos, uma frota de carros à disposição e até seu próprio jornal. Essa estrutura de cima para baixo gerou uma rigidez hierárquica e de comportamentos que ironicamente tinha certo caráter militar. Ao entrar na imponente sede do sindicato de Lula, vi que os trabalhadores ficavam à toa por ali como soldados de folga. Fui conduzido a uma sala de espera, onde aqueles homens se interpelavam com energia pelo prenome de acordo com a "posição" ocupada.

— Traga água — ordenou um alto funcionário a um subordinado.

— Paulo, cinzeiro! — comandou outro.

Lá fiquei eu sentado, algo perplexo, perguntando-me o que aquelas pessoas queriam realmente de mim. Finalmente, fui levado a um pequeno escritório enfumaçado onde Lula apertava os olhos por trás de uma mesa de madeira. Vários grandalhões estavam postados por trás dele de braços cruzados, ameaçadores. Lula olhou-me por um longo momento e foi direto ao ponto.

— É um prazer vê-lo, professor — começou, referindo-se a mim como haveria de fazer por muitos anos ainda. — Decidi apoiar a sua campanha. Confesso que não posso fazer muitas coisas pelo senhor. Mas vou tentar ajudá-lo.

Eu fiquei impactado. Perguntei o que fizera para merecer seu apoio.

— O senhor nunca se apresentou como candidato dos trabalhadores — respondeu Lula. — Nunca se dirigiu a nós de maneira condescendente nem pediu nosso apoio. Nunca fez aos trabalhadores promessas que sabemos que não poderia cumprir. O que indica que é um homem honesto.

Naquele momento, eu soube que Lula seria um formidável político. Não poderia imaginar *quão* formidável, é claro, mas era evidente que tinha uma energia natural e uma inteligência política instintiva. Percebi que o motivo vago e lisonjeiro apresentado por Lula para me apoiar nada tinha a ver com suas verdadeiras intenções. Tratava-se na verdade de *Realpolitik* no mais estrito sentido. Montoro, meu companheiro de chapa que acabou vencendo a eleição pelo MDB, se apresentava na campanha como "o senador dos trabalhadores". Nos comícios, distribuía um panfleto relacionando suas realizações ao longo da carreira em favor da classe trabalhadora. E era verdade; Montoro fizera muita coisa. Mas em 1978 Lula já estava para assumir uma liderança política. Considerava que competia com Montoro. Minha candidatura, assim, representava para ele a vantagem de um programa político convergente, sem constituir de fato uma ameaça pessoal.

Quaisquer que tenham sido suas motivações, Lula cumpriu a palavra. Fez vários discursos em meu favor e se apresentava a meu lado durante a campanha. Caminhávamos juntos pelas ruas da cidade industrial de São Bernardo do Campo, distribuindo panfletos. Compartilhamos muitos e demorados almoços, cachaças de fim de noite e não poucas xícaras de café. Ficamos amigos.

Lula era meio cru naqueles primeiros anos. Sua gramática era terrível. Embora não fosse culpa sua, faltava-lhe a educação formal da maioria dos meus colegas, e era evidente que ficava sem jeito entre os artistas, professores e outros intelectuais que participavam da minha campanha. Mas Lula compensava essas carências com uma fala direta e sinceridade de sentimentos. Mostrava-se invariavelmente bem-humorado, espontâneo e afável. Por outro lado, sendo um *outsider*, Lula podia como ninguém dizer coisas verdadeiras e ousadas. Numa época em que ainda havia censura e repressão, essa combinação de talentos era autêntica dinamite política. Ele era com toda evidência uma estrela em ascensão.

Na verdade, no momento em que minha campanha chegava ao fim, Lula estava apenas começando. Naquele mesmo ano, os sindicatos brasileiros ousaram pela primeira vez na ditadura fazer uma greve coletiva. Sabendo que o desafio seria difícil e prolongado, Lula resolveu fazer o que estivesse ao seu alcance para manter o moral elevado. Quase diariamente, durante a greve, o sindicato promovia um comício num estádio de futebol. Eram até 90.000 os operários que lotavam o estádio em cada comício para ouvir os discursos de Lula. Muitas vezes não havia um sistema de som, nem sequer um palanque. Ele simplesmente falava o mais alto que pudesse. Os que estavam ao alcance de suas palavras viravam-se para trás e repetiam o que ele dizia, e assim por diante, até que todos ouvissem a mensagem.

A greve foi capaz de calar fundo na sociedade brasileira. Lula teve uma quantidade impressionante de publicidade, e praticamente da noite para o dia parecia que seu rosto estava em todo noticiário de televisão e em toda capa de revista. É interessante entender por quê. Por um lado, Lula exercia uma enorme atração sobre a classe trabalhadora, simbolizando de maneira rebelde e corajosa o ressurgimento de seu poder. Por outro, ele também era relativamente *seguro* aos olhos dos militares e da elite governante. Afinal, era um carismático líder operário que não era comunista. Católico tradicional, Lula era jovem, diferente e alheio às amargas batalhas dos anos anteriores. Nos eventos sindicais, não autorizava a participação de estudantes universitários simpáticos à causa, dizendo que não deviam se envolver nas lutas dos trabalhadores. Desaprovou o movimento guerrilheiro. A ideologia era muito menos importante para ele do que questões práticas como salários e atendimento de saúde. Nesse sentido, Lula já era uma personalidade pós-Guerra Fria antes mesmo de ela acabar oficialmente. Assim, quando os meios de comunicação o transformaram em figura popular da oposição brasileira, os militares nada fizeram. Cabe supor até que os dirigentes da época tivessem ficado aliviados.

Mas se alguém supunha que os militares tolerariam um desafio direto a sua autoridade estava enganado. Foi o que Lula pôde constatar quando aquela que deveria ter sido sua maior vitória se transformou numa das piores derrotas.

No fim de 1978, mais de 3 milhões de operários brasileiros tinham aderido à greve. Lula continuou promovendo candentes comícios em estádios de futebol até que, inesperadamente, o Tribunal Regional do Trabalho de São Paulo deu sentença favorável aos sindicatos, considerando a greve legal. Era um verdadeiro milagre, a maior vitória alcançada pela classe trabalhadora em anos. Os empresários teriam de atender a algumas de suas reivindicações. Havia apenas um detalhe: a greve teria de ser suspensa. Como a disputa estava resolvida, a lei brasileira determinava que os trabalhadores sindicalizados voltassem ao trabalho.

O deputado estadual Almir Pazzianotto, que representava o sindicato dos metalúrgicos no processo como advogado, convidou-me a assistir ao anúncio da sentença. Em seguida, Pazzianotto e eu acorremos ao estádio da Vila Euclides para dar a notícia a Lula.

Entramos pelo portão dos fundos para atravessar a multidão com mais facilidade e saborear um pouco daquela energia juvenil. Depois de abrir caminho lentamente, encontramos Lula nos bastidores de um improvisado palanque e lhe comunicamos a decisão judicial.

— Que é que você vai fazer, Lula? — perguntei.

Ele sacudiu os largos ombros.

— Bem — disse, hesitante, como se ainda não estivesse acreditando —, nós ganhamos, e, portanto, temos de suspender a greve. Acho que é isso.

Externamos nossa aprovação e Lula se dirigiu à massa. Aplausos delirantes da multidão. Ele então começou seu discurso dizendo que a greve chegava ao fim. Os trabalhadores tinham vencido, disse, e estava na hora de voltar ao trabalho.

Um estranho silêncio tomou conta da multidão. Muitos dos trabalhadores ali presentes só tinham conhecido a ditadura em sua vida adulta, e pareciam perplexos com a ideia de que ela pudesse um dia perder uma batalha. Pazzianotto e eu notamos que a multidão quase parecia decepcionada: eles estavam preparados para uma luta muito mais demorada, e talvez até a desejassem. Agora, era como se o juiz tivesse encerrado uma luta de pesos-pesados no primeiro *round*.

As pessoas começaram a deixar o estádio, cabisbaixas, antes mesmo que Lula acabasse de falar. Observando a cena, ele de repente pareceu perplexo e meio zangado. Como sempre perspicaz, entendeu perfeitamente a situação. E então simplesmente mudou de ideia.

— Vamos continuar com a greve! — proclamou Lula. — Quem estiver de acordo levante a mão!

Pazzianotto e eu nos entreolhamos, engolindo em seco. Que estava ele fazendo?

Como sabia Lula perfeitamente, a multidão inteira esmurrou o ar, delirante em seu incontido entusiasmo.

Lula concluiu o discurso, anunciou alto e bom som que a greve continuaria e deixou triunfal o palanque. Quando já não era mais visto pelo público, todavia, vacilou e se sentou num canto com a cabeça entre as mãos. Estava completamente pálido. Os milhares de trabalhadores se retiraram felizes, cheios de expectativa, e logo o estádio estaria vazio.

Nós três entramos no carro de Pazzianotto e voltamos à sede do sindicato. Mergulhado no banco de trás em pesado silêncio, Lula acabou soltando:

— Temos de acabar com essa greve!

Pazzianotto virou-se para trás, boquiaberto.

— Mas que se pode fazer agora? — perguntou, incrédulo. — Lula, você sabe que é contra a lei! Por acaso perdeu a cabeça?

Lula se remexia no assento, em pânico.

— Professor — disse-me —, talvez possa tentar influenciar seus amigos industriais. Quem sabe não consegue resolver tudo isso?

Eu não tinha a menor ideia do que ele queria.

— Não sei o que eu poderia fazer agora, Lula. Talvez já seja tarde.

O humor da situação, se é que havia, rapidamente se esvaneceu. Com o prosseguimento da greve, já agora ilegal, os militares perderam a paciência com o rebelde que até então pareciam dispostos a tolerar. Dias depois, eu estava de volta a São Bernardo do Campo, sentado com Lula e com o então deputado Fernando Morais num barzinho. Pelo rádio, ouvimos que os militares se tinham valido de seus poderes para intervir no sindicato e expulsar Lula do comando. Pouco depois, ele seria jogado na prisão.

Os militares provavelmente não pretendiam trancafiar Lula por muito tempo. As autoridades queriam apenas assustá-lo e depois libertá-lo. Mas a tragédia não leva em conta intenções desajeitadas; enquanto Lula ainda estava na prisão, sua mãe faleceu. Ele foi autorizado a comparecer ao funeral, acompanhado de escolta policial. Eu também estive presente, juntamente com vários de nossos amigos e companheiros. Lula foi mantido a distância de nós, cercado de policiais, e parecia terrivelmente abatido. Era como se fosse aquela tragédia a mais, aquela que transbordou a quota pessoal de tragédias de Lula e superou todas as demais. Ele nem conseguia chorar.

De pé ali, eu o observava, atônito, pensando que, apesar da diferença social que nos separava, Lula e eu também éramos muito parecidos. Pois naquele momento eu sabia *exatamente* como ele estava se sentindo. Uma década antes, eu tinha comparecido ao enterro do meu pai em circunstâncias terrivelmente semelhantes: sofrendo uma perda pessoal, distante do meu país, enfrentando problemas com a lei e, acima de tudo, decidido a acabar com aquela ditadura podre. Não era vida para ninguém. Quando a polícia meteu Lula num camburão e o levou de volta à prisão, senti a mesma indignação e a mesma impotência que me perseguiam havia 14 anos. Agora, pelo menos, pensei, eu tinha um poderoso companheiro lutando ao meu lado.

* * *

Poucos de nós percebíamos então, mas o mundo estava lentamente mudando de uma forma que exerceria profundo impacto no Brasil. No início da década de 1980, fui à Polônia para uma reunião organizada pela Associação Internacional de Sociologia, da qual fora eleito vice-presidente. A reunião se realizava num velho palácio nas imediações de Varsóvia, onde deveríamos debater as mais recentes pesquisas sobre transformações sociais.

Mas não fazia sentido ficar examinando tediosas pesquisas quando a mudança social ocorria na vida real, bem ali diante das portas do palácio. A Polônia se via engolfada, naquele momento, pelo movimento Solidariedade em seu auge. A eleição de Karol Wojtyla como papa João Paulo II conferira maior audácia à Igreja como agente das mudanças democráticas no país. Extasiados, nós víamos o cardeal da Polônia dirigir-se à nação pela televisão. Não entendíamos o que estava dizendo, é claro, mas compreendíamos o simbolismo. Pela primeira vez o governo polonês facultava ao cardeal um público tão vasto. Nossos anfitriões estavam aterrorizados com a possibilidade de uma iminente invasão soviética.

Assim como no Brasil, a Igreja Católica fizera na Polônia uma aliança com os sindicatos trabalhistas para se opor ao regime autoritário. As semelhanças me intrigavam. O pesado clima de tensão também se assemelhava um pouco à Paris de 1968, exceto pelo fato de que se tratava ali de uma luta política com uma superpotência ideológica e militar. Ignorando as angustiadas advertências de nossos anfitriões de que seria por demais perigoso, quatro de nós decidimos viajar a Gdansk para observar de perto o movimento Solidariedade em ação. Alugamos um pequeno Volkswagen e pegamos a estrada.

Ao chegar à sombria cidade portuária, eu fiquei pasmo. Em cada janela havia uma vela acesa e um retrato do papa. A velha bandeira do papado fora pendurada nos telhados. Mas, apesar desses símbolos de protesto, Gdansk parecia surpreendentemente tranquila. Estacionamos o carro e caminhamos em direção aos Estaleiros Lenin, onde Lech Walesa estava falando. O lugar estava tão cheio de gente que não conseguimos entrar, mas havia alto-falantes do lado de fora, e assim pudemos ouvir. Não entendíamos coisa alguma das palavras de Walesa, mas tampouco nesse caso havia como ignorar seu significado mais amplo. Sabíamos estar presenciando algo portentoso.

Embora o governo polonês tentasse mais tarde reprimir o Solidariedade, não tinha como acabar com ele. Algo mais profundo já tinha mudado irrevogavelmente. Aí é que estava a beleza do movimento em curso na Polônia: ele mostrava que os países do bloco soviético não poderiam voltar atrás. Estava mais que evidente que o comunismo fracassara. A chamada grande experiência social servira apenas para gerar sofrimento, opressão e estagnação econômica.

Alguns anos antes, eu fizera uma viagem de carro pela Europa Oriental com meu amigo Manuel Castells, hoje eminente sociólogo. Começamos na Bulgária, atravessamos a Romênia e paramos em Constanza, um balneário, mais agitado, à beira do mar Negro. Mas até a praia me entristecia. Aonde quer que fôssemos, tudo parecia sombrio. Não havia gente nas ruas. Nem vida noturna. Percorrendo as montanhas dos Cárpatos e seguindo em direção à Alemanha Oriental, Castells e eu passamos incontáveis horas esperando num posto de controle policial. E eu pensei com meus botões: como é que essas pessoas podem viver assim?

De repente, depois de cruzar a Hungria, ao atravessar a fronteira austríaca e chegar a Viena, era como se tivessem acendido as luzes. Finalmente chegávamos a uma luminosa e alegre cidade ocidental. Fui tomado de alívio e felicidade. Vendo assim as duas realidades de maneira tão vívida lado a lado, não podia restar dúvida sobre quem estava vencendo a batalha entre a economia de mercado e o comunismo, entre a democracia e o autoritarismo.

Em sua maioria, os historiadores falavam do fim da Guerra Fria nos termos da corrida armamentista promovida por Ronald Reagan e do subsequente colapso econômico da União Soviética. Estou convencido, todavia, de que essa simples verdade do contraste visual tinha a mesma importância. A televisão, em particular, foi crucial ao ilustrar a realidade para a vasta maioria das pessoas que não podiam viajar. Graças à TV, gente que vivia em Berlim, por trás da Cortina de Ferro finalmente podia ver com os próprios olhos como era boa a vida do outro lado do Muro. Até os soviéticos podiam contemplar prazeres simples da vida ocidental, como a vida noturna, as lojas de departamentos, as geladeiras, e pensar com seus botões: eles estão muito melhor que nós! Pela altura da década de 1980, com a disseminação do rádio e da televisão, era praticamente impossível impedir a divulgação desse tipo de informação subversiva. A televisão conferiu aos Estados Unidos mais poder de mudar o mundo do que jamais poderia um milhão de ogivas nucleares.

Minha atuação na Associação Internacional de Sociologia, da qual me tornei presidente em 1982, levou-me a fazer várias fascinantes viagens à União Soviética. O regime soviético tornara-se particularmente rígido e paranoico, e eu estava ansioso por encontrar estudantes russos para conversar sobre seu país e descobrir se tinham planos de mudá-lo. Organizar um encontro dessa natureza era compreensivelmente uma questão delicada. Finalmente, numa viagem feita quando Leonid Brejnev ainda estava no poder, conheci um velho professor armênio, um homem fascinante cujo irmão fora executado por Stalin muito tempo antes. Ele me prometeu providenciar um encontro com alguns alunos da Universidade de Moscou. Uma colaboradora sua aceitou me acompanhar para servir de intérprete.

Às dez da noite, saímos do meu hotel, da Academia de Ciências, em direção à Cidade Universitária em Moscou. Fomos ao apartamento de uma jovem russa chamada Ekaterina — jamais esquecerei seu nome. Tinha um enorme rabo de cavalo e certo excesso de peso. Ela nos levou à sala apinhada e superaquecida, onde três colegas homens estavam afundados em cadeiras, olhando-me com profunda desconfiança. Como se poderia esperar.

A conversa inicialmente foi difícil. Mas no fim, estendendo-se a noite pela madrugada, a vodca acalmou nossos nervos e os rapazes pararam de olhar para a porta. Uma violenta tempestade caía lá fora enquanto os estudantes me falavam da vida na Rússia. Em momento algum disseram abertamente que se opunham a Brejnev, ao Birô Político ou ao comunismo em geral. Uma declaração direta dessa natureza seria perigosa para eles, não importando a quantidade de doses de vodca. Mas eles falavam entusiasticamente da música e do cinema americanos. O que equivalia a dizer que gostariam de iniciar uma revolução. Bob Dylan, *Caçadores da arca perdida*, Luke Skywalker e *Nos embalos de sábado à noite*: era essa a linguagem dos primeiros rebeldes na União Soviética.

Inevitavelmente, as pessoas foram-se tornando mais ousadas e diretas. Começaram a desafiar a própria repressão, declarando que queriam ser livres. Eu voltei à União Soviética anos depois, quando Mikhail Gorbachev estava no poder. Encontrei a economista Lenina Pomerantz, brasileira de origem russa e velha colega da Universidade de São Paulo.

— As coisas aqui estão mudando. O país hoje é diferente — disse-me ela, empolgada. — Hoje à noite temos uma reunião, e para você vale a pena comparecer.

A reunião era no centro cultural de uma fábrica de lâmpadas nas imediações de Moscou. O local e a atmosfera que prevalecia eram igualmente estranhos. Havia pessoas montando guarda nas portas, enquanto um grupo tocava violinos de pé lá dentro. Afixadas nas paredes, viam-se cartas de pessoas que tinham estado nos *gulags*, os campos de concentração soviéticos. Também havia desenhos para dar ideia de como eram os campos. O teatro estava lotado, e a tensão lembrou-me das peças e concertos no Brasil nas décadas de 1960 e 1970, quando a polícia podia irromper a qualquer momento e começar a espancar os atores. Talvez não tenha sido uma ideia tão boa vir aqui, pensei.

Meu intérprete nessa noite era João Prestes, o jovem filho de Luís Carlos Prestes, o líder comunista que, meio século antes, entrara em confronto com Getúlio Vargas num episódio famoso. Tomamos nossos assentos. As luzes se apagaram e uma tela branca desceu do teto, projetando-se nela uma fotografia granulosa do Birô Político, com a superposição de uma inscrição em russo.

Virei-me para o tradutor.

— Hum, o que diz ali?

O rapaz se contraiu ao ler para mim:

— Está escrito: "São estes os inimigos da Rússia."

— João — retruquei, achando graça —, acho que está na hora de sairmos daqui.

Mas ele me convenceu a ficar. Ouvimos discursos inflamados, indiretamente contra o regime, pronunciados por vários intelectuais, entre eles a viúva de um líder soviético histórico. A polícia não deu as caras. No fim da noite, a assembleia decidiu juntar recursos para erguer um monumento aos mortos nos *gulags*.

Como em outros países, os protestos na União Soviética muitas vezes diziam respeito a questões locais extremamente específicas, mas falavam também de uma luta nacional mais ampla. Nesse sentido, erguer um monumento aos *gulags* era um sublime ato revolucionário. Iniciativas individuais como essa acabam juntando massa crítica e gerando súbitas e avassaladoras mudanças sociais. Naqueles anos 1980, eu fiz em reuniões acadêmicas várias palestras nas quais me referia a esse tipo de fenômeno histórico de rupturas como um "curto-circuito": algum fio desencapado que provoca uma faísca, como em maio de 1968 em Nanterre. Hoje talvez se falasse de "ponto decisivo" (*tipping point*). A ideia é basicamente a mesma.

Os acontecimentos na Europa Oriental e na União Soviética tiveram no Brasil um efeito profundo, ainda que não imediatamente perceptível. À medida que a Guerra Fria dava sinais de ceder, o mesmo acontecia com a desculpa até então usada para justificar duas décadas de controle militar. Naturalmente, nenhum de nós podia ter previsto a queda do Muro de Berlim. Mas era evidente que o comunismo não representava mais uma ameaça de conquista do mundo. Era como se uma bomba tivesse sido desarmada. Embora algumas batalhas isoladas tivessem prosseguimento, em virtude de fatores locais ou da paranoia americana, como, por exemplo, na Nicarágua, em El Salvador, o resto da América Latina começou a entender no início da década de 1980 que a democracia era inevitável.

Graças em parte aos acontecimentos na Europa Oriental, e ainda em Portugal e na Espanha, sentíamos agora no Brasil que nosso regime autocrático também estava chegando ao fim. Estávamos à beira do nosso "curto-circuito". Com a promessa da campanha de 1978 ainda zunindo nos ouvidos, eu me perguntava o que seria capaz de desfechar o golpe final que derrubaria a ditadura. Mas, como sempre, a ação viria me buscar.

* * *

Em 1982, eu ainda estava com um pé no mundo acadêmico e o outro na política. Passei um estimulante semestre desse ano como professor visitante na Universidade da Califórnia em Berkeley. A vida intelectual era rica, e eu estava feliz. No fim do semestre, o chefe do Departamento de Sociologia, Robert Bellah, convidou-me a tomar um chá. Para minha surpresa, ofereceu-me uma posição de professor titular, para substituir o conceituado sociólogo Jürgen Habermas, que voltava à Alemanha. Insistindo em que Berkeley precisava de mim, Bellah me prometia uma vida tranquila e agradável à beira mar no norte da Califórnia.

Eu sorri e disse:

— Professor Bellah, fico lisonjeado. Mas só poderei aceitar sua oferta se também me garantir um assento no Senado americano. Caso contrário, terei de recusar, pois estou para me tornar senador no Brasil.

Bellah pareceu apenas um pouco mais surpreso com a resposta do que eu me sentia. Minha vida mais uma vez estava mudando em decorrência de acontecimentos fortuitos que eu mesmo não poderia ter arquitetado. No Brasil, Franco Montoro, que tinha sido o mais votado na campanha para o Senado em 1978, estava para ser eleito governador de São Paulo.

Como ficara em segundo lugar nas eleições de 1978, eu era o suplente de Montoro. Se ele assumisse o governo do estado, eu automaticamente tomaria o seu lugar no Senado.

E de fato, Montoro venceu a eleição em novembro, e eu vim a assumir em março de 1983 uma cadeira no Senado. Por puro acidente, eu tinha de uma hora para outra meu primeiro cargo na política. Minha vida nunca mais seria a mesma.

Recebi novamente uma chuva de críticas dos meus amigos de esquerda. Eles diziam que o Congresso não passava de um teatro farsesco tolerado pelos militares para fingir que o Brasil ainda era uma democracia. "Como pode participar dessa fraude?", perguntavam mais uma vez tão incrédulos quanto se haviam mostrado em 1978.

Eu dizia aos amigos que, sim, até certo ponto eles estavam certos: o Senado não tinha muito poder concretamente. Entretanto, estava mais que evidente que a oposição, por mais diluída e tolhida que estivesse, tinha agora condições inéditas de exercer alguma influência. A dinâmica do momento nos era favorável, graças em parte a uma marcada retração na economia. A inflação, em 1983, chegava a mais de 200 por cento ao ano. A década foi marcada por uma deterioração contínua do salário mínimo real; em 1988, mais de 50 por cento da população ativa (ao redor de 60 milhões de pessoas na época) auferia até dois salários mínimos, e 40 por cento estava na informalidade, com trabalhos marginais e não qualificados ou em tempo parcial. Em consequência da volatilidade dos preços internacionais do petróleo, a América Latina era sacudida por uma crise da dívida. A dívida externa brasileira saltou de 43 bilhões de dólares em 1978 para 91 bilhões em 1984. Muitos brasileiros ricos e de classe média, que se mostravam dispostos a ignorar os aspectos mais repulsivos da ditadura enquanto a economia fosse bem, de repente se indignavam com a situação no terreno dos direitos humanos. Antes tarde que nunca, suponho. Em consequência, a popularidade dos militares chegou a seu nível mais baixo. Muitos oficiais deixaram de usar uniforme em público, para não fazer papel ridículo.

Faltava-nos apenas uma boa oportunidade para que a opinião pública externasse sua oposição à ditadura. Qualquer que fosse a iniciativa a tomar, sabíamos que seria necessário extremo cuidado. A oposição pública teria de ser em escala maciça, e bem visível. Mas não poderia redundar em confronto nem violência. Se o gesto fosse forte demais, os militares haveriam de se sentir ameaçados e partiriam para o ataque. Havia o risco de uma repetição de 1968, quando a falta de habilidade da oposição serviu apenas para fornecer uma desculpa para que os oficiais de linha dura consolidassem seu poder. Mas se nosso protesto fosse fraco demais, simplesmente não faria sentido. Franco Montoro traçou o plano final, decidindo que devíamos organizar uma grande manifestação de rua em São Paulo em 25 de janeiro de 1984, para coincidir com o aniversário da fundação da cidade. O evento teria, assim, a necessária conotação patriótica para desarmar as inevitáveis acusações da direita de que, ao protestar, estávamos sendo "antibrasileiros".

Todo protesto precisa de uma palavra de ordem. Nós optamos por "Diretas Já!". Embora possa parecer algo sem graça, o slogan revela muito da nossa estratégia e do que era a política na época. Estavam marcadas eleições presidenciais para o início do ano seguinte, 1985. Os militares tinham continuado a encenar esse simulacro de eleições presidenciais pelo Congresso de quatro em quatro anos ao longo da ditadura, mas até então elas não passavam de jogo de cena. Os militares exerciam poder absoluto sobre a escolha dos candidatos, e em última análise o Congresso votava apenas para referendar o vencedor. Era uma espécie de colégio eleitoral que, naturalmente, sempre escolhia o candidato preferido pelo pequeno grupo de oficiais que governava o Brasil. Em contraste, as "diretas", tal como pretendíamos, devolveriam à população brasileira o poder do voto, permitindo a apresentação de qualquer candidato, mesmo um civil. As "Diretas Já", assim, eram uma maneira de exigir indiretamente a plena democracia.

O significado mais profundo não passou despercebido, muito menos dos militares. Ao se aproximar o dia da manifestação, o presidente João Baptista Figueiredo foi à televisão ameaçar: "Diretas Já é o mesmo que subversão." Poucos anos antes, um pronunciamento dessa natureza possivelmente intimidaria, levando à submissão; o protesto poderia ter sido cancelado. Mas era evidente que os tempos haviam mudado, e as palavras de Figueiredo surtiram efeito contrário. As notícias sobre a manifestação se espalhavam como fogo na mata. Vários jornais começaram a noticiar abertamente o evento. Com a exceção de uns poucos que mantiveram uma cômoda proximidade com os militares por muito mais tempo, os jornalistas brasileiros mostraram-se extraordinariamente corajosos em sua cobertura. Sem o trabalho deles, o movimento talvez não tivesse deslanchado.

Fizemos todo o possível para elevar as apostas. Eu fiz o discurso inaugural da oposição no Senado em favor das "Diretas Já". Distribuíamos panfletos e convidávamos dirigentes políticos de todas as tendências, inclusive Lula, cujo recém-fundado Partido dos Trabalhadores já organizara uma pequena manifestação. Apesar de todo o esforço, esperávamos que aparecessem talvez umas 10.000 pessoas. O que seria mais que suficiente, pensávamos.

No dia 25 de janeiro de 1984, mais de 300.000 pessoas se juntaram na Praça da Sé, em São Paulo, para entoar "Diretas Já!" O espaço sequer era suficiente para todos. Ficamos estupefatos. Nem mesmo a chuva intermitente foi capaz de afastar a multidão ou moderar seu entusiasmo. Os manifestantes eram em grande parte de classe média, tomados de enorme empolgação. O clima era antes de festa que de confronto político. As pessoas dançavam, cantavam e formavam correntes humanas. Eu fiz um discurso, assim como Ulysses Guimarães, Franco Montoro e Lula. Mas as palavras não eram importantes. Na verdade, o sistema de som era tão ruim que cerca de metade da multidão não ouvia nada. Felizmente, o simbolismo do evento transcendia qualquer coisa que pudéssemos dizer. No fim, demo-nos as mãos e cantamos o Hino Nacional. Foi uma profunda manifestação de união e de força de vontade nacional.

Lula e eu sorríamos contemplando a enorme multidão que cantava à nossa frente. O desafio fora lançado. A única dúvida agora era como reagiriam os militares.

— Conseguimos! — gritava Lula, eufórico, enquanto o canto da multidão escoava pela cidade. — Conseguimos!

* * *

Dois meses depois, fui convocado a uma conversa pessoal com o presidente.

Apesar do empenho dos militares, o movimento "Diretas Já" ganhava alcance nacional. A TV Globo tentou inicialmente apresentar a manifestação em São Paulo como uma comemoração espontânea do aniversário da cidade, e não como uma manifestação de massa pela democracia — mas os brasileiros já não se deixavam mais enganar. Em toda parte se viam pessoas usando camisetas com dizeres de uma franqueza quase cômica: "Quero votar para presidente!" Manifestações iguais ocorreram nas semanas seguintes, lideradas por Ulysses Guimarães. No Rio, foram 800.000 pessoas. Em mais uma manifestação em São Paulo, mais de um milhão. A essa altura, a Globo não tinha mais alternativa senão entrar no barco. O fenômeno não ia esmorecer.

O presidente Figueiredo era um candidato inesperado mas estranhamente adequado para conduzir o Brasil à democracia. No fim da década de 1960, era o chefe do SNI, o Serviço Nacional de Informações, durante a repressão das guerrilhas. Agora, como o próprio regime, estava velho, cansado e sem energia. Com problemas de saúde, tinha sofrido uma cirurgia cardíaca nos Estados Unidos. Figueiredo chamou-me pouco antes de um banquete oficial em homenagem a Miguel de la Madrid, o presidente do México. Eu achava que o presidente provavelmente desejaria conversar comigo sobre simples questões de protocolo, e não sobre política.

Fui conduzido a uma sala privada onde Figueiredo já se encontrava havia algum tempo, esperando o momento de adentrar o imponente salão de banquetes do Palácio do Itamaraty, a sede do Ministério das Relações Exteriores em Brasília. Estava sozinho, em trajes civis. Abriu um caloroso sorriso e me apertou a mão.

— Meu pai era muito amigo do seu pai — disse.

De fato, o pai de Figueiredo estivera por breve período no exílio em Buenos Aires, por sua participação numa revolta contra Getúlio Vargas em 1932. De maneira bem característica, contudo, seus pecados logo seriam perdoados, e o velho Figueiredo prosseguira numa ilustre carreira política. Por uma estranha coincidência, minha casa em São Paulo ficava numa rua que levava seu nome. Anos antes, a placa na esquina do nosso quarteirão tinha caído, e eu cuidara de substituí-la. Tinha eu mesmo mandado pintar a placa e tratado de afixá-la no lugar.

Essa história extraiu risadas do presidente.

— É estranho, muito estranho — disse, sorrindo. — Muito obrigado por fazer o possível para preservar a dignidade do nome da minha família!

Rompera-se o gelo. Conversamos então por um bom tempo sobre Getúlio e os tenentes e outros episódios da história brasileira. Típica conversa fiada. Comecei a me perguntar por que ele realmente me tinha chamado.

— Certa vez — começou Figueiredo, passando de repente a escolher as palavras com cuidado —, alguém me disse que achavam que o problema da corrupção seria resolvido com eleições diretas.

Ele se remexeu na cadeira, algo constrangido.

— Mas veja o caso de Adhemar de Barros — prosseguiu, citando um ex-governador de São Paulo inculpado por fraude. — Ele foi eleito pelo povo. O que de modo algum acabou com a corrupção!

Era um comentário sutil, mas de tremenda importância da parte do presidente. Embora ele se mostrasse combativo, a simples menção das "Diretas" significava que pelo menos considerava a possibilidade de eleições livres. O fato de levantar a questão com um líder da oposição como eu era, com efeito, um monumental passo à frente.

Eu hesitei por um momento e afinal respondi:

— Mas se o povo acredita que as "Diretas" resolveriam o problema, senhor presidente, temos mais um motivo para promovê-las!

Figueiredo sorriu, assentiu e por um momento me fixou diretamente. Habilmente tratou então de mudar de assunto, e nunca mais voltamos a falar da questão. Mas quero crer que o que Figueiredo ouviu de mim e de outros líderes oposicionistas e das próprias ruas bastou para convencê-lo de que não poderia conter o processo de liberalização. Pouco depois, o Congresso começou a fazer planos para um voto sobre a conveniência de estabelecer eleições diretas para presidente no ano seguinte. Os militares não interfeririam no resultado. Basicamente, o Congresso decidiria com uma votação se o Brasil restabeleceria a democracia.

O país vibrava de expectativa, acreditando que a vitória já era certa. Retrospectivamente, contudo, dou-me conta de que os sinais de advertência já se faziam sentir desde o início. A votação foi marcada para o dia 25 de abril de 1984. Uma semana antes, o presidente Figueiredo decretou estado de emergência em Brasília, o que significava que a televisão não poderia transmitir ao vivo a votação, descendo assim sobre a sessão um misterioso véu de segredo. No dia da sessão especial, 6.000 soldados foram posicionados na capital. Ao ter início a votação, milhares de pessoas foram de carro para as imediações do Congresso, buzinando em sinal de apoio à democracia, e os soldados tentaram desesperadamente impedi-las. O confronto que se seguiu gerou uma das cenas mais absurdas da história do Brasil: montado num cavalo branco, o comandante militar de Brasília, Newton Cruz, galopava pelas ruas apinhadas, chicoteando os automóveis para tentar calá-los!

O chicote de Cruz não foi capaz de impedir o buzinaço, é claro, mas serviu para nos mostrar que os militares talvez não entregassem o poder com a facilidade que imaginávamos. Ao se aproximar o momento da votação, dei-me conta de que estávamos em apuros.

No plenário da Câmara, 298 deputados votaram a favor das eleições diretas, com 65 votos contra e três abstenções. Mas a ausência de 112 deputados fez com que o resultado ficasse 22 votos aquém da maioria de dois terços, necessária para alterar a Constituição.

O movimento pelas "Diretas" tinha fracassado momentaneamente.

Ficamos furiosos. Como podia ter acontecido aquilo? Diante de um Brasil unido pela democracia, como podia o Congresso desrespeitar a vontade popular de maneira tão flagrante? Infelizmente, a resposta era simples: o Congresso ainda era controlado pela Arena, o partido político criado pelos militares para dar-lhes sustentação. A maioria dos parlamentares tinha interesse pessoal em impedir a plena democracia. A legislatura de modo algum refletia a vontade popular. De maneira que a verdadeira questão passava a ser: e agora? Desacreditado um Congresso hostil à reforma, não estava claro qual poderia ser o próximo passo. Certos membros da oposição decidiram abandonar o Congresso. Estávamos a caminho de uma crise.

Três dias depois, fiz no plenário do Senado um dos mais importantes discursos da minha vida. E certamente um dos mais polêmicos. O tema era "Mudança já!". Eu dizia que a oposição devia continuar a pressionar pelas mudanças, no espírito das "Diretas Já!", porém com um novo objetivo. Considerava que devíamos ser realistas: não teríamos eleições diretas em 1984. A votação fora perdida, ainda que por uma questão regimental. Mas não havia tempo a perder com amargura, e o que estava em jogo era importante demais para simplesmente dar as costas e ir embora. Em vez disso, dizia eu, a oposição devia tentar conquistar a presidência no contexto do sistema de colégio eleitoral em vigor. Podíamos apresentar um candidato civil e pressionar os militares a permitir que o Congresso o elegesse. O plano deixaria que os militares tivessem voz na escolha do próximo presidente, apresentando seu candidato, permitindo a volta da democracia sem que as autoridades militares se preocupassem com a chegada de um radical ao poder. Eu acreditava que era o caminho mais seguro para a mudança democrática. Precisávamos simplesmente aceitar a anterior derrota e fazer o possível, em vez de insistir em obter o ideal — numa espécie de tudo ou nada —, caso contrário poderíamos perder uma oportunidade histórica. Tínhamos de fazer o que era possível.

Depois do discurso, fui imediatamente chamado de hipócrita. A extrema esquerda, em particular, me acusava de não ter princípios. Alguns diziam que eu era um fantoche do regime militar, usado para sabotar a oposição e pôr a perder a busca da democracia.

Não obstante, uma ampla coalizão oposicionista designou Tancredo Neves, respeitado líder político de 75 anos, como candidato a presidente em 1985. Tancredo era um discreto e afável político de carreira que nos parecia interessante, sem assustar os militares. Fora ministro da Justiça de Getúlio Vargas na década de 1950 e aceitara a função de primeiro-ministro em 1961, quando os militares quiseram diminuir os poderes do presidente João Goulart. Mantivera relações cordiais com o regime militar e vinha negociando nos bastidores para assegurar que as forças armadas seriam bem tratadas se viesse a assumir a presidência. Mas Tancredo não era nenhum títere; ao contrário, era homem corajoso, como provara em vários momentos, como quando ficou com Getúlio Vargas em sua crise final, quando muitos aliados o abandonaram. Prometeu que, se eleito, promoveria uma reforma constitucional para descartar todo vestígio do governo militar. Embora o sistema do colégio eleitoral ainda estivesse em vigor, a eleição de Tancredo significaria inequivocamente que a ditadura chegara ao fim.

No dia 15 de janeiro de 1985, o Colégio Eleitoral elegeu Tancredo Neves presidente do Brasil. Depois de mais de 20 anos, era a volta de uma democracia imperfeita. Alguns de nós não acreditávamos que chegaria o dia em que veríamos os militares entregarem o poder. O processo fora dolorosamente longo, culminando num clássico exemplo de compromisso à brasileira. Em todo o país, a população comemorava, dançando e lançando fogos de artifício. Em Brasília, um outdoor proclamava: "Bom dia, democracia!".

Enquanto Tancredo se preparava para assumir o cargo em 1985, pensávamos que havíamos encontrado o homem ideal para conduzir o Brasil a uma nova era. Estávamos absolutamente certos, exceto por um horrível e trágico problema.

CAPÍTULO 8

Os reis da selva

Preocupantes boatos sobre o estado de saúde de Tancredo Neves já circulavam quando eu fui visitá-lo, dias antes da sua posse como presidente de um novo Brasil democrático. Comentava-se que ele talvez tivesse câncer de garganta. Outras especulações giravam em torno das mais diversas e terríveis enfermidades do aparelho digestivo. Talvez todo o seu corpo estivesse simplesmente entrando em colapso, aos 75 anos. Nervoso, eu passava em revista tudo isso, e o que poderia significar para o Brasil, sentado na sala de espera da casa de campo oficial, o Riacho Fundo, reservada ao presidente eleito, nas imediações de Brasília, esperando em vão que Tancredo aparecesse. Como se passasse uma hora sem sinal dele, fui tomado da desalentadora sensação de que algo sinistro estava realmente acontecendo.

Entretanto, quando finalmente surgiu, Tancredo mostrava-se jovial e carismático como sempre. Envolveu-me num daqueles abraços apertados que eram sua marca registrada e bateu amistosamente nas minhas costas. Tancredo e eu nos respeitávamos. Nosso estilo de fazer política, sem ser o mesmo, era complementar — ele ficou conhecido como "O Grande Conciliador" —, e nossos temperamentos tolerantes também combinavam. Conversamos amigavelmente por algum tempo, refletindo sobre a época vibrante em que vivíamos e a oportunidade única que o Brasil tinha naquele momento.

Tancredo confirmou o que já me fora dito: queria que eu fosse o principal porta-voz do seu governo nas duas casas do

Congresso, posição que seria extraordinariamente difícil, em vista da volatilidade que certamente acompanharia a nova etapa democrática. Eu aceitei o convite.

— Quero que seja meu homem de confiança no Congresso — anunciou ele, passando o braço no meu ombro. Deu então uma boa gargalhada e acrescentou: — Vou ver se mando derrubar algumas paredes no Senado para que tenha um gabinete maior!

Eu ri também, mas minhas suspeitas ainda não tinham sido aplacadas. Convidado, decidi então ficar para o almoço. Sentamo-nos em uma longa mesa com a esposa, dona Risoleta, os embaixadores da Ordem de Malta e o governador Miguel Arraes, de Pernambuco, lendário líder do Partido Socialista, com quem Tancredo estivera longo tempo enquanto eu o esperava. Quando serviram vinho a Tancredo, sua mulher pediu:

— Por favor, não ofereçam vinho ao presidente.

Ela parecia à beira da angústia. Eu rapidamente tratei de trocar a taça de vinho dele pela minha, que ainda estava vazia.

Era evidente que de fato havia algo errado.

Esperamos certo tempo, enquanto a mesa era tomada por um silêncio constrangedor. Finalmente, Tancredo entrou na sala e sentou-se.

Já muito preocupado a essa altura, decidi ir direto ao ponto.

— Como está de saúde, Tancredo?

Ele empertigou a cabeça e eu percebi uma breve mas inconfundível expressão de alarme no seu rosto. Mas ela desapareceu com igual rapidez, substituída por um largo sorriso.

— Nunca estive melhor! — exclamou ele. — Realmente, Fernando Henrique, estou bem.

Bebi um gole do meu vinho — o dele, na verdade.

— É bom saber — disse então. — Sabe como é, em São Paulo estão circulando... boatos.

— Ridículo! — fez Tancredo, com um gesto desdenhoso da mão. — Estou em perfeita forma. Nem preciso mais fazer ginástica.

— Por quê?

— Não há por quê. Todo mundo sabe que os leões não fazem ginástica, e são os reis da floresta!

Era uma piada estranha e forçada, mas todo mundo ficou tão aliviado que entramos no coro de ruidosas risadas. Tancredo então conseguiu habilmente mudar de assunto, passando a tratar de seus planos na presidência.

Na despedida, Tancredo me acompanhou até a saída. Abriu a porta do meu carro e eu protestei:

— É uma honra que o presidente do Brasil abra a porta para mim — provoquei —, mas não está de acordo com o protocolo.

Tancredo curvou-se numa gargalhada e acenou com afabilidade enquanto eu me afastava.

A história ainda não esclareceu exatamente o que aconteceu a Tancredo. Ante a persistência do mistério e o clima dramático da época, alguns teóricos da conspiração inevitavelmente vieram a alegar, sem propósito algum, que ele foi envenenado. Naquele almoço de memória melancólica, todavia, já ficava evidente que a saúde de Tancredo declinava. Ele teve um grande desempenho nesse dia, mas não conseguiu disfarçar que algo estava errado.

Dois dias depois, na noite anterior à posse de Tancredo, estávamos num grupo jantando em Brasília na embaixada portuguesa com o presidente de Portugal, Mário Soares, quando o telefone tocou com a notícia de que Tancredo tinha sido hospitalizado, supostamente com apendicite. Então, entramos rapidamente nos carros e fomos para o hospital. Entre os convidados estava Ulysses Guimarães, o chefe do PMDB, que saiu em disparada junto com os outros.

Acorri à sala de espera e falei com o sobrinho de Tancredo, Francisco Dornelles, que me informou que ele teria de ser operado com urgência. Minutos depois, médicos passaram por nós correndo — literalmente correndo —, levando Tancredo numa maca para a sala de cirurgia. Num relance, eu vi o rosto do presidente eleito, pálido, e provavelmente se contorcendo de dor, e ele desapareceu por trás das portas de vaivém.

Desmoronei numa cadeira com o olhar fixo naquelas portas de um branco impecável, perguntando-me se o que restava de esperança democrática não teria desaparecido por trás delas. É difícil expressar com palavras a perplexidade que então senti. Temia pelo personagem e temia pelo país. Nós achávamos ter encontrado em Tancredo o homem ideal para sair da ditadura. Ele realmente era único, um milagre, um estadista aceitável tanto para os militares quanto para a oposição. E agora, na véspera daquela que deveria ser uma nova era, fora derrubado por uma misteriosa doença. Eu me perguntava, e não era a primeira vez em minha vida, se o Brasil não sofria de alguma terrível maldição.

Fui vagarosamente até a sala de espera no andar de cima. Lá se encontravam algumas das mais importantes figuras da política brasileira, numa lúgubre vigília. José Fragelli, o presidente do Senado, conversava sussurrando com Ulysses Guimarães, presidente da Câmara dos Deputados. O general Leônidas Pires Gonçalves, que acabava de ser nomeado ministro do Exército, estava a um canto, apoiando os comentários com a cabeça e com gestos. A certa distância, parecendo deprimido, via-se José Sarney, que no dia seguinte devia tomar posse como vice-presidente de Tancredo.

Sarney era um caso especial. Durante a ditadura, integrara forças políticas que apoiavam os militares. Só recentemente se havia desligado do partido, e sua parceria com Tancredo nas eleições de 1984 fora das mais polêmicas; destinava-se acima de tudo a equilibrar a chapa no sentido conservador para obter mais votos no Colégio Eleitoral. Na época, nós o aceitamos entre ranger de dentes, pois no Brasil tradicionalmente o vice-presidente não tem grande importância institucional. Ninguém imaginaria que Sarney seria mais que um símbolo. Mas e agora?

Uma multidão se aglomerava em frente ao hospital, numa vigília improvisada, e seu ruído melancólico ecoava pela sala de espera. Sarney acercou-se por um momento, ouviu a conversa e sacudiu a cabeça.

— Não tenho a menor intenção de assumir a presidência. Não vou assumir — murmurou Sarney, como se falasse consigo mesmo. — Alguém aqui pelo menos sabe como será a sucessão se Tancredo ficar incapacitado?

Nós todos nos entreolhamos, dando de ombros.

Ficamos remoendo a pergunta por algum tempo, mas não chegávamos a uma conclusão sobre o que dizia a Constituição. Como Sarney ainda não prestara juramento como vice-presidente, havia quem achasse que o presidente da Câmara — Ulysses — era o próximo na linha sucessória para a presidência. O que, no entanto, poderia representar um grave problema, pois Ulysses há muito era um implacável crítico da ditadura. Havia a possibilidade de que os militares não o aceitassem na presidência. Estávamos absolutamente perplexos. Finalmente, desistimos, decidindo consultar aqueles cuja opinião era de qualquer maneira mais abalizada.

Enquanto Sarney permanecia à espera de notícias de Tancredo, Ulysses, o senador Fragelli, o general Leônidas e eu saímos pela porta dos fundos do hospital, esquivando-nos à multidão de repórteres. Entramos no sedã do general e zarpamos pelas ruas de Brasília. Depois de cruzar não poucos sinais vermelhos, chegamos à casa de João Leitão de Abreu, chefe de gabinete de Figueiredo, o presidente militar que passaria o cargo. Leitão de Abreu era o principal jurista e coordenador político do governo, e achávamos que seria o mais indicado para nos esclarecer ao mesmo tempo sobre as questões jurídicas envolvidas e a realidade política — vale dizer, o que os militares estariam ou não dispostos a aceitar.

Leitão de Abreu veio à sala de terno preto, esfregando os olhos. Olhava para nós como se fôssemos um bando de crianças barulhentas que acabava de acordá-lo.

— Que desejam?

Havia na casa um único exemplar da Constituição, um livrinho surrado de letra tão miúda que mal parecia legível. Enquanto a noite avançava, cada um de nós lia e relia o documento nos mínimos detalhes, com os olhos vermelhos de cansaço e estresse. O general Pires Gonçalves e eu não éramos advogados nem tínhamos conhecimento de direito constitucional, de modo que basicamente ouvíamos enquanto Ulysses, Fragelli e Leitão de Abreu discutiam a questão.

Para surpresa nossa Ulysses argumentava calorosamente que o cargo caberia ao vice-presidente eleito, Sarney. Era o contrário do que eu esperava, pois Ulysses nunca fizera segredo do seu desejo de governar o Brasil. Mas a suposição crucial era que Tancredo se recuperaria; nenhum de nós podia imaginar senão uma presidência interina. Ulysses considerava que não fazia sentido pôr em risco a democracia ocupando a presidência por tão breve período. Com o passar das horas, convencemo-nos de que era o melhor a fazer. Nada

196

Coronel Manuel Joaquim Ignácio Batista Cardoso, início da década de 1910.

Fernando Henrique (terceiro a partir da esquerda) na praia de Copacabana, Rio de Janeiro, no final dos anos 1930.

Com os pais, Nayde e Leônidas Cardoso, o irmão Antônio Geraldo e a irmã Gilda. São Paulo, em meados dos anos 1940.

Com cerca de 14 anos, em São Paulo.

Leônidas Cardoso, à esquerda de Jânio Quadros, provavelmente em 1947. À época, Jânio estava em campanha para a Câmara dos Vereadores de São Paulo.

Leônidas Cardoso com João Goulart (então ministro do Trabalho de Getúlio Vargas) e Leonardo Barbieri (deputado federal pelo PTB) no Rio de Janeiro, em meados dos anos 1950.

Com Ruth e Paulo Henrique. São Paulo, meados dos anos 1950.

Numa conferência de Jean-Paul Sartre no Brasil, em 1959.

Na defesa da tese de doutoramento na Universidade de São Paulo, em 1961. Na primeira fila estão Ruth Cardoso e, à sua direita, José Arthur Giannotti.

Num seminário da SBPC, no final dos anos 1950.

No escritório da Cepal em Santiago, Chile, em 1965.

Com Luiz Inácio Lula da Silva em São Bernardo, São Paulo, durante sua primeira campanha eleitoral, em 1978.

Convenção do PMDB, 1982. Na primeira fila, a partir da esquerda, Mário Covas é o terceiro e Ulysses Guimarães, o sexto.

Com Tancredo Neves, André Franco Montoro e Ulysses Guimarães, na campanha das "Diretas Já" em 1984.

Passeata na campanha das "Diretas Já", São Paulo, 1984. Na primeira fila, a partir da esquerda, Tancredo Neves, Lucy e André Franco Montoro, Fernando Henrique Cardoso, Marcos Freire, dois desconhecidos, Miguel Arraes e Lula. Na extrema direita, Severo Gomes.

Em casa, em São Paulo, em meados dos anos 1980.

Final da década de 1980, em Brasília.

Empossado presidente da República. Brasília, 1º de janeiro de 1995. Com o vice-presidente, Marco Maciel.

Com o presidente Bill Clinton, em visita oficial aos Estados Unidos, em 1995.

Primeira reunião "Progressive Governance for the Twenty-first Century", em Florença, Itália, novembro de 1999.

Palácio da Alvorada, Brasília, início de 2000.

Reunião da família Cardoso no Palácio da Alvorada, Brasília, em 2001. Em pé: o filho, Paulo Henrique; sentados, a partir da esquerda: Ruth; a filha mais velha, Luciana; Julia e Pedro Cardoso Zilbersztajn com a mãe, Beatriz Cardoso; Helena e Joana Magalhães Pinto Cardoso, filhas de Paulo Henrique; e a filha de Luciana, Isabel Cardoso Vaz.

Com Lula, presidente eleito, no Palácio do Planalto, em novembro de 2002.

Com o reitor, Lord Roy Jenkins, recebendo o título de doutor *honoris causa* na Universidade de Oxford, 2002.

Com os presidentes Itamar Franco, Luiz Inácio Lula da Silva e José Sarney, na cerimônia fúnebre do Papa João Paulo II, no Vaticano, Itália, em agosto de 2005.

disso foi dito abertamente. Os argumentos eram jurídicos, e foi na exegese da Constituição que Ulysses nos convenceu de sua interpretação.

— Estamos então de acordo? — perguntou Leitão de Abreu, satisfeito.

Nós assentimos, despedimo-nos e saímos exaustos de sua casa às três da manhã. Ainda não sabíamos, mas acabávamos de decidir o futuro do Brasil. Algum de nós ainda perguntou sobre se o presidente Figueiredo passaria a faixa ao sucessor. Leitão de Abreu respondeu rápido e lacônico:

— Um presidente só passa a faixa a outro presidente.

Estava encerrada a questão. Não haveria o constrangimento entre Sarney e Figueiredo, que estavam rompidos pela adesão do primeiro à Frente Liberal, dissidência da Arena que se constituiu para votar em Tancredo.

No dia seguinte, assistimos à posse presidencial mais triste e sombria que se possa imaginar. Sarney parecia exausto, o que era compreensível, considerando-se que recebera um telefonema às quatro horas da manhã para informar que prestaria juramento naquele mesmo dia como novo governante do Brasil. Era um cargo difícil, que ele não pleiteara nem sabia por quanto tempo haveria de ocupar.

Tancredo, que Deus o tenha, agarrou-se à vida ao longo de sete excruciantes cirurgias em 38 dias. Toda vez que um problema se resolvia, algo mais dava errado. Na primeira operação, havia tantos assessores de Tancredo e líderes partidários na sala de cirurgia que não se davam as necessárias condições de esterilização; mais tarde, possivelmente em consequência disso, caracterizou-se uma insidiosa e debilitante infecção. Os médicos apressaram-se a tratar do coração, depois do abdômen, mas nada parecia melhorar.

— Tancredo Neves só continua vivo por pura e simples vontade de viver — declarou o cirurgião-chefe do hospital para o qual fora levado em São Paulo, com espanto e frustração.

Enquanto isso, centenas de pessoas montavam guarda em frente ao hospital dia e noite, chorando e aguardando o próximo boletim médico pela televisão. Um homem arrastava uma enorme cruz de madeira pela calçada; outro se flagelava com um chicote.

— Não era apenas Tancredo na unidade de tratamento intensivo, mas o país inteiro — comentou um repórter.

No estado do presidente eleito, Minas Gerais, o arcebispo rezou por uma recuperação milagrosa em missa à qual compareceram 10.000 pessoas.

De nada adiantou. No dia 21 de abril de 1985, Tancredo Neves faleceu sem chegar a prestar juramento como presidente do Brasil. Nossa jovem democracia se defrontava com um enorme vazio de liderança, cuja magnitude logo ficaria tragicamente evidente. Após o solene funeral de Estado em Brasília e uma procissão acompanhada por 2 milhões de pessoas em São Paulo, o corpo de Tancredo voltou para Minas Gerais, depois de haver passado por Brasília. Em todas essas cidades, a comoção popular foi imensa, com milhares de pessoas se acotovelando freneticamente para se aproximar do féretro. Mais uma vez um momento de grande esperança no Brasil se transformava em pesadelo nacional.

Fora dado o tom dos primeiros anos de democracia.

* * *

Os brasileiros são capazes de extravagantes gestos de perdão, especialmente na política. Isso ficou mais claro que nunca em 1985, quando todos os políticos do nosso acidentado passado pareceriam querer sair do ostracismo, dizendo-se herdeiros da nova era democrática. Do mesmo modo, como que a nos lembrar o quanto nosso país é imprevisível, o excêntrico ex-presidente Jânio Quadros decidira encenar décadas antes a mais improvável das voltas. Contava agora 68 anos, mas o tempo transcorrido tinha servido apenas para torná-lo ainda mais irrequieto e volúvel, se é que isso era possível. Jânio anunciou que se candidataria a prefeito de São Paulo, cargo que ocupara três décadas antes. Trouxe de volta, farsescamente, até sua famosa vassoura, mais uma vez prometendo alegremente varrer a corrupção e seu corrupto, desonesto e execrável adversário de campanha.

Esse adversário era eu.

Serei honesto: em momento algum achei que Jânio teria a menor chance. Não via como os brasileiros seriam capazes de votar nele de novo, considerando-se a maneira como nos havia abandonado. Essa atitude revelou-se arrogante para alguém que entrava em campanha eleitoral, e o fato é que não me recuperei. Para agravar as coisas, eu não queria de verdade aquele cargo. A ideia da candidatura a prefeito de São Paulo veio do meu partido e, sobretudo, do governador de São Paulo, Franco Montoro, que sempre queria promover-me. Eu estava perfeitamente satisfeito com meu papel cada vez mais ativo de liderança no Senado, mas me deixei convencer. Acima de tudo, Jânio era um desequilibrado ardiloso que não haveria de deixar que simples escrúpulos — ou a pura e simples verdade — interferissem em seu estilo demagógico e malicioso de fazer política.

Só bem depois eu me daria conta de que estava em maus lençóis, após um comício, certa tarde, em Cidade Tiradentes, um bairro pobre das imediações da cidade. Uma velhinha minúscula aproximou-se de mim, tremendo e à beira das lágrimas. Jamais esquecerei a expressão de horror e abjeção em seu rosto quando me puxou pela manga, dirigiu-me o olhar e perguntou:

— É verdade que o senhor vai botar maconha na merenda escolar das crianças?

Eu fiquei pasmo, sem fala.

— Se é verdade... como assim?

— Ouvi dizer que Fernando Henrique vai fazer as crianças do Brasil fumarem maconha todo dia. É verdade?

— Quem foi que disse semelhante absurdo?

— O pessoal do Jânio.

E então eu entendi. Anos antes, durante entrevista a uma revista, a repórter perguntou se alguma vez eu tinha fumado maconha. A questão já viera à baila outras vezes, especialmente depois do semestre que passei ensinando em Berkeley, onde aparentemente se presumia que todo mundo passava o dia fumando baseados (o que, pensando bem, não estava assim tão longe da verdade). Eu respondi que, sim, tinha experimentado maconha uma única vez, mas não tinha gostado. Para mim, era uma resposta perfeitamente honesta e indiferente, e esqueci o assunto.

Foi um erro e uma imprudência, fornecendo ao exército de comunicadores de Jânio exatamente a munição de que precisavam para, incrivelmente, basear sua campanha em valores falsamente morais. Em discursos por toda São Paulo, eles só se referiam a mim como "o maconheiro". Eu achava graça nas acusações, pensando que ninguém as levaria a sério, especialmente partindo de um homem como Jânio. Outro erro de avaliação. Apesar da fama mundial de terra do Carnaval e do vale-tudo, o Brasil real tem um pendor estranhamente conservador que tende a se revelar nos momentos mais inesperados. É curioso como muitos brasileiros são capazes de desculpar políticos corruptos e incompetentes — ou mesmo, ao que parece, quando renunciam à presidência da República depois de apenas sete meses no cargo —, mas ao mesmo tempo exigir dos políticos os mais altos padrões de comportamento na vida pessoal.

Na verdade, dias antes do fim da campanha, dei outro passo em falso. Num debate ao vivo pela televisão com os demais candidatos, exceto Jânio, o moderador perguntou se eu acreditava em Deus. Surpreso e algo indignado, eu respondi que honestamente não achava que minhas convicções religiosas fossem relevantes quando se tratava do meu eventual desempenho como prefeito de São Paulo.

Na manhã seguinte, cartazes da campanha de Jânio já se espalhavam pela cidade: "FERNANDO HENRIQUE É UM ATEU MACONHEIRO."

Não sou ateu nem particularmente supersticioso, mas de fato pude constatar que na minha vida os desastres tendem a vir em grupos de três. O golpe fatal foi desferido na noite anterior à eleição, quando dei uma malfadada entrevista a uma revista. O fotógrafo perguntou se podia tirar uma foto minha, sentado na cadeira do prefeito, na sede da prefeitura. Tratava-se de um semanário, e o editor prometeu que a foto só seria publicada se eu vencesse a eleição. Achando que não havia mal algum, concordei. Mas enquanto ali estava sentado com os dentes de fora, posando na cadeira de um cargo que não era meu, aconteceu de passar pelo gabinete o fotógrafo de um diário, que também tirou sua foto. Aquela imagem da presunção em pessoa apareceu então nos jornais no dia seguinte — o dia da eleição. Tendo sido sempre acusado pelos adversários de arrogância, ficava parecendo que eu já dava a vitória como certa numa disputa apertada.

Jânio acabou me derrotando com vantagem de 2 por cento. Após o anúncio do resultado pela televisão naquela noite, um bando de seguidores de Jânio cercou o prédio onde eu morava, comemorando com buzinas até muito depois da meianoite. O barulho era tanto que Ruth e eu deixamos São Paulo, refugiando-nos em nossa casa de campo em Ibiúna. Quando liguei a televisão no dia da posse, lá estava Jânio, mais caricatural que nunca, franzindo as sobrancelhas enquanto aspergia desinfetante na já então famosa cadeira do prefeito, onde eu havia sentado.

Ninguém gosta de perder. Passei aquele fim de semana em Ibiúna meio deprimido pelos cantos, lendo meus livros e cheio de autocomiseração. Mas logo me refiz, ansioso por pôr em prática as lições que tinha aprendido. Nunca mais eu haveria de subestimar o adversário numa campanha. E pelo resto da minha carreira política também me recusaria a discutir certos aspectos da minha vida pessoal. Como pude descobrir naquela campanha, há questões privadas que simplesmente são irrelevantes para a atividade política de alguém. Por respeito à minha família, desde então me tenho empenhado em proteger nossa privacidade.

No fim das contas, todo mundo aprende com os próprios erros — até Jânio. Seu período como prefeito de São Paulo felizmente não teve sobressaltos. Dessa vez, ele cumpriu os quatro anos do mandato, sem sequer a ameaça de uma renúncia. Jânio faleceria pouco depois de deixar o cargo, em 1992, tendo alcançado um grau mínimo de redenção. Creio que se pode esperar que o Brasil nunca mais aceite uma figura pública como ele.

* * *

Lembro-me de ter aprendido certa vez, numa aula de psicologia, que em muitas espécies os machos entram em confronto quando postos num espaço comum. É o que fazem os leões — e era talvez a isso que se referia Tancredo com sua pilhéria naquele malfadado almoço. Os galos são outro exemplo. Juntando-se dez deles num galinheiro, haverão de arrancar os olhos uns dos outros, chegando a lutar até a morte enquanto não se estabelecer finalmente uma hierarquia. Só então será restabelecida alguma calma. Creio que não seria muito exagero comparar esse processo com o que aconteceu na política brasileira em 1985.

Nos 20 anos anteriores, os militares tinham monopolizado o poder político no país. É verdade que algumas responsabilidades eram modicamente atribuídas ao Congresso e aos governos municipais, mas não tínhamos como nos iludir: a autoridade final nas questões importantes sempre ficava com os generais. Agora, praticamente da noite para o dia, a política voltava a ser concretamente um jogo de poder, e todos os tipos de pessoas — Jânio fora apenas um exemplo — se apressavam a preencher o vazio. Vinham do exílio, vinham da elite e vinham de lugar nenhum. A democracia não seria possível enquanto cada participante não tivesse um papel. Mas a definição dos papéis revelou-se complicada, pois se os rostos não eram novos, os papéis eram. A política brasileira era sacudida por inúmeras disputas de território envolvendo todos aqueles reis da floresta na luta de posições. E eram penas voando por todo lado.

Em tudo isso, quero crer que de certa maneira consegui manter-me acima da refrega. Sei que pode parecer ingênuo ou vaidoso, mas é verdade. Como basicamente chegara ao Congresso por acidente, eu não achava que precisava competir para ter êxito. Podia dar-me ao luxo de agir mais como uma espécie de mediador, papel no qual me encaixava naturalmente, em virtude da minha formação e da minha personalidade. Claro, tinha minhas ambições, como qualquer homem.

203

Mas nunca senti necessidade de tirar outros do caminho para chegar lá.

A política e a vida social se interpenetram em qualquer lugar do mundo, mas particularmente no Brasil. As dimensões acanhadas de Brasília, com sua trama de relações familiares e de amizade, podia às vezes parecer surpreendente, mesmo para mim. Meu filho, Paulo Henrique, acabou se casando com a filha de José Magalhães Pinto, que fora um dos principais ideólogos do golpe de 1964 e, mais tarde, ministro das Relações Exteriores da ditadura. Eu o conhecia há anos, e na verdade tinha visitado seu palácio de governador em Belo Horizonte em 1961, quando Jânio Quadros renunciou à presidência. Desde então, contudo, a política nos afastara. Na década de 1980, quando nossos filhos começaram a se relacionar, Magalhães Pinto era deputado federal. Certo dia, eu entrei na Câmara e sentei a seu lado.

Ele sussurrou pelo canto da boca:

— Está sabendo dos nossos filhos, não?

Eu sorri.

— Sim, eu sei.

— Bem — fez Magalhães Pinto, sorrindo também. — Se isto vier a público, pode ser meio estranho, politicamente. Acho melhor manter segredo, não?

Naturalmente, quando nossos filhos afinal vieram a se casar, não havia nada de estranho. A família era mais importante que a política. Mas em muitos outros casos a aproximação dos dois mundos tinha seu lado sombrio.

Naqueles anos, a democracia tornou-se uma desculpa para que os políticos preenchessem cargos governamentais com amigos, parentes e benfeitores. Os gastos do governo federal com pessoal quase dobraram, pulando de 2,5 por cento do produto nacional bruto, em 1986, para 4,5 por cento em 1989.

Muitos brasileiros acreditavam que a democracia por si só seria capaz de resolver os problemas, mas na verdade ela criava novos problemas. Enquanto os políticos disputavam favores, uma nova regra passou a valer no Brasil: nunca diga "não" a ninguém.

Isso jamais ficou tão evidente quanto no momento em que o Congresso se sentou para redigir, em 1987, a sétima Constituição brasileira desde a independência. Todos os possíveis e imagináveis grupos de interesse surgiam com suas reivindicações, algumas legítimas, outras nem tanto. Por mais ridícula que fosse a demanda, o Congresso não era capaz de recusar. Lembrei-me do ano de 1968 em Paris, quando era "proibido proibir". Foi o que pude constatar com meus próprios olhos. Ulysses Guimarães fora eleito presidente da Assembleia Constituinte, e me incumbiu de estabelecer as regras de funcionamento. Enquanto isso, outro congressista, Bernardo Cabral, era encarregado de processar as 1.947 emendas constitucionais propostas por parlamentares de todo o Brasil. Conseguiu o considerável feito de reduzi-las a "apenas" 697.

Mas é claro que não havia como sanar a situação. Embora a Constituição aprovada em 1988 de fato contribuísse para a redemocratização do país e o estabelecimento de um arcabouço para a nova era, o documento final mais se parecia a uma lista de reivindicações distante da realidade. Assegurava alguns direitos que não estavam ao alcance do Brasil naquele momento, criando leis e expectativas que haveriam de assombrar os governantes por muitos anos. Funcionários do governo recebiam garantia de estabilidade vitalícia depois de apenas dois anos no emprego. A Petrobras, a estatal do petróleo, teria assegurado o seu monopólio. A semana de trabalho era reduzida a 44 horas. Essas aspirações eram difíceis de se efetivar, especialmente num país onde o salário mínimo era de US$ 25 por mês e metade da população sofria de subnutrição. Ainda que pudéssemos sustentá-las, era o momento errado para pô-las em prática. O Brasil tentava criar um estado do bem-estar social no exato momento em que esse modelo de organização do Estado entrava em colapso na Europa pela crise fiscal dos Estados. E nós, já em plena crise fiscal, nos propúnhamos o mesmo caminho.

Enquanto isso, lenta e caoticamente, se começava a botar ordem na casa. A ditadura tolerava apenas dois partidos: a Arena, ligada ao governo, e a frente oposicionista, o PMDB (que recentemente havia acrescentado o "P" ao nome). Esse arranjo forçado tinha gerado inúmeros casamentos políticos de conveniência. Agora que desfrutávamos de uma súbita e total liberdade de associação com quem quer que nos interessasse, a taxa de "divórcios" disparava. Em 1985, havia 11 partidos representados no Congresso. Em 1991, eles eram 19. Um dos novos partidos, na verdade, era o meu. Eu tinha permanecido no PMDB nos últimos anos da ditadura, quando fazia sentido, do ponto de vista prático, manter a unidade da oposição dentro de um amplo movimento. Mais tarde, continuara no partido por pura e simples admiração por Ulysses Guimarães. Agora, contudo, o PMDB perdera sua razão de ser, e daquele estranho grupo de remanescentes fazia parte muita gente de tendências políticas demasiado à esquerda ou à direita da minha.

Em 1968, juntamente com Mário Covas, José Serra, André Franco Montoro, José Richa, Euclydes Scalco, João Pimenta da Veiga e uma centena de outros egressos do PMDB, participei da fundação do Partido da Social-Democracia Brasileira, o PSDB. Nós nos posicionávamos firmemente como uma coalizão de convictos democratas de centro-esquerda. Enquanto a maioria dos outros partidos nascentes voltava-se para nichos específicos da sociedade brasileira — os sindicatos, por exemplo, ou os funcionários governamentais —, nós queríamos estabelecer o consenso mais amplo possível. Preconizávamos uma mistura de reformas de livre-mercado e responsabilidade social, exatamente como líderes como Felipe González, o bem-sucedido primeiro-ministro da Espanha. O símbolo do nosso partido era o tucano, o colorido pássaro brasileiro de bico agigantado, e passamos a ser popularmente conhecidos como tucanos. Na verdade, eu estava entusiasmado com tudo, exceto o nome: "Partido Social-Democrata" parecia europeu demais, especialmente se tratando da injusta estrutura de classes brasileira. Algo como "Partido Democrata Popular" teria refletido melhor a nossa filosofia.

Mas não havia tempo para ficar discutindo questões tão acadêmicas, enquanto o país desmoronava. Embora o presidente Sarney fizesse o possível para defender a democracia e restabelecer relações amistosas com nossos vizinhos latino-americanos, seu governo enfrentava um desastre após o outro. Em 1988, fracassado seu projeto de adoção de uma nova moeda, a inflação chegou a inacreditáveis 1.038 por cento. Em cinco anos, o Brasil teve três diferentes moedas. À medida que cada uma delas se desvalorizava, o governo tinha de suspender o pagamento da dívida externa, essencialmente acumulada durante o regime militar. Os investimentos despencavam, a economia real patinhava e o índice de pobreza aumentava. Em janeiro de 1989, uma pesquisa realizada no Rio e em São Paulo mostrava que 70 por cento da população "não tinha confiança" no governo. E como poderia ser de outra forma?

Seria leviano atribuir tudo isso às inevitáveis dores do crescimento da democracia. Na verdade, não havia desculpa para o caos. Certos problemas transitórios talvez fossem mesmo inevitáveis, mas aquilo ultrapassava todo limite do aceitável. Muitos começavam a comentar à boca pequena que, mais uma vez, o Brasil se mostrava incapaz de uma experiência democrática. Praticamente o único aspecto positivo era exatamente este: que se comentasse à boca pequena. Em sua maioria, os brasileiros, inclusive eu próprio, continuavam firmemente convencidos de que só a democracia poderia resolver nossos problemas em longo prazo. Infelizmente, os anos subsequentes haveriam de testar essa convicção como nunca antes.

* * *

Em épocas de crise, cuidado com a figura resplandecente do salvador montado num cavalo branco! Foi a difícil lição aprendida pelo Brasil nas eleições presidenciais de 1989, quando o país teve de escolher entre duas dessas figuras. Os dois se apresentavam como rebeldes, dando as costas ao *establishment* político tradicional, o que não chegava a surpreender, considerando-se a desordem dos anos anteriores. À parte isso, contudo, seria difícil imaginar dois candidatos mais diametralmente opostos.

De um lado estava Fernando Collor de Mello, alto, bem-apessoado, 40 anos, governador nordestino que se apresentava como uma versão brasileira de John F. Kennedy. E certamente podia invocar vínculos dinásticos semelhantes: seu avô fora ministro do Trabalho no governo de Getúlio Vargas na década de 1930. Seu pai, Arnon, senador da República, conquistara lugar nem tão respeitável na história ao abater a tiros por engano outro parlamentar, em 1963, no plenário do Senado (ele seria absolvido por ter agido em defesa própria). E, se os Kennedy praticavam *touchfootball* na praia, os Collor se entregavam a esportes radicais com igual ostentação. Sempre havia uma câmera por perto quando Fernando Collor conduzia uma motocicleta a 160 quilômetros por hora, sem capacete; e os repórteres não deixavam de estar presentes mais tarde quando, já presidente, ultrapassava a velocidade do som pilotando um Mirage da força aérea. Retrospectivamente, não podemos deixar de constatar que tais proezas nos deviam ter alertado para certos aspectos de sua personalidade. Na época, todavia, essas façanhas distraíam a atenção dos seus projetos, ou da falta deles. Ninguém sabia ao certo o que ele pretendia. Acredito que provavelmente Collor queria que fosse exatamente assim.

O outro rebelde, em contraste, não fazia segredo da sua intenção de conduzir o Brasil por uma radical virada para a esquerda. Nos anos transcorridos desde nossa luta comum contra a ditadura na década de 1970, Lula conseguira capitalizar sua formação sindical, conquistando um papel de relevo na política nacional. Mas nesse processo ficara reduzido a pouco mais que um símbolo, talvez um clichê: o operário indignado. Os sindicatos da década anterior constituíam agora a espinha dorsal do seu novo partido, o Partido dos Trabalhadores, o PT, do qual também faziam parte trotskistas e outros radicais. Na primeira de suas três campanhas malsucedidas para a presidência, Lula se agitava numa indignação vermelha que quase parecia adolescente. Em vez de abrandar suas posições com a idade, ele se tornara muito mais radical do que na época das lutas sindicais. O sujeito cordial e afável que eu conhecera agora invectivava e se lamentava nos palanques em intermináveis discursos sobre as injustiças do Brasil.

Naturalmente, não faltavam motivos para se indignar em nosso país, especialmente na época, mas os remédios propostos por Lula para resolver os problemas eram terrivelmente equivocados e superados. Se fosse eleito, dizia, ele promoveria uma completa redistribuição da renda. Começaria pela nacionalização dos bancos. Propunha uma moratória no pagamento da dívida externa, além de uma ambiciosa reforma agrária a ser conduzida por seus velhos amigos dos movimentos rurais. A imprensa seria controlada por uma comissão de jornalistas e editores designada por eleição. Sua retórica era hostil aos investimentos estrangeiros e ao empreendimento privado em geral.

Numa reunião com os representantes de Lula que discutiam com o PSDB apoio a seu líder, perguntei-lhes, incrédulo:

— Por que não vão até o fim e abolem de uma vez a propriedade privada?

Lula não tinha respostas para essa pergunta, como não tinha para muitas outras. Numa época em que o Muro de Berlim vinha de cair e os últimos postos avançados do comunismo na Europa Oriental adotavam um a um o capitalismo, as ideias de Lula pareciam de um anacronismo surrealista. Embora a biografia do homem que vinha da pobreza fosse interessante, 1989 simplesmente ainda não era a hora de Lula. Os poderosos interesses empresariais do país ficaram absolutamente aterrorizados com ele, assim como a maior parte da classe média. E parece difícil que fosse de outra maneira. Lula não estava pronto para o Brasil e o Brasil não estava pronto para ele. Ambos teriam de passar por uma longa e tortuosa evolução ao longo da década seguinte até que chegasse a hora de Lula.

No segundo turno, Collor obteve 43 por cento dos votos, contra 38 por cento para Lula, tornando-se assim o primeiro presidente brasileiro eleito pelo voto popular desde Jânio Quadros em 1960.

Nesse ínterim, o Brasil mudara muito. A população passara de 65 milhões para 145 milhões. O percentual de habitantes vivendo nas cidades aumentara de 45 para 75 por cento; o número de casas com televisão passara de 2 para quase 80 por cento. O Brasil deixara de ser um país atrasado, rural e isolado, transformando-se num país urbanizado, com habitantes em sua maioria ligados não só entre si, mas também ao resto do mundo.

Ao assumir o cargo, Collor imediatamente deu início a uma série de reformas oficialmente destinadas a "modernizar" a economia. Anunciou planos de privatizar empresas estatais, cortar impostos e reduzir a inflada burocracia de Estado. Declarou guerra aos "marajás", palavra indiana que significa "rei" e no Brasil designa funcionários públicos privilegiados que recebem um gordo contracheque para não fazer muito. Inicialmente, parecia exatamente o tipo do projeto moderno que muitos de nós, inclusive eu, vínhamos preconizando, para ajudar a pôr fim à crise fiscal e integrar o Brasil à economia global. Interessei-me tanto pelos planos iniciais de Collor que fiquei satisfeito com um convite para ser seu ministro das Relações Exteriores, embora o tivesse recusado. Depois de quatro décadas de intensas mudanças, chegou a parecer por algum tempo que o Brasil finalmente estaria tomando um novo rumo.

Entretanto, como diz o velho adágio, quanto mais muda, mais é a mesma coisa. Não havia ímpeto reformista que pudesse salvar o governo Collor, pois a democracia e o desenvolvimento de longo prazo, no Brasil e em qualquer outra parte, sempre serão prejudicados pela corrupção endêmica e pelas improvisações políticas.

De fato contavam-se histórias que, inicialmente, pareciam inverossímeis. Eu ouvia comentários de amigos no mundo dos negócios e na política: os homens de Collor estavam cobrando propinas e mandando enormes quantidades de dinheiro para contas no exterior. A coisa me parecia impossível.

O suborno era um problema imemorial no Brasil, permeando todo o sistema político, mas raramente ocorrera no topo das instituições. Eram raríssimas as histórias de presidentes se prevalecendo do poder para enriquecer. Getúlio morrera relativamente pobre, assim como Dutra. Em sua maioria, os governantes militares — homens como Geisel ou Figueiredo — tinham deixado o cargo discretamente, retomando vidas igualmente modestas. A presidência do Brasil era uma posição por demais exposta para ceder a atos muito flagrantes de corrupção, pensava eu, pois inevitavelmente a sociedade acabaria descobrindo. Os holofotes eram fortes demais. Eu simplesmente não achava que fosse possível.

Mas estava errado. Os amigos e colaboradores de Collor montaram um esquema de propinas de enorme magnitude, exigindo, segundo as informações que nos chegavam, pagamentos gigantescos por muitos contratos governamentais. Mais tarde seria alegado, mas nunca provado, que o diretor e tesoureiro da campanha de Collor, Paulo César Farias, dera uma gigantesca festa para comemorar o primeiro bilhão de dólares alcançado no esquema de subornos. Farias já juntara milhões de dólares e várias mansões, e percorria os céus do país num jato particular conhecido como "Morcego Negro". Uma revista publicou fotos das obras que tinham sido feitas na residência de Collor em Brasília. Dizia-se, com exagero, que o projeto custara cerca de 2 milhões de dólares, com direito a um vasto gramado ajardinado, fontes e um lago cheio de carpas japonesas. Ao lado da sauna, uma piscina. Pedro Collor, o irmão brigado com o presidente, detalhava em entrevista à revista *Veja* o alcance do esquema de corrupção. A essa altura, era inegável que Fernando Collor estava à frente de uma autêntica cleptopresidência, fosse ele pessoalmente ou não beneficiário das propinas.

Honra nos seja feita como nação, pois, uma vez conhecida a verdadeira natureza do governo Collor, a opinião pública brasileira não o tolerou mais. Em agosto de 1992, seu índice de desaprovação era de 84 por cento. Jovens manifestantes pintavam o rosto com as cores da bandeira nacional, em campanha pelo seu *impeachment*. Inicialmente, eu não estava convencido da conveniência de demiti-lo: em discurso no Senado, comparei o *impeachment* a "uma bomba atômica: é útil como forma de dissuasão, mas nunca deve ser usada". Mas a entrevista de Pedro Collor me fez mudar de ideia. Que se jogasse nele a bomba atômica.

Para começar, a Câmara dos Deputados aprovou por 441 votos a 38 o afastamento de Collor. O caso foi então levado ao Senado, constitucionalmente incumbido de dar a última palavra. Vinte minutos depois de iniciada a deliberação dos senadores, Collor enviou uma nota aos parlamentares anunciando que renunciava à presidência, na expectativa de evitar a humilhação de ser deposto. No dia seguinte, ainda assim, o Congresso votou pelo seu *impeachment*.

O primeiro presidente eleito pela população em nossa tão apregoada nova era democrática caía em desgraça, e mais uma vez o Brasil era objeto de escárnio no mundo inteiro. Estranhamente, contudo, a nação extraía do incidente um certo sentimento de confiança. As instituições brasileiras se revelavam mais fortes que qualquer homem. Tínhamos enfrentado uma grave crise seguindo estritamente as regras e sem intervenção dos militares. Depois da votação, 100.000 brasileiros, muitos jovens, dançaram e cantaram em frente ao Congresso. "Pela primeira vez", declarou Aristides Junqueira, o procurador-geral da República, "temos a oportunidade de resolver uma crise política de acordo com a Constituição e sem soldados armados."

Ulysses Guimarães, que conduzira o processo de *impeachment* no Congresso com inabalável determinação, também fez um balanço realista da situação. "Agradeço a Deus por me ter permitido viver, por me permitir chegar a esta altura da vida para testemunhar um acontecimento como este", declarou à nação. "É a vitória da cidadania, da democracia e do meu país. Um exemplo para toda a América Latina."

Em seu foro íntimo, contudo, sei que o *impeachment* mortificou Ulysses. Em conversas com os amigos, ele se confessava arrasado pelo fato de a democracia não ter contribuído mais para resolver os problemas dos brasileiros. Dizendo-se necessitado de repouso, Ulysses tirou um merecido fim semana de descanso numa região paradisíaca do litoral do Rio de Janeiro. Na volta, o helicóptero em que viajava caiu no mar. O maior herói da democracia brasileira morria duas semanas apenas após sua maior decepção. No acidente também morreram a mulher de Ulysses, Dona Mora, Severo Gomes — aquele mesmo que doara o carro do filho para minha primeira campanha, em 1978 — e sua esposa, Maria Henriqueta.

A democracia brasileira chegava naquele momento ao fundo do poço.

* * *

O homem que de uma hora para outra tinha nas mãos o encargo de governar o Brasil aprendia depressa: antes de assumir o cargo, ele apresentou ao Congresso uma relação de bens pessoais. Infelizmente, era praticamente tudo que a população em geral sabia de Itamar Franco. Com típica argúcia, Collor escolhera um companheiro de chapa cuja respeitabilidade pudesse compensar as próprias carências. Itamar era senador, como eu, um sujeito despretensioso e basicamente decente, cuja experiência como administrador se limitava até então a dois mandatos como prefeito de Juiz de Fora, uma cidade de porte médio em seu estado, Minas Gerais. Podia de maneira plausível alegar que nada sabia da rede de corrupção montada por Collor, embora alguns brasileiros se mostrassem, injustamente, céticos. Mais uma vez tínhamos um vice-presidente previamente enfraquecido à frente do país.

Itamar tinha perfeita consciência do que se comentava a seu respeito. Quando se preparava para prestar o juramento presidencial, convocou-me ao seu gabinete. Esfregando as mãos, parecia preocupado, e perguntou-me:

— Você me acha burro?

— Claro que não — respondi. — Mas certamente é teimoso. Muito teimoso.

Itamar olhou-me demoradamente, parecendo não saber se devia sentir-se ofendido ou não. Abriu então um enorme sorriso e declarou:

— Nós dois vamos ser amigos!

E ele estava certo. A partir daquele momento, Itamar e eu sempre estaríamos próximos. Como no caso de Lula, nossa relação teria altos e baixos bem pronunciados nos anos subsequentes. Mas naquele momento, como em muitos outros, ele e eu precisávamos um do outro. Certo dia, tomando café em minha cozinha, ainda nos preparativos do *impeachment*, Itamar perguntou-me se eu queria ser seu chanceler. Eu disse que não era realmente necessário, mas se ele me quisesse no cargo eu aceitava. Minhas responsabilidades em seu governo, contudo, não se limitavam realmente a essa área. O presidente às vezes me convocava cinco vezes por dia, não raro com respeito a questões do dia a dia, alheias às relações externas do país.

A função de ministro das Relações Exteriores não era exatamente a posição ideal que eu esperava. Por um lado, eu de fato tinha de viajar pelo mundo representando o Brasil, o que era uma honra e um privilégio. Encontrei-me pela primeira vez com homens como Mikhail Gorbachev e Bill Clinton. Mas também me dei conta de que passava a maior parte do tempo me desculpando.

Havia muitas coisas a lamentar, mas uma questão superava todas as demais: a inflação. Os preços no Brasil somaram um inacreditável aumento de 2.500 por cento em 1993. Esse tipo de "hiperinflação" dificilmente pode ser concebido por alguém que nunca o tenha experimentado. Domina completamente a vida cotidiana e a vida empresarial. Nos dias de pagamento, as pessoas faziam fila nos supermercados, desesperadas por gastar o dinheiro antes que perdesse o valor. Os preços de produtos essenciais como o arroz — um alimento básico no Brasil — podiam dobrar em um dia. Todos os contratos — contas bancárias, faturas e salários — precisavam ser ajustados à inflação, processo impreciso que dava margem a uma enorme corrupção. Em outras palavras, um inferno econômico.

Lamentavelmente, não era nada novo. Era difícil obter cálculos exatos, mas uma das estimativas da taxa de inflação acumulada no Brasil entre 1968 e 1993 chegava a inacreditáveis 1.825.059.944.843 por cento. O que refletia nada mais nada menos que o total fracasso do governo brasileiro na gestão da política monetária e fiscal. Na verdade, tivéramos sete moedas nos oito anos anteriores.

No momento em que Itamar assumia o cargo, muitos economistas achavam que o problema inflacionário no Brasil não tinha como ser resolvido. Atribuindo-o a questões estruturais de nossa economia, eles simplesmente lavavam as mãos, vencidos. As causas da inflação eram tão complicadas e arraigadas na economia do país — e em sua cultura — que de fato parecia tentador desistir. Mas Itamar não podia dar-se a esse luxo. Os preços subiam com tanta rapidez que justificadamente ele temia que um dia o dinheiro brasileiro perdesse completamente o valor. Todos nós tínhamos pesadelos com pessoas circulando com malas cheias de cédulas inúteis, o que levaria a um quadro inconcebível de agitação social e baderna.

Motivado por essas perspectivas sombrias mas muito concretas, Itamar mostrava-se obcecado com as tentativas de resolver — ou pelo menos controlar — o problema da inflação. Sua única dificuldade era ter um pavio muito curto. Itamar passou por nada menos que três diferentes ministros da Fazenda em sete meses, sem lhes dar realmente tempo para traçar um plano viável. Em seu governo, ser nomeado ministro da Fazenda era o beijo da morte. Aquele que fosse demitido via sua carreira política chegar ao fim. Compreensivelmente, ninguém queria o cargo. Eu acompanhava essa roleta-russa com certa consternação, pois ela afetava o meu trabalho. Tinha de viajar pelo mundo explicando a investidores estrangeiros e diplomatas por que o Brasil aparentemente não conseguia traçar um curso de ação e perseverar nele. Começaram inclusive a circular boatos de que o próprio Itamar, frustrado, poderia acabar renunciando. Aonde quer que eu fosse, tinha sempre o meu quinhão de olhares indignados e recriminações nada diplomáticas. Como conseguem ser tão incompetentes, perguntavam.

Na noite de 19 de maio de 1993, eu vinha de concluir uma dessas viagens, dessa vez ao Japão, onde fora recriminado por desiludidos empresários que tinham perdido uma enorme quantidade de dinheiro no Brasil. Na volta, cansado, meio deprimido e sentindo os efeitos do *jet lag*, fui jantar em Nova York, com uma dúzia de amigos, na casa de Ronaldo Sardenberg, o embaixador do Brasil nas Nações Unidas. O clima era de desânimo, como de costume na época. Acabavamos de tentar animar um pouco as coisas com um brinde quando o telefone tocou. Entrei numa sala vizinha à que estava cheia de gente e tirei o telefone do gancho.

— Está sentado?

Era a voz de Itamar.

— Bom, agora sentei — respondi.

— Estou pensando em nomeá-lo ministro da Fazenda — disse ele.

Senti um calafrio na espinha.

— Veja bem, Itamar — comecei, tentando desesperadamente argumentar. — Já conversamos sobre isso. Já lhe disse o que eu penso. Estou perfeitamente feliz no Itamaraty.

— Eu sei — continuou Itamar. — Mas não sou eu que preciso de você. É o Brasil.

Dei um suspiro, ante aquela evidente manipulação.

— Itamar, eu não quero o cargo. Acho que seria melhor que o atual ministro ficasse. Não tenho mais palavras para explicar no exterior por que estamos constantemente fazendo mudanças. Mas não estou aí no Brasil, de modo que não posso avaliar as circunstâncias. O presidente é você, e a decisão final é sua.

— Bem, vou pensar — disse Itamar com relutância. — Vou ver o que posso fazer. Se precisar falar de novo com você hoje à noite, volto a ligar.

Ele não parecia muito convencido, mas era o melhor que eu podia fazer a mais de 6.000 quilômetros de distância. Desliguei o telefone e voltei meio atordoado para a mesa, profundamente preocupado. Todos olhavam para mim. Tentei disfarçar, mas devo ter-me saído muito mal.

— Você vai assumir a Fazenda, certo? — perguntou alguém na mesa, com a mesma entonação que se usaria para perguntar se alguém estava com câncer.

— Não, não, não — insisti, talvez um pouco enfático demais. — Eu jamais aceitaria o cargo. Não seja ridículo!

Depois de um jantar que parecia agora interminável, a mulher do embaixador voltou à sala e me disse que o ajudante de ordens do presidente telefonara, deixando um recado.

— Ele disse que o presidente não vai precisar falar de novo com o senhor hoje — informou ela.

Dei um suspiro e murmurei para mim mesmo: "Graças a Deus."

Nessa noite, voltei para meu hotel, onde entrei aliviado e quase eufórico em estado de profundo sono. Mas eu cometera um erro clássico: esquecera que no Brasil, terra da improvisação, nada acontece exatamente como planejado. E é claro que, logo cedo, o telefone começou a tocar. Repórteres de Brasília, repórteres de Nova York, todos freneticamente fazendo a mesma pergunta:

— Quais são os seus planos no Ministério da Fazenda?

Eu respondia que eles tinham enlouquecido, implorava que me deixassem dormir e desligava.

Pela manhã, ainda muito cedo, Ruth ligou. Ouvira a notícia no rádio.

— Fernando Henrique, não acredito que não tenha me contado primeiro — disse, magoada. — Por que não me contou?

— Não é verdade! — protestei. — Estão todos loucos!

— Bem, não sei o que você disse ao Itamar no telefone — prosseguiu Ruth. — Mas o que quer que tenha dito, ele ouviu um sim.

— Mas é impossível!

Ruth nunca acreditou que a coisa realmente tivesse acontecido assim.

Finalmente, às primeiras luzes do amanhecer, não podia mais haver dúvida. Meu colaborador mais próximo no Ministério das Relações Exteriores, Luiz Felipe Lampreia, telefonou, dizendo:

— Ministro, o senhor foi nomeado ministro da Fazenda.

— Não...

— Como assim, não? — perguntou ele, de posse de um exemplar do *Diário Oficial*. — Diz aqui que é isso mesmo!

— Meu Deus! — balbuciei. — Estou arruinado.

Peguei o telefone e disquei para a residência de Itamar, mas a empregada disse que ele estava no banho. Esperei uma eternidade, conversando nervoso com a empregada, até que o presidente finalmente veio ao telefone. A voz parecia assustadoramente alegre e satisfeita.

— Tomei a liberdade de nomeá-lo ministro da Fazenda! — anunciou Itamar, como se de repente tudo estivesse resolvido no mundo. — Sua nomeação repercutiu muito bem aqui. A reação está sendo excelente!

— Mas, Itamar, o que é que eu vou fazer agora?

— Ora, faça o que quiser — retrucou o presidente, despreocupado. — Contrate quem quiser e demita quem quiser. Mas lembre-se de que é preciso que esse problema da inflação seja resolvido. Tenho certeza de que vai se sair bem. Desejo-lhe sorte!

Clique.

CAPÍTULO 9

Um presidente *real*

Antes de embarcar para a prova de fogo no Brasil, voltei à residência do embaixador do Brasil na ONU, em Nova York, para uma última refeição — uma espécie de última ceia, podemos dizer. Agora que era oficialmente o novo ministro da Fazenda, todos me tratavam como um condenado à morte. Ao me servir, a mulher do embaixador sorriu e perguntou:

— É verdade, Ministro, que o senhor não acredita em Deus?

Eu achei graça.

— Na minha última viagem a Tóquio, eu até fui à igreja — respondi.

— Não é uma resposta, mas tudo bem — disse ela.

Explicou então que trouxera uma pulseira da sorte de Salvador, na Bahia.

— Posso prender na sua roupa para dar sorte?

Eu não podia recusar.

— Acho que vou precisar de toda ajuda que vier.

Até hoje tenho essa pulseira. Mas também me dei conta de que nem sorte nem misticismo poderiam me levar muito longe. Meu êxito como ministro da Fazenda seria avaliado por um único critério: derrotar ou não a inflação. E não uma inflação qualquer, mas uma inflação anual de 2.500 por cento! Uma vez superado o choque inicial de ter sido nomeado para o cargo, caiu a ficha de que eu tinha uma oportunidade de resolver o maior problema de gestão pública do Brasil. Se fracassasse, minha carreira política estaria acabada. Eu viraria uma nota de rodapé. Mas se tivesse êxito, seria uma realização histórica e, acima de tudo, uma grande contribuição ao país.

Então, pensei, que diabos!... Que pelo menos morresse tentando. Nas nove horas de voo de volta a Brasília, não consegui ler nem dormir; ficava olhando para o encosto do assento à frente, enquanto desfilavam pela cabeça as diferentes possibilidades. Para que a coisa funcionasse, eu precisava de um claro diagnóstico do problema, de um plano para acabar com ele e do apoio político necessário para levá-lo a efeito.

Eu não era economista. Assim, pensando nas possíveis maneiras de resolver o problema, decidi começar por uma visão global. A causa essencial da inflação no Brasil era realmente muito simples: o governo gastava mais do que arrecadava. A cada ano, como o orçamento apresentasse um enorme déficit, como não poderia deixar de acontecer, o governo simplesmente emitia mais moeda para cobrir a diferença. Mas qualquer colegial sabe que não se pode infindavelmente emitir dinheiro sem algo tangível para servir de lastro. Caso contrário, o dinheiro perde o valor. Era isso, basicamente, que estava acontecendo no Brasil.

De modo que a solução óbvia — que não precisava exatamente de um Ph.D. para ser compreendida — era que o governo parasse de gastar tanto. Na verdade, o Fundo Monetário Internacional e os credores externos há anos nos diziam exatamente isso. Mas a receita falhava num ponto: não levava em consideração a magnitude do problema. Uma taxa anual de inflação de 2.500 por cento era algo que apontava para um déficit orçamentário gigantesco. Na verdade, o déficit estimado para o ano seguinte, 1994, era de 20 bilhões de dólares — num orçamento de aproximadamente 90 bilhões. Um buraco tão gigantesco simplesmente não podia ser resolvido (ou coberto) da noite para o dia. Ainda que o Congresso aceitasse enormes cortes de gastos (o que decididamente não era o caso), não tínhamos como cortar um quarto do orçamento sem que o governo desmoronasse no dia seguinte. Assim, embora soubéssemos que seriam necessários importantes cortes nos gastos, não podíamos contar exclusivamente com eles para resolver o problema da inflação.

Itamar desde logo deixara isso claro. Não muito depois da minha volta de Nova York, ele convocou todos os ministros a uma reunião de última hora, no começo da noite, no palácio presidencial. Meio intrigados, entramos todos numa sala, onde ele nos mostrou um brilhante documentário sobre Franklin D. Roosevelt e o New Deal. Eu me remexia no assento enquanto imagens em preto e branco da Represa Hoover eram projetadas na tela. A mensagem subliminar era que Itamar queria um plano econômico que fizesse o governo encolher o mínimo possível (ou mesmo nada) para construir a confiança da nação, em vez de fazê-la desmoronar.

Ao se acenderem as luzes, eu me levantei e me dirigi aos presentes.

— Roosevelt estava certo — disse, olhando na direção de Itamar —, mas isso foi nos Estados Unidos na década de 1930, quando o setor privado era um desastre e o governo estava em situação financeira relativamente boa. No Brasil de hoje — prossegui —, a situação é exatamente oposta. Temos um Estado insolvente, ao passo que os negócios estão relativamente em boa forma. Precisamos, portanto, encolher o governo, e não expandi-lo, para que a economia possa se recuperar.

Itamar murmurou sua aprovação, mas alguns outros ministros na sala trocaram olhares inquietos — sinal de problemas pela frente.

Também comuniquei a Itamar que algum sacrifício seria necessário. A história brasileira recente era um cemitério de planos de combate à inflação, fracassados porque o governo não tivera estômago ou coragem para levá-los adiante. Em sua maioria, esses planos congelavam preços e salários; outros cortavam o orçamento do governo; outros ainda tinham congelado as contas bancárias. No papel, muitos desses planos pareciam perfeitos. Alguns tinham sido traçados pelos intelectos mais brilhantes da praça; o Brasil há muito era um *case* famoso entre os melhores economistas do mundo. E muitas vezes a inflação de fato era contida por breve período. Inevitavelmente, contudo, esses planos acabavam desmoronando ante as exigências da sociedade: os trabalhadores queriam aumento, ou então os empresários queriam elevar os preços, ou as pessoas queriam suas poupanças de volta. E a inflação voltava com toda força, geralmente pior que antes.

Um visitante estrangeiro escreveu certa vez: "Ao desembarcar no Rio e fazer a primeira compra, ficamos surpresos ao ser informados de que alguma bagatela vai custar tantas centenas disso ou mesmo tantos milhares daquilo; e o espanto não é menor quando é apresentada a conta de um gasto qualquer, contendo cinco ou seis algarismos. A moeda brasileira provavelmente é, pelo menos em teoria, a mais infinitesimal do mundo."* O comentário foi feito em 1890, mas ainda se aplicaria em 1994. Embora as causas e circunstâncias fossem outras, a inflação simplesmente parecia fazer parte da vida brasileira.

Com o tempo, as pessoas se tinham acostumado a conviver com o problema. A inflação era embutida em praticamente todo contrato brasileiro de valor monetário: aluguéis, impostos, empréstimos bancários, taxas de serviços públicos e assim

---

* Frank Vincent, *Around and About South America*, Nova York: D. Appleton, 1890.

por diante. Essa "indexação" dos valores dos gastos futuros destinava-se a proteger as pessoas de alguma arrancada de preços. Enquanto os preços e salários aumentassem de maneira geralmente sincronizada, o Brasil poderia evitar uma experiência como a da épica hiperinflação alemã depois da Primeira Guerra Mundial, quando a moeda basicamente perdeu todo valor. Ironicamente, contudo, esse sistema de indexação também acabou a longo prazo provocando uma inflação muito maior. Ele assegurava um piso; quanto mais as pessoas esperassem aumentos de preços, mais eles aumentariam de fato. Desse modo, a indexação tornou-se uma causa de inflação quase tão importante no Brasil quanto o pecado original dos déficits orçamentários. Em períodos de mais acentuado drama político ou econômico, um punhado de pessoas entrava em pânico e potencializava suas projeções de aumentos de preços — que então se transformavam numa profecia fadada a se cumprir, à medida que contratos em toda a economia se esforçavam por acompanhar o ritmo. Os que entravam em pânico primeiro em geral eram recompensados com lucros fáceis.

Havia dois segredinhos sujos a respeito das causas da inflação brasileira, e um deles era este: muita gente se beneficiava com ela. Entre os maiores beneficiários, na verdade, estavam os políticos. Enquanto houvesse inflação, eles não precisavam dizer não a ninguém. Nenhuma solicitação de gastos era grande demais; bastava emitir mais dinheiro! Era uma maneira diabolicamente eficiente de resolver disputas. Embora a inflação acabasse devorando eventuais ganhos, pelo menos todo mundo se sentia bem no curto prazo. Para um governo democrático vacilante ou uma ditadura militar de legitimidade questionável, distribuir dinheiro era a maneira mais óbvia de se manter no poder. A moderna era de inflação galopante começara para valer na década de 1950, quando o presidente Juscelino Kubitschek, empenhado em progredir "50 anos em 5", pôs em prática um ambicioso plano de obras públicas, do qual fez parte a construção de Brasília. O resultado foi saudado como um milagre moderno: uma nova capital modernista construída do nada em apenas três anos. Mas o fato é que são muito poucos os verdadeiros milagres na vida ou na política; os mais céticos diziam que o governo de Juscelino fora comprometido por "50 anos de inflação em 5".

Mas os políticos não estavam sozinhos em seus pecados. Os bancos lucravam com um processo conhecido como "flutuação",* que não poderia existir sem a inflação. Já então, como hoje, muitos clientes brasileiros iam aos bancos pagar suas contas de serviços de utilidade pública como água e energia elétrica. Os bancos então tinham de transferir esse dinheiro para as empresas prestadoras de serviço, mas podiam fazê-lo em prazo de três dias. Num país estável, o prazo seria insignificante, mas no Brasil, com a inflação chegando a 80 por cento ao mês, era um verdadeiro escândalo. A essa taxa, um banco podia embolsar facilmente um lucro real de 8 por cento pelo simples fato de esperar três dias para efetuar a transferência, já que o dinheiro se desvalorizava com tanta rapidez. Se à primeira vista pode parecer um simples trocado, vale lembrar que até um quarto dos lucros dos bancos brasileiros provinha, na época, da "flutuação". Bilhões de dólares por ano eram ganhos dessa maneira. Em consequência, muitos bancos tinham enorme interesse na persistência da inflação.

A inflação também facilitava muito a corrupção. Na época, ninguém prestava muita atenção nos balanços, já que eram tão duvidosos. Desse modo, a falta de algum valor aqui ou ali

---

* Não de câmbio, mas de "ganhos" produzidos por seguidas desvalorizações da moeda.

praticamente passava despercebida. Isso se aplicava tanto ao setor público quanto ao privado. Esse tipo de corrupção miúda era de certa forma mais corrosiva para a sociedade do que os grandes escândalos; era como se a inflação fizesse com que os brasileiros se tornassem mais tolerantes com "pequenos" crimes, que por sua vez levavam aos "grandes". O dinheiro se desvalorizava com tal rapidez que, retrospectivamente, o roubo nunca parecia tão chocante assim. Por exemplo, se alguém roubasse 100 cruzados, o valor se tornaria praticamente irrisório em poucas semanas. Como ficar indignado?

E a lista não para por aí. As empresas estavam satisfeitas porque sempre podiam maquiar suas demonstrações contábeis. Os trabalhadores do setor público e do privado também, pois sempre receberiam seu salário, não importando o que acontecesse. Seus pedidos de aumento sempre eram atendidos de alguma forma, aparentemente sem jamais reduzir os lucros das empresas. A inflação facultava um delicado equilíbrio: todo mundo achava que estava ganhando, mesmo quando não estava. Com o tempo, uma infinidade de manobras foi inventada para que os brasileiros endinheirados — aqueles que sempre saem ganhando no país — fossem protegidos do problema. A indexação se disseminou por todas as áreas da economia. A inflação teve até o seu momento de culto: muitos brasileiros insistiam em alto e bom som que ela era boa para o país, pois facilitava o crescimento econômico. Essa teoria provavelmente teve uma ponta de verdade em dado momento, a exemplo do argumento de que a manutenção de um pequeno déficit orçamentário pode ser saudável. Na década de 1990, contudo, essa conversa sobre o lado favorável da inflação não passava de uma cabeluda lenda, comparável em nossa história apenas à insistência em que o Brasil era uma democracia racial. E não faço essa comparação de maneira leviana. Na verdade, os dois mitos tinham mais em comum do que se poderia imaginar.

Pois o segundo segredinho sujo era que, no Brasil, os pobres eram os mais castigados pela inflação. Durante décadas, ninguém no país queria admiti-lo. Dizia-se que a inflação permitia ao governo estimular o crescimento econômico e assim gerar empregos para a classe trabalhadora. Mas era uma visão míope e cínica: a verdade verdadeira estava ali mesmo para todo mundo ver. Na prática, os pobres eram os únicos que ficavam com a mão cheia de dinheiro desvalorizado. Não tinham acesso às contas bancárias indexadas ou aos inúmeros outros mecanismos a que as classes média e alta podiam recorrer para se proteger. O Congresso montou uma verdadeira indústria caseira de aumentos salariais, oficialmente para proteger os pobres, mas o fato é que esses ajustes nunca acompanhavam os aumentos de preços. Em consequência, o poder aquisitivo dos salários dos trabalhadores se vinha degradando lentamente há quase 30 anos. A inflação funcionava como uma espécie de imposto regressivo que deixava os pobres mais pobres.

Enquanto isso, o mundo nos deixava para trás. A inflação mantinha o Brasil isolado, ilhado, numa época em que a palavra "globalização" estava em todas as bocas. Após a queda do Muro de Berlim, eufóricos investidores de todos os quadrantes, de Nova York a Tóquio, estavam ansiosos por verter enormes quantidades de dinheiro em países em desenvolvimento. A economia brasileira era maior que a da Rússia, e tínhamos muitas empresas bem-sucedidas. Mas esses estrangeiros exigiam um certo grau de segurança para os seus investimentos. No Brasil, simplesmente não podia haver contratos de longo prazo enquanto prevalecesse uma hiperinflação galopante. Como poderia alguém assinar um contrato sem saber o valor de algo tão fundamental quanto o dinheiro? Outra consequência foi o colapso da confiança nas instituições públicas. Se não se podia confiar na moeda, como é que os brasileiros podiam ter confiança na capacidade do governo ou no estado de direito? Durante décadas, a inflação contribuíra para gerar em nossa sociedade a sensação de que nada, absolutamente nada tinha valor permanente.

Em 1993, todavia, nada disso era mais segredo. Mais que em qualquer outro momento da nossa história, a opinião pública brasileira exigia que o problema fosse resolvido. Creio que se tratava de mais um passo lógico na evolução que vinha ocorrendo no Brasil há meio século: com a migração para as cidades, as populações se faziam mais ouvidas. Os pobres não toleravam mais a inflação e os ricos estavam cansados da distorção imposta a seus investimentos e planos de negócios pela elevação dos preços. Outros países, como Israel e Argentina, tinham recentemente resolvido seus problemas de hiperinflação. O país clamava por algo da parte dos políticos. Depois de tantos fracassos, era a democracia em ação, funcionando como se esperava que funcionasse.

Nós precisávamos de algo mais que um plano de combate à inflação. Precisávamos reinventar o Brasil.

* * *

Quilos de café foram consumidos na concepção do Plano Real. Passamos incontáveis dias consultando manuais de economia, rabiscando equações em quadros-negros e discutindo até tarde da noite. Reuni uma poderosa equipe econômica, com gente como Edmar Bacha, André Lara Resende, Pérsio Arida, Gustavo Franco, Pedro Malan, Winston Fritsch e muitos outros. Eles eram brilhantes. Minha principal responsabilidade era fazer com que mantivessem as coisas simples. Eu repetia sempre: "Sou eu o infeliz que terá de vender esse plano na televisão, de modo que, se não entender o que estão dizendo, decididamente é porque há algo errado."

Durante meses, encontrávamo-nos secretamente nas casas dos integrantes da equipe ou em salas reservadas de seus escritórios governamentais. Ficávamos apavorados com a simples ideia de que a imprensa tomasse conhecimento dos nossos planos e provocasse pânico na população. "Qualquer vazamento e estará tudo acabado", advertia eu. No início, nem mesmo Itamar era informado de muitas de nossas deliberações. E enquanto nós debatíamos as mais diferentes propostas, os preços continuavam a disparar; nosso tempo se esvaía. Finalmente, em dezembro de 1993, respiramos fundo e anunciamos um plano de ação. Até então vigia o que chamáramos de Plano de Ação Imediata (PAI), um programa de contenção e flexibilização dos gastos governamentais.

O Plano Real tinha três principais elementos.

Primeiro, e mais importante, haveria uma nova moeda, chamada real. O nome tem vários significados em português, todos eles convenientemente refletindo as intenções do nosso projeto. Ao denotar realeza, ele nos remetia à moeda de mesmo nome usada na era colonial, conferindo-lhe certo ar de continuidade histórica. Naquilo que significava realidade, dava a entender que a moeda de fato tinha um valor real e chegara para ficar. Mas, além de ter um belo nome, a nova moeda também seria solidamente alicerçada. O Banco Central trataria de manter o real numa faixa de cotação globalmente estável perante o dólar. Desde o início sabíamos que o real teria de ser uma moeda excepcionalmente forte, para ganhar credibilidade na população brasileira. Na prática, ele acabou cotado acima do dólar no início, sendo lentamente desvalorizado com o tempo.

Em segundo lugar, haveria uma rodada de profundos cortes orçamentários. A iniciativa seria administrada por um mecanismo a que demos o nome de "Fundo de Emergência Social". Hoje, acho o nome algo estranho: nada havia nele de "social", e não se tratava de um "fundo"; o único elemento apropriado do nome era o fato de estarmos numa "emergência". Mas reconheço que alguma criatividade na nomenclatura era necessária para convencer o Congresso a apoiar a ideia. E não é difícil entender por quê. Através desse fundo, o Congresso basicamente cedia o controle sobre cerca de 15 bilhões de dólares de gastos governamentais vinculados constitucionalmente, cuja alocação ficava agora a critério do Ministério da Fazenda. O que significava que eu passava a ter controle direto sobre aproximadamente um quinto do dinheiro de todo o orçamento governamental. Em outras palavras: podia cortar como quisesse os gastos, enfrentando assim a causa fundamental da inflação.

O terceiro e último aspecto do Plano Real envolvia uma espécie de prestidigitação algo complexa. Em seu nível mais simples, precisávamos de um mecanismo que nos permitisse gradualmente desacelerar de uma inflação de 3.000 por cento para 3 por cento, o que não podia ser feito de um dia para outro. A população precisava constatar que os preços baixavam com o tempo, e só então poderia acreditar numa nova moeda. Antes do efetivo lançamento do real, assim, pediríamos às lojas que marcassem dois preços em cada produto: o preço da antiga moeda, o cruzeiro real, e o preço da moeda que estava para ser adotada. Por cerca de seis meses antes da entrada do real em circulação, a população poderia constatar seu valor. O que também contribuiria para curar os males da indexação: todos os contratos inflacionários seriam substituídos por essa nova unidade monetária, e então poderíamos muito gradualmente diminuir o ritmo dos aumentos de preços. Seria como pular num trem desgovernado e puxar o freio. A ideia básica era muito simples: no momento em que as cédulas e moedas do real começassem a circular nas ruas do Brasil, a população já estaria familiarizada com a estabilidade do seu valor.

Se boa parte disso parece uma mistura de meias medidas e *wishful thinking*, é porque realmente era. O Plano Real deixava sem resposta muitas perguntas; era uma espécie de permanente *work in progress*. A nova moeda disporia de um período limitado para ganhar aceitação, e esse período era o nosso principal foco. Para que tivesse êxito a longo prazo, contudo, o Brasil precisaria enfrentar mais decididamente as questões estruturais por trás da inflação: nossos desequilíbrios orçamentários, as dívidas em todos os níveis da Federação e a ineficiência dos governos. Seria necessário construir uma economia mais moderna e competitiva. Caso contrário, o real não passaria de mais um elo numa longa cadeia de fracassos.

Entretanto, eu fiquei feliz com a proposta. Não era perfeita, mas achava que teria mais chances de sucesso que qualquer alternativa em vista. Era esse o aspecto mais importante do plano. Ao longo de minha carreira política, sempre me concentrei na busca da melhor maneira possível de alcançar uma meta ideal. Acreditava que o Plano Real era o melhor que poderíamos fazer naquelas circunstâncias. Agora faltava apenas apresentar nossas ideias ao país.

* * *

Naturalmente, quase todo mundo detestou.

Da esquerda à direita, dentro e fora do Brasil, foi uma tempestade de críticas e zombaria. "Nosso gentil, encantador e inteligente ministro não resiste à tentação de transformar todo mundo num igual", provocou o senador conservador Roberto Campos. Lula ficou indignado, declarando que o plano serviria apenas "para gerar mais miséria". Celso Martone, um economista ortodoxo, considerou o Plano Real "mais um melancólico exemplo da fraqueza e da falta de imaginação que caracterizam os ministros da Fazenda". Antônio Carlos Magalhães, poderoso governador de direita do Nordeste, exortou-me a ser "mais agressivo e menos conciliador". Em janeiro de 1994, o jornal *Folha de S. Paulo* saiu-se um dia com a seguinte manchete: "FMI e Banco Mundial veem poucas chances de sucesso para o plano."

Até Itamar tinha suas dúvidas. Eram constantes os boatos de que ele poderia me demitir, ou talvez até renunciar. "O presidente está decepcionado com os resultados do plano", informava a *Folha* em janeiro de 1994. Nas conversas comigo, naturalmente, ele sempre reiterava seu apoio. Mas eu tinha minhas dúvidas sobre seus reais sentimentos. A certa altura, Itamar teria dito aos amigos mais próximos: "Sabe como é, eu não nasci colado a esta cadeira. Posso me ir quando me der vontade."

Como prevíamos, o velho *establishment* brasileiro revirou até o fundo a sacola de truques para proteger seus interesses. Numerosas tentativas foram feitas para sabotar no Congresso os projetos de lei necessários para concretizar o Plano Real. Em várias oportunidades eu ameacei renunciar, mas Itamar e o Congresso sempre acabavam recuando no último momento.

Enquanto isso, eu ia em frente como melhor podia, praticamente sozinho, à parte meus leais colaboradores no Ministério da Fazenda. Transformei-me numa espécie de caixeiro-viajante. Participei de inúmeros programas de entrevistas na televisão, reuniões com vereadores e convenções de negócios. Também contava muito com a inestimável experiência como senador e minha já então reconhecida tolerância a conversas regadas a cafeína para fazer passar nossas propostas no Congresso. Na verdade, passei tanto tempo nele que as pessoas aparentemente começavam a ficar cansadas da minha incessante pressão. "Os congressistas não gostam do estilo de Cardoso", informava a *Folha*, citando o deputado Delfim Netto, ex-ministro da Fazenda do regime militar: "Cardoso está fazendo terrorismo quando diz que seu plano é a única solução para o país."

Mas o fato é que nenhum desses parlamentares tinha ideias melhores. Caiu-lhes a ficha de que perderiam o emprego se não atendessem ao clamor da sociedade pelo fim da inflação. Era este o poder da democracia: uma obrigação de prestar contas que era nova no Brasil. Um a um, em comentários sussurrados ou telefonemas à meia-noite, eles me garantiam que o Plano Real contaria com seu apoio, ainda que não pudessem dizê-lo em público. Muito bem, eu dizia. Em fevereiro, ficou aparente que a iniciativa poderia obter o apoio de que precisava para ser aprovada.

No último momento, a coisa toda quase ruiu por terra por causa do mais esdrúxulo e tipicamente brasileiro dos artifícios.

* * *

O Carnaval de 1994 foi particularmente insano, o que não é pouca coisa. Provavelmente os brasileiros queriam se vingar do ano terrível que tinham passado. Modelos dançavam de topless a noite inteira nos enormes e complexos carros alegóricos, os espectadores entornavam litros de cerveja e caipirinha, e ao anoitecer o país inteiro caía em trôpega bebedeira.

No meio disso tudo estava Itamar, querendo mostrar a um país desanimado e descrente como nunca que ele também sabia se divertir. Divorciado, 63 anos, Itamar estava, suponho, perfeitamente no seu direito. Tornava-se, assim, o primeiro presidente brasileiro a assistir ao Carnaval no Sambódromo. Itamar acompanhava o espetáculo de um camarote presidencial especial elevado, acenando tranquilamente para a multidão.

Ninguém sabe ao certo como ela apareceu no camarote, mas o fato é que uma modelo de 27 anos chamada Lilian Ramos foi parar do lado de Itamar. Ela era uma das participantes do desfile, "princesa persa" sumariamente trajada. Alguém tivera a ideia de cobri-la, pelo menos em parte, com uma camiseta bem grande, no momento em que ela foi ao encontro do presidente. Mas toda vez que ela aplaudia, a camiseta subia um pouco mais — e logo ficou evidente que a jovem não usava nada por baixo. Evidente para todo mundo, inclusive a imprensa brasileira, que, aglomerada em frente ao camarote, começou a tirar furiosamente fotos lá de baixo.

Itamar e a Srta. Ramos brilhavam naquela tempestade de flashes, mas só viriam a entender por que ao ver os jornais na manhã seguinte. Uma fotomontagem do presidente do Brasil se engraçando com uma modelo seminua circulou não só no país inteiro, mas mundo afora.

Era uma dessas histórias imperdíveis que aparecem em jornais dos lugares mais distantes, como Memphis ou Fort Lauderdale, nos quais alguma reportagem sobre o Brasil só é publicada de dez em dez anos. "Ambição nua", trombeteava o normalmente austero *Financial Times*. "No Brasil, um beijo não é apenas um beijo", provocava o *Dallas Morning News*.* Se há uma coisa que brasileiros detestamos é que nosso país seja apresentado como uma república bananeira, mas o fato é

---

* Ironia em torno do segundo verso "*A kiss is just a kiss*", da célebre canção "As Time Goes By". (*N. do T.*)

que, mais uma vez, éramos vistos pelo mundo inteiro como um bando de simpáticos mas incorrigíveis farristas.

O escândalo se espalhou célere, com graves repercussões. Os militares ficaram horrorizados com mais essa afronta à imagem do Brasil, e a Igreja Católica reclamou de Itamar que se lembrasse de ser "um exemplo para as famílias". Boa parte da opinião pública também ficou indignada com mais esse tropeço da democracia. Na verdade, ninguém poderia prever a gravidade do escândalo — exceto, talvez, aqueles que o arquitetaram.

Até hoje, desconfio seriamente de que Lilian Ramos foi deliberadamente usada por irresponsáveis para causar embaraço ao presidente, talvez numa tentativa de fazer descarrilar o Plano Real. Não sei em que momento ela teria sido cooptada, mas a escolha do momento e as condições da indiscrição eram por demais complicadas para terem sido orquestradas por ela sozinha. No dia seguinte, quando ela telefonou ao presidente, uma equipe de filmagem da TV Globo simplesmente aconteceu de estar presente — em sua casa — para registrar a conversa.

— Não tenho como negar. Itamar é livre e descompromissado — arrulhava a modelo diante das câmeras. — Ele é um amor, um cavalheiro, uma pessoa muito interessante. Estou muito feliz por termos começado uma amizade. É assim que nascem os grandes casos de amor.

Pouco depois, a Srta. Ramos declarava que pretendia se candidatar a algum cargo eletivo.

Já escolado quanto aos riscos que o Carnaval pode representar para os políticos, eu felizmente decidira acompanhar a festança daquele ano pela televisão. No ano anterior, uma *drag queen* de passagem tinha espontaneamente plantado um grande beijo no meu rosto, e o lance fora capturado pelas câmeras. Eu provavelmente devia parecer embaraçado na foto, pois não houve nenhum escândalo. Mas agora estava horrorizado com a eventualidade de que o *carnavalgate* obrigasse Itamar a renunciar, pondo a perder todo o nosso trabalho.

Eu nunca contei a Itamar, mas fui então abordado por um representante dos militares, que me perguntou como eu reagiria se o Congresso o removesse, entregando o poder ao presidente da Câmara dos Deputados, que era o seguinte na linha sucessória. Nessa época, os militares ainda estavam próximos do poder — por vínculos sociais informais, e não diretamente políticos —, e preservavam a capacidade de arregimentar considerável apoio nas duas casas do Congresso. A democracia pela qual tanto lutáramos não sobreviveria a um novo *impeachment*. Eu lhe disse, com polidez mas firmeza, que não apoiaria uma tão maldisfarçada intervenção.

— Essa época já ficou para trás — disse.

Felizmente, com o tempo, o escândalo arrefeceu. Depois de uma crise política que não podia ser mais brasileira, tudo mais ou menos retornou ao que era antes, de acordo com nossa tradição. O Congresso logo aprovaria todas as leis de que precisávamos para lançar o Plano Real. O índice de popularidade de Itamar voltou a subir. A Igreja Católica lançou uma campanha de promoção dos valores da família. Lilian Ramos desistiu da carreira política, preferindo casar com um membro da velha nobreza italiana.

E eu... Bem, eu comecei a pensar em me candidatar à presidência.

* * *

Até aquela altura, 1994 parecia destinado a ser o ano de Lula. Desde que fora derrotado por Fernando Collor de Mello na anterior eleição presidencial, Lula continuara na verdade em campanha. Passara cinco anos indo incansavelmente de cidade em cidade numa van. No teto, alto-falantes reproduziam rap brasileiro, enquanto uma voz gravada convocava: "Venham encontrar o primeiro presidente operário da história do Brasil!"

Fosse tórrido o sol ou torrencial a chuva, Lula atraía centenas de pessoas, gente ansiosa por ouvi-lo falar das injustiças do Brasil, da maneira como se refletiam em sua vida e dos seus planos para resolver esses problemas. Nessas questões, Lula era dono de uma credibilidade com que nenhum outro político brasileiro podia sonhar, pois tinha vivido aquela mesma miséria. Perdera por pouco para Collor; agora, plenamente justificado pela maneira como chegara ao fim aquela experiência, Lula parecia a única opção lógica para presidente na eleição de 1994. Nas pesquisas de opinião daquele ano, ele contava com cerca de 40 por cento das intenções de voto; nenhum outro candidato chegava aos dois dígitos.

Mas o que era bom para Lula não era bom necessariamente para o Brasil. A eleição apresentava um terrível dilema. Em março de 1994, eram ativadas as primeiras etapas do Plano Real. A nova moeda entraria em circulação em algum momento do meado do ano. E a eleição viria em 3 de outubro. O real seria lançado em pleno frenesi de uma campanha política e, portanto, seria visto como uma tática política, e não como um imperativo nacional. O momento não podia ser pior, mas na verdade nosso maior problema era mesmo o indivíduo.

Se Lula fosse eleito presidente, o Plano Real certamente estaria ameaçado. Eu estava convencido disso. No ano anterior, quando traçávamos os últimos detalhes do plano, eu convidara Lula e seu principal assessor, José Dirceu, ao meu apartamento em Brasília para tentar obter seu apoio. Esperava que

238

esse encontro de caráter mais íntimo permitisse aplacar os trovões e relâmpagos da retórica de Lula nessa época. Nada disso. Lula estava menos interessado nas consequências econômicas do sucesso do meu plano para seus eleitores do que na eventualidade de que representasse para ele uma derrota política.

Fiquei profundamente decepcionado com Lula, por considerar que ele estava colocando seus próprios interesses acima dos do país. Ele sabia que a instabilidade gerada pela adversidade das condições econômicas seria uma boa contribuição para sua campanha. Cinco anos haveriam de se passar até que eu tivesse uma nova conversa frente a frente com Lula.

Eu devia ter previsto. Lula ainda não era muito diferente do homem que tinha perdido para Collor e que pregava medidas esquerdistas radicais, como a suspensão do pagamento da dívida externa e a nacionalização do setor bancário. Alimentava delirantes ilusões em torno de um grande plano de obras públicas ao estilo Roosevelt, gerando emprego para milhões de brasileiros, muito embora, é claro, não tivesse a menor ideia sobre como seria financiado. Como a maioria dos políticos brasileiros, Lula não se preocupava com esses detalhes triviais. Era exatamente o tipo de filosofia que alimentava a inflação. Qual o sentido de trabalhar tão duro no Plano Real para que fosse simplesmente desmantelado três meses depois do lançamento?

O medo de que isso viesse a acontecer foi suficiente para me motivar a me eleger presidente. À parte isso, seria uma ideia absurda. Como poderia um ex-professor de sociologia, paulista, "elitista", "sem carisma" e "arrogante" derrotar um homem como Lula? Eu estava absolutamente convencido de que o projeto de Lula não servia para o Brasil, mas a certa altura ele fora um aliado, e não me agradava particularmente a ideia de entrar em campanha contra ele. Eu nunca antes fizera uma campanha de âmbito nacional, o que significaria para mim um enorme esforço. Minha família tampouco aprovava a ideia.

Na improvável hipótese de que eu viesse a ganhar, a presidência do Brasil seria uma coroa particularmente espinhosa. A democracia até então fora um desastre. O governo estava em pandarecos. Em suma, eu encarava uma candidatura à presidência como aquele tipo de incidente que qualquer um atravessa a rua para evitar. Até hoje não sei bem ao certo por que foi que o fiz.

* * *

No início, não faltaram momentos difíceis.

Eu estava a caminho de um comício numa cidadezinha de Alagoas, Delmiro Gouveia, quando se aproximou um grupo de 30 ou 40 homens montados a cavalo. Eles me cumprimentaram com os chapéus e disseram que estavam a caminho do mesmo comício.

— Vou com vocês! — anunciei.

Eles tinham um cavalo a mais, me emprestaram um velho chapéu de couro para me proteger do sol, e lá fomos nós. Eu sou na melhor das hipóteses um cavaleiro razoável — certamente não tão bom quanto meu avô, mas perfeitamente capaz de cavalgar a um ritmo lento por algum tempo. Cavalgamos até o local do comício e chegamos ao pôr do sol, triunfalmente, como caubóis num velho faroeste americano.

Todos eles riam amistosamente, dizendo que eu fazia bela figura na montaria. E, sobretudo, garantiram que eu teria seu voto. Eu achei ótima toda essa experiência — até o dia seguinte, quando os jornais de São Paulo e do Rio publicaram fotos do antigo professor de sociologia de repente se achando, com seus óculos, o próprio John Wayne. Fui ridicularizado sem dó.

Aparentemente eu não conseguia convencer os meios de comunicação de que tinha alguma empatia com as pessoas comuns. Numa viagem ao estado de Pernambuco, onde Lula cresceu, fui levado a uma região rural, onde fiz um discurso seguido de uma típica refeição local, a buchada.

Ao chegar o prato, os repórteres que tinham vindo de São Paulo se entreolharam com um sorrisinho maroto.

Eu sabia perfeitamente o que me esperava.

— Você realmente gosta desse tipo de comida, Fernando Henrique? — perguntou um deles, revirando os olhos.

— Mas é claro! — respondi, atacando o prato com entusiasmo. — Minha mãe sempre fazia buchada.

O que era verdade: a família de minha mãe era de Alagoas, e de vez em quando ela fazia esse prato na minha infância. Mas pensando bem, eu realmente devia ter parado por ali e mudado de assunto. Em vez disso, acrescentei, mastigando:

— Além do mais, eu costumava comer um prato muito parecido quando vivia em Paris! Era feito com vinho francês branco. Realmente delicioso.

A mídia não deixou escapar essa.

A pecha de "elitismo" haveria de me acompanhar por toda a minha carreira política, e eu nunca soube muito bem como reagir. Por um lado, seria tolo, da minha parte, fingir que não vinha de um meio relativamente privilegiado, tanto do ponto de vista cultural quanto do social, já que pertencia à classe média alta. E de fato tinha passado muitos anos no exterior. Mas nunca, jamais, me considerei um esnobe, nem mesmo um típico produto da elite brasileira. Mas o Brasil é um país em que as profundas divisões de classe são talvez o fato central da vida. E era, portanto, natural que as minhas origens de classe viessem à baila, especialmente tendo Lula como adversário.

As campanhas políticas no Brasil são tão ardilosas e pautadas pela mídia quanto na Europa ou nos Estados Unidos, e muito se discutia sobre a melhor maneira de me "vender" a uma opinião pública cética. Consultamos numerosos amigos e empresas de relações públicas; chegamos até a importar por uma semana o consultor político americano James Carville, que acabava de transformar Bill Clinton no *Come back Kid*.* Eu também contava com um consultor brasileiro de primeira linha, chamado Nizan Guanaes. Decidiu-se que, para preparar também a minha recuperação, eu devia aparecer mais em mangas de camisa e tentar mostrar mais senso de humor. Especulava-se também que talvez eu precisasse de um apelido. Alguém sugeriu "FHC", mas chegamos à conclusão de que era muito parecido com DDT. Acabamos ficando mesmo com "Fernando Henrique".

Em maio, eu já contemplava seriamente a hipótese de abandonar a corrida. Tinha avançado muito pouco nas pesquisas e continuava muito atrás de Lula, conseguindo apenas 19 por cento das intenções de voto, em comparação com 41 por cento para ele. Enquanto isso, fora obrigado a deixar o cargo de ministro da Fazenda, em obediência à lei eleitoral brasileira, e me sentia meio isolado. Os preparativos concretos para o lançamento do real, marcado afinal para julho, estavam agora nas mãos de Rubens Ricupero, meu competente substituto. Mas já ficava evidente que a essa altura minha campanha poderia estar encerrada. Em maio, promovemos

---

* Alusão à recuperação de Bill Clinton quando enfrentava dificuldades na campanha das primárias do Partido Democrata, a caminho de sua eleição presidencial em 1992. (*N. do T.*)

um evento para levantar fundos, mas apareceu apenas um punhado de pessoas. Certa noite, no jantar, eu disse a Ruth e aos nossos filhos que achava que talvez tivesse de desistir da campanha.

Àquela altura, dei-me conta de que não havia manobras de marketing, eventos de levantamento de fundos ou cenas de faroeste capazes de me eleger presidente. Meu destino dependia exclusivamente do sucesso do real. E nesse sentido eu estava para ser ajudado por mais um acidente imprevisto.

* * *

Como quase todo mundo sabe, o futebol não é apenas um esporte para nós: é uma obsessão. Dizem que no Brasil todo menino nasce com uma bola de futebol presa no pé. Mas eu sou uma prova viva de que é uma completa mentira. Sou absolutamente incapaz de chutar qualquer coisa. Provavelmente por isso é que nunca assisti muito a jogos de futebol pela televisão; sempre preferia ler um bom livro. Na verdade, sou um brasileiro que não gosta muito de futebol.

Mas em 1994 me transformei num torcedor fanático.

Quis o destino que o lançamento do real no dia 1º de julho coincidisse com o início da Copa do Mundo, da qual o Brasil participava como favorito. O que representava uma fascinante oportunidade. Eu sabia, naturalmente, que nem um espetacular sucesso nos campos de futebol seria capaz de compensar eventuais falhas técnicas do Plano Real. Um belo gol de pênalti não poria fim magicamente à inflação. Mas não podíamos ignorar o estado de espírito geral no país e a maneira como poderia ter impacto no real. A economia em grande parte é uma questão de expectativas; quando as pessoas esperam que um novo negócio ou uma nova política fracasse, geralmente é o que acontece. O contrário também é verdade. Se o Brasil se saísse razoavelmente bem na Copa do Mundo, achávamos que talvez o país fosse capaz de relaxar um pouco e começar a acreditar em si mesmo. Talvez um pouco desse otimismo contagiasse o real, dando-lhe maior chance de sucesso.

Decidimos então assumir um risco na minha campanha. Eu não só comecei a assistir aos jogos como convidei jornalistas à sede da campanha. Eles tiravam fotos de mim torcendo diante do aparelho de televisão, e no dia seguinte os jornais publicavam as fotos após a vitória do time brasileiro. Era uma forma de teatro político meio sensacionalista? Claro. Mas também era bem arriscado. Se eu me identificava com o time de futebol, que aconteceria se o Brasil perdesse?

Ironicamente, Lula, que é um torcedor muito mais entusiástico do mesmo time para o qual eu torço (além de muito melhor jogador), não quis correr esse risco. Via os jogos em casa mesmo, sem a presença de jornalistas.

No momento em que a nova moeda começou a circular, em 1º de julho, o Brasil já passara invicto pelas oitavas de final. No dia 4 de julho, vencemos por pouco o país anfitrião, os Estados Unidos, e se seguiu uma vitória por 3 a 2 sobre a Holanda no dia 9, o que nos levava à semifinal. A essa altura, eu mal tinha tempo de assistir aos jogos, pois ficava acordado até altas horas, traçando a estratégia da campanha. Mas é claro que encontrei tempo no dia 13 de julho quando um emocionante gol, faltando apenas nove minutos do jogo contra a Suécia, levou o Brasil à final do campeonato contra a Itália.

No dia 17 de julho, diante de 85.000 torcedores no Rose Bowl, em Pasadena, Califórnia, e mais 175 milhões de brasileiros dançando e cantando quase em uníssono pelo país afora, os dois times acabaram o jogo empatados. Encerrada a prorrogação, passou-se aos pênaltis. O Brasil saiu vitorioso por 3 a 2, e, para surpresa geral, conquistamos a Copa do Mundo.

Num país havia tanto tempo deprimido, todos se agarraram a essa prova de que o Brasil ainda era capaz de grandeza. As pessoas confiavam em que a vitória contagiaria todas as esferas da vida. "Essa vitória inaugura uma nova fase na história do Brasil: a recuperação da autoestima nacional", escreveu o colunista Teodomiro Braga. "O campeão do futebol também pode vencer a batalha contra a miséria e o atraso." Márcio Moreira Alves, o deputado cujo discurso dera aos militares uma desculpa para fechar o Congresso, em 1966, agora jornalista, acrescentava: "Temos agora a sensação de que afinal as coisas não estão tão ruins assim." Até Itamar entrou na briga, declarando: "A dignidade conquistada pelos jogadores deve ser transferida ao próprio Brasil."

Enquanto isso, os dados ao nosso alcance indicavam que a nova moeda podia estar funcionando, mas ainda não tínhamos certeza. O Brasil estava de tal maneira tomado pela febre do futebol que era difícil tratar de algum outro assunto. Os negócios estavam totalmente parados. Depois da vitória nos campos de futebol, o país inteiro caiu na farra por vários dias, e nós mal conseguimos obter alguma informação. Eu sentia que a onda de nacionalismo e esperança nos ajudaria, mas ainda não podia avaliar como as pessoas se sentiam em relação ao real.

Dias depois do fim da Copa, quando a euforia inicial dera lugar a um clima mais tranquilo de confiança, fiz uma viagem de campanha a uma cidade pobre da Bahia, Santa Maria da Vitória. As cidades nordestinas são banhadas no brilho forte de uma luz branca, e olhando pela janela do carro eu me surpreendi ao ver que centenas de pessoas se juntavam à beira da estrada sem pavimentação para assistir à passagem do meu cortejo. Debaixo daquele sol brutal do meio-dia, elas sorriam, agitando bandeiras brasileiras. Abrindo a janela para acenar de volta, eu ouvia os gritos:

— Olha lá o homem que fez o real!

Ao sair do carro, fui cercado pela multidão. As pessoas me abraçavam, me beijavam e posavam para fotos ao meu lado. Um homem se aproximou com uma cédula de um real novinha na mão, abriu um riso desdentado e perguntou:

— Pode autografar o real para mim?

Eu fiz que sim com a cabeça, e pedi uma caneta a um assessor.

Ele franziu a testa.

— Acho que pode ser ilegal adulterar cédulas com seu autógrafo — advertiu.

— Não, não — achei graça. — Não é ilegal, pois minha assinatura já está nelas!

Peguei a caneta, assinei a cédula e me encaminhei para o palanque, para fazer meu discurso.

Quando comecei a falar, a multidão ergueu as novas cédulas do real, agitando-as alegremente no ar. A aclamação praticamente cobria o que eu tinha a dizer, mas eu sabia que minhas palavras não importavam. O real era a estrela do show.

— Vale mais que um dólar! — berravam as pessoas, gente que nunca tinha visto um dólar americano na vida, mas ainda assim cheia de orgulho. Nossa moeda agora era algo positivo, e não mais uma porcaria sem valor a ser jogada no lixo.

Nessa mesma semana, uma pesquisa mostrava que eu estava empatado com Lula pela primeira vez. E eu comecei a me perguntar se não haveria uma chance de que acabássemos vencendo.

* * *

Nós não esperávamos que a inflação caísse tanto, tão depressa.

Depois de um índice mensal de 45 por cento em março e abril, a inflação caiu para apenas 2 por cento em julho, o mês de lançamento do real. As consequências foram revolucionárias. Como o dinheiro não perdia mais o valor, o poder aquisitivo do salário médio no Brasil aumentaria espantosos 30 por cento até o fim do ano. Como se esperava, os pobres foram os maiores beneficiários. De repente, eles podiam comprar produtos até então fora do seu alcance, itens básicos como frango e iogurte. Enquanto isso, a classe média se entregava a um verdadeiro furor nas compras, adquirindo geladeiras, aparelhos de televisão e imóveis. As marcas registradas da cultura inflacionista brasileira — as longas filas nos supermercados, os gordos maços de notas imprestáveis — desapareceram quase que da noite para o dia. Era como se estivéssemos vivendo num outro país.

Lula ficou perplexo com tudo isso. Continuava a desacreditar a nova moeda, apesar de todas as evidências. "O real não é um sonho", declarou. "É um pesadelo! Está baseado em propaganda maciça afirmando que os trabalhadores irão para o céu se a inflação cair. Simplesmente não vai acontecer. Esse plano vai servir apenas para congelar a miséria no Brasil!"

Em setembro, um mês antes da eleição, os preços aumentaram apenas 1,51 por cento. A economia entrou num autêntico boom, e eu continuava subindo como um balão de ar quente nas pesquisas. Lula entrou em desespero. Seu candidato a vice-presidente, José Paulo Bisol, declarou num comício que, "quando o Estado não está preparado para defender os pobres, a violência justifica a violência". O que realimentou muitos dos antigos medos a respeito de elementos esquerdistas radicais no partido de Lula. Num comício no Amazonas, o próprio Lula declarou: "Imaginem se Jesus voltasse à Terra hoje. Teria sido chamado de quê? De comunista. De comunista. Por isso é que o crucificaram. Se ele estivesse aqui entre nós hoje, aqueles que me chamam de comunista teriam dito o mesmo dele."

Enquanto isso, eu tinha a meu favor a primeira moeda sólida em décadas. Prometi um programa político moderno para levar a estabilidade do real a todos os setores da nossa economia. Tudo que eu viria mais tarde a fazer na presidência decorreria diretamente do que havia traçado durante a campanha. Prometi contribuir para a criação de um Brasil que ao mesmo tempo fizesse parte da economia mundial e fosse internamente estável.

No dia 3 de outubro de 1994, fui eleito presidente do Brasil com 54 por cento dos votos. Lula recebeu 27 por cento, ficando o resto do eleitorado dividido entre outros candidatos. Foi um caso extremamente raro de vitória sem necessidade de um segundo turno. Eu venci em todos os estados, exceto no Rio Grande do Sul e no Distrito Federal. Levei a melhor em todas as classes sociais, embora com margem ligeiramente maior entre os eleitores das classes superiores. Mas o fato mais impressionante era este: pela primeira vez na vida, eu vencia uma eleição nacional.

Para a cerimônia de posse, organizamos um concerto de músicos baianos na praça principal de Brasília. Havia mais de 20.000 pessoas assistindo. Também foi oferecido um banquete oficial para mais de 5.000 convidados. Em vez de nos sentarmos formalmente à cabeceira de uma mesa, conforme a tradição, Ruth e eu preferimos nos misturar livremente aos convidados num jantar mais informal. A ideia era mostrar que seria uma nova era democrática para o Brasil, rompendo-se as velhas barreiras entre o governo e o povo.

Muito antes da minha posse, encontrei-me com Itamar no palácio presidencial, no momento em que ele retirava seus pertences. Nós nos abraçamos e conversamos por um momento, mas algo nitidamente o incomodava.

— Lamento — disse Itamar, franzindo a testa —, mas há um crucifixo de madeira meu que ainda está pendurado na parede do seu gabinete. Tentei o quanto pude, mas não consigo tirá-lo.

— Talvez fosse melhor deixá-lo lá, Itamar. Não preciso que saiam por aí dizendo que o obriguei a retirar uma cruz. Além do mais, com esse emprego — acrescentei, com uma piscadela —, vou precisar de toda a ajuda que conseguir.

CAPÍTULO 10

Lembrem-se do que eu escrevi

Foram necessários apenas três dias na presidência para que eu me desse conta de que estava em sérios apuros.

No dia 4 de janeiro de 1995, atendendo a uma exigência que deveria ser meramente burocrática, submeti à aprovação do Senado o nome daquele que eu pretendia nomear presidente do Banco Central. Mas a escolha não foi aprovada, não por motivos ideológicos, mas porque, no exato momento da votação, um grande grupo de senadores deixou o plenário para tomar uma cheirosa xícara de café.

A retirada coletiva era uma manifestação de apoio a um senador que recentemente tinha usado a gráfica do Senado para imprimir milhares de calendários com seu sorridente retrato. Esse senador enfrentava agora acusações de utilização indébita — na verdade discutível —, e seus colegas me pressionavam por um perdão presidencial que lhe livrasse a cara. Sem o perdão, nada de votação. Assim foi que saíram para o café, com isso assegurando a falta de quórum no plenário. O Banco Central e a delicada situação da nova moeda que deveria supervisionar, e que então contava apenas seis meses de idade, teriam de esperar.

Dias mais tarde, foi a vez da Câmara dos Deputados. Ela aprovou um aumento do salário mínimo de setenta para cem reais, que na época equivalia a cerca de US$ 100 por mês. Eu também considerava que o salário mínimo no Brasil era muito baixo. Entretanto, não havia dinheiro para pagar por esse aumento no orçamento, sobretudo pela incidência do salário mínimo nos custos da Previdência Social, que ainda se encontrava sob grande pressão, enquanto tentávamos manter o plano de combate à inflação. Fui obrigado, assim, a vetar o projeto de lei. Na manhã seguinte, os jornais publicavam manchetes espalhafatosas sobre o inimigo jurado da classe trabalhadora que vinha a ser o novo presidente. Três semanas apenas após a posse, meu índice de aprovação despencava para 36 por cento.

O Congresso certamente não poderia ser culpado por todos os problemas da minha presidência. Mas esses primeiros passos em falso de fato demonstravam o caráter frustrante e muito tipicamente brasileiro das resistências que eu encontraria nos oito anos subsequentes.

Em seu nível mais básico, minha presidência se centrava na tentativa de transformar o Brasil num país estável. Ao longo de toda a nossa história, tínhamos cambaleado de uma crise a outra, decorrência, sobretudo, da nossa resistência a aceitar regras. Eu considerava que o traço comum dessa instabilidade era o constante desrespeito ao estado de direito. Governos, planos econômicos e democracias inteiras costumavam ser simplesmente postos de lado em função dos caprichos de alguns poucos. Em meio a todas essas arbitrariedades, as raízes de uma moderna economia capitalista não se assentavam (ou se fincavam), deixando a maior parte do nosso país mergulhada na pobreza. Eu acreditava que, se conseguisse como presidente estabelecer um grau mínimo de estabilidade, os alicerces de uma sociedade moderna — investimento privado, políticas sociais eficazes, redução da pobreza — poderiam ser lançados.

Havia muitos, inclusive brasileiros, que consideravam tal mudança impossível. Viam o Brasil como a incorrigível terra do jeitinho, das pequenas manobras astuciosas para dar a volta no sistema. Essa palavra e a ideia por trás dela eram supostamente algo incurável na nossa identidade nacional, produto de uma sociedade que se orgulhava profundamente de burlar a lei. Muitos observadores há muito viam o jeitinho como decorrência de certa tendência tropical à jovialidade e ao bom humor, contribuindo para firmar o estereótipo do Brasil como uma espécie de adorável vagabundo, com um copo de bebida na mão e dotado de uma lamentável mas inata incapacidade de cumprir compromissos. Eu, porém, considerava que o jeitinho revelava um aspecto oculto e muito mais sombrio da sociedade brasileira, algo que tocava no cerne da nossa história, ameaçando o meu governo.

No Brasil, a recusa de respeitar as regras era na realidade apenas mais um produto da nossa sociedade profundamente injusta. Onde outros podiam ver simplesmente caos e improvisação, eu enxergava um esforço incrivelmente organizado no sentido de preservar o *status quo*. Os golpes e outras manifestações de instabilidade no Brasil quase sempre serviam para beneficiar a ínfima minoria daqueles que detinham a maior parte da riqueza e do poder no país. As regras não eram desrespeitadas por causa de alguma patológica falta de disciplina, mas para atender a esses interesses. Toda vez que um governo ou um plano de estabilização econômica era posto a perder, a elite é que quase sempre se beneficiava mais, ou pelo menos era menos prejudicada. A inflação fora um exemplo perfeito nesse sentido. Ao sair do plenário para tomar café, metade dos senadores tentava proteger seus interesses próprios, em detrimento do país como um todo. O mesmo se aplicava à votação na Câmara dos Deputados para aumentar o salário mínimo. Eu considerava que o jeitinho não tinha mais lugar à mesa na política brasileira.

Desse modo, meu desafio como presidente era estabelecer regras e obrigar o país a cumpri-las. As políticas relativas à moeda representavam um conjunto de regras. As políticas comerciais eram outro. O capitalismo, no seu aspecto formal, como qualquer outro sistema econômico, não é muito mais que um conjunto de regras. Se essas regras fossem respeitadas, poderíamos lançar os alicerces de uma prosperidade duradoura. Os brasileiros finalmente teriam um arcabouço mais sólido sobre o qual construir algo; seriam então capazes de usar seus formidáveis talentos e fazer planos para o futuro — a própria essência do desenvolvimento econômico e social. Para isso, no entanto, teríamos de enfrentar numerosas e bem-organizadas tentativas de sabotagem por parte de grupos de interesse pequenos, mas poderosos, empenhados em defender seus privilégios. Teríamos de mudar a própria essência da cultura do país.

Alcançar esse objetivo teria sido extraordinariamente difícil para qualquer político. Mas pode ter sido só um pouco mais fácil para um sociólogo.

* * *

Pouco antes da minha posse, um jornal brasileiro reproduziu uma suposta declaração minha: "Esqueçam tudo que eu escrevi no passado. O mundo mudou e a realidade de hoje é diferente." A citação fora inventada pelos repórteres; pessoas que haviam estado presentes na entrevista confirmaram que eu não dissera semelhante coisa. Mas ela causou comoção, e — independentemente da sua veracidade — é lembrada como uma das citações fundamentais do meu governo. Ainda hoje as pessoas torcem a cara quando me perguntam a respeito, fazendo todas as outras perguntas que não deixam de se seguir: Eu acaso traíra os princípios que abraçava como professor? Quanto havia mudado ao longo dos anos? Por que governei da maneira como governei?

Eu costumava responder que, ao assumir a nova função, continuava de coração sendo um sociólogo. Meus objetivos eram basicamente os mesmos, muito embora minha visão tivesse evoluído quanto à melhor maneira de alcançá-los. Eu ainda procurava encarar os problemas do Brasil com a mesma objetividade distanciada do jovem professor de guarda-pó branco que percorria as favelas do Sul do país 40 anos antes. Antes de tomar uma decisão, procurava reunir todas as informações relevantes e entender todos os pontos de vista, como me ensinara meu mentor na USP, Florestan Fernandes. Mais que a ideologia, a metodologia era o verdadeiro legado da minha carreira acadêmica.

Às vezes, eu de tal maneira me empenhava em enxergar o Brasil com olhos de sociólogo que parecia hesitar no uso do poder. Foi essa com certeza uma das maiores falhas do meu governo. Em certas ocasiões em que o país precisava de um presidente, eu ainda era um sociólogo em proporção maior do que a desejável. Preocupava-me tanto em me manter acima da refrega que perdia oportunidades de convencer outras pessoas das minhas convicções, ou de agir de maneira efetiva. Tendia a enxergar melhor o quadro global que as situações particulares, e meu instinto científico podia fazer-me parecer distante. Políticos de todas tendências muitas vezes deixavam meu gabinete e declaravam alegremente à imprensa: "O presidente concorda conosco!" O que frequentemente não era verdade. Eu simplesmente ouvira suas queixas, mostrando compreensão e dizendo que tentaria ajudar. Não era exatamente o mesmo que concordar, mas, retrospectivamente, entendo por que se sentiam confusos.

Na maioria dos casos, todavia, quero crer que minha formação me foi de grande ajuda. É possível que num país desenvolvido como a Alemanha ou os Estados Unidos um sociólogo não fosse assim uma vantagem na presidência; mas no Brasil, onde tantos problemas de governança decorriam das injustiças sociais, eu estava numa posição proveitosa. Era surpreendente constatar a frequência com que algum dilema podia ser resolvido com um exame honesto e objetivo dos diferentes grupos envolvidos, seguido da adoção da solução mais justa para todos. Um pouco de senso comum se revela muito mais eficaz do que destinar alguma verba para a solução do problema — e, também, muito mais barato. Quando uma decisão de política pública era bem-pesada e justa, também se tornava muito mais difícil para a oposição encontrar um jeitinho ou alguma outra astúcia para sabotá-la.

Um exemplo disso foi nossa estratégia para enfrentar uma das mais fascinantes e polêmicas barreiras ao desenvolvimento no Brasil: a distribuição de terras. A questão fora dominada durante uma década pelo Movimento dos Trabalhadores Rurais Sem Terra, conhecido como "Movimento dos Sem-Terra" ou MST. O MST chamara a atenção internacionalmente em meados da década de 1980, quando agricultores brandindo facões começaram a confiscar terras no interior do Brasil. Grandes grupos que podiam às vezes chegar a milhares de pessoas invadiam um terreno, montavam tendas e começavam a arar a terra. Desde então, líderes do MST têm argumentado que, num país sofrendo de tão desigual distribuição das terras, não têm alternativa senão recorrer a essas táticas de confronto. Alegam apossar-se apenas de terras consideradas "improdutivas", que geralmente — mas nem sempre — são terras devolutas ou áreas inadequadamente cultivadas de propriedades muito grandes. Depois de algum tempo de cultivo, o MST reivindica a propriedade da terra.

Com o apoio de intelectuais de esquerda e da Igreja Católica, o MST tornou-se muito mais que um movimento dos pobres. Reúne hoje 1,5 milhão de membros, entre eles estrelas da televisão, cantores populares e outras celebridades nacionais e internacionais. O pensador americano de esquerda Noam Chomsky referiu-se a ele certa vez como "o mais importante e estimulante movimento popular do mundo". Transformou-se num fenômeno da cultura pop. Num ponto de venda em São Paulo e pela internet, o movimento vende produtos que vão de vinho e queijos a sementes orgânicas e cachaça, passando por blue jeans, camisetas e calendários de mesa. O MST também tem seu sistema escolar, com 3.900 professores trabalhando em terrenos ocupados e assentamentos populares em todo o Brasil. Toda manhã, os alunos erguem os punhos para cantar a plenos pulmões o hino do MST: "Despertaremos nossa pátria adormecida, plantaremos o mundo."

Não surpreende, assim, que os atos do MST com frequência terminassem em violência. É grande o número de pessoas mortas em conflitos fundiários no Brasil.* Elas decorrem em geral da contratação de pistoleiros pelos proprietários de terras para eliminar membros do MST ou de organizações afins. Os confrontos tendem a ocorrer em regiões distantes do país, onde o império da lei é vacilante ou mesmo ausente. Em casos de violência, a polícia pode ser subornada, e os tribunais muitas vezes fecham os olhos.

---

* Dados da Comissão Pastoral da Terra (CPT) de 2011 indicam a morte de 5.181pessoas desde 1986 em conflitos no campo (por terra, por água, por razões trabalhistas ou eventuais outras violências).

Um dos episódios mais odiosos ocorreu em 1996, quando 23 membros do MST foram abatidos a tiros pela polícia no estado do Pará. Esse assassinato coletivo gerou protestos internacionais, configurando uma das primeiras grandes crises do meu governo. Eu fiz tudo que estava ao meu alcance: despachei tropas federais para a região, para prevenir mais derramamento de sangue, e enviei funcionários de Brasília para supervisionar a investigação. Além disso, via-me limitado pelas leis brasileiras destinadas a impedir que o governo federal interfira em questões dessa natureza. Mais tarde, eu tentaria fazer aprovar no Congresso um projeto de lei para conferir ao presidente mais poderes sobre crimes como esse; mas a proposta ameaçava a hegemonia de poderosos governos estaduais, aos quais estavam ligados os parlamentares em sua maioria. O projeto não passou.

Eu sabia que a única maneira eficaz de evitar mais derramamento de sangue era tentar resolver o problema que estava na origem da disputa. Para isso, no entanto, seria necessário enfrentar questões que supuravam no Brasil há 500 anos.

A origem do problema encerra uma clara ironia: no início da história do Brasil, era quase impossível distribuir terras. Quando a esquadra de Pedro Álvares Cabral foi desviada do seu curso pelos ventos e aportou a uma baía brasileira em 1500, ele e a tripulação se depararam com uma extensão relativamente desocupada de selvas inóspitas. A população indígena que ocupava o território hoje demarcado pelas fronteiras brasileiras era de apenas cerca de 3 milhões, minúscula para uma extensão tão grande. Praticavam a agricultura itinerante, a pesca e a caça. Inicialmente, os portugueses não se saíram melhor. Durante décadas, o Brasil pouco mais foi que uma faixa de terra litorânea com guarnições fortificadas, servindo sobretudo para a exportação de macacos, papagaios e de uma tintura vermelha extraída de uma árvore chamada pau-brasil, da qual derivou o nome do país.

Em 1580, apenas 50.000 colonos tinham conseguido penetrar o território. Enquanto isso, a Espanha, rival de Portugal, abria caminho com rapidez na colonização de outras regiões da América Latina. E o mesmo faziam os franceses e os holandeses, que chegaram a controlar uma vasta extensão do Nordeste brasileiro durante quarenta anos. Desesperada por conter os outros invasores, a Coroa portuguesa decidiu transformar a colonização do Brasil em sua maior prioridade.

Para povoar as terras selvagens e hostis com a possível rapidez, a Coroa concedeu extensões inimagináveis de terra a um minúsculo grupo de colonos. Esses lotes privilegiados muitas vezes se estendiam por 50 a 120 quilômetros quadrados ao longo do litoral, mas podiam ser 10 ou 20 vezes extensos na direção do interior do país. Desse modo, a maior parte do território brasileiro foi arbitrariamente distribuída em algumas décadas. Em sua maioria, aqueles que se dispunham a deixar Portugal, então no auge de sua improvável ascensão à condição de potência mundial, eram exilados políticos e criminosos comuns. Tornaram-se os primeiros colonizadores do Brasil, e seus novos domínios eram enormes, embora os grandes tratos de terra concedida o fossem para portugueses mais bem situados em Portugal. Com os avanços tecnológicos ao longo dos séculos, permitindo o cultivo de plantações comerciais como as de café e açúcar, muitas dessas vastas propriedades, já em outras mãos, se transformaram em fazendas incrivelmente ricas, que constituíam — e em certa medida ainda constituem — a espinha dorsal da economia brasileira.

É incrível a maneira como pequenos erros podem reverberar ao longo da história. Aquela precipitada decisão da Coroa em 1580 foi fundamental para muitos dos problemas que mais tarde viriam a perseguir o Brasil: escravidão, subdesenvolvimento econômico e desrespeito ao estado de direito, para mencionar apenas alguns. A história poderia ter sido diferente, é claro. Os Estados Unidos tiveram a Lei da Propriedade Rural em 1862, consagrando o princípio das pequenas propriedades e lançando as bases da classe média mais próspera do mundo. O Brasil, em contraste, nunca foi capaz de se livrar dessa política de distribuição desigual das terras. As alianças políticas, notadamente a ditadura militar de 1964-1985, garantiram a sobrevivência de um sistema econômico que contribuiu para criar uma das maiores diferenças de renda do mundo entre ricos e pobres.

Quando eu assumi a presidência em 1995, esse modelo continuava bem arraigado. Os dados a respeito podem ser imprecisos ou polêmicos, em virtude dos interesses em conflito, mas uma coisa é certa: a distribuição de terras no Brasil é uma das mais injustas do mundo. Uma estatística frequentemente citada do início do meu governo mostrava que 1 por cento da população controlava 45 por cento das terras cultiváveis do país.

Em virtude dessa injustiça, eu tinha enorme simpatia pelo MST e o movimento dos sem-terra em geral. Declarei certa vez em público que, se não fosse presidente, provavelmente estaria nas ruas marchando com eles. Eles chamavam a atenção para uma causa que eu considerava importante; sem a militância do MST, a sociedade brasileira talvez não sentisse tanta necessidade de resolver o problema.

Entretanto, apesar de estar em sintonia com o espírito da causa, eu não podia apoiar os seus métodos.

Numa economia moderna, não se podem ocupar terras alheias. É preciso respeitar os direitos legítimos de propriedade. Embora possa parecer um princípio universalmente aceito do capitalismo, ainda era acaloradamente debatido no Brasil nessa época. Precisei explicar ao país em numerosas ocasiões que as imagens de multidões invadindo e ocupando fazendas de propriedade privada provocariam fuga de investimentos, tanto locais quanto estrangeiros. E não era uma advertência no vazio: indústrias como as de carne e da agricultura comercial de fato fugiram de regiões do país onde o MST era mais forte, temendo o confisco de seus negócios. Para agravar as coisas, estava claro que infelizmente se tornava muito difícil manter a agricultura de subsistência em pequena escala numa economia moderna. Muitos dos assentamentos do MST dependiam de subsídios do governo para sobreviver. Eles podiam desfraldar a bandeira de Che Guevara e invectivar, até ficar roucos, a injustiça do capitalismo global, mas tínhamos todos de conviver com essa realidade.

Eu resolvi que a melhor política era tentar uma ampla reforma agrária por vias legais rigorosamente controladas. De fato havia no Brasil uma grande quantidade de terras ociosas que poderiam ser distribuídas a pessoas interessadas em cultivá-las. Essa possibilidade era inclusive prevista na Constituição. Mas a coisa teria de ser promovida de maneira ordeira, para não comprometer o setor agrícola nem levar de roldão outros segmentos da economia. Com essa finalidade em vista, criamos um imposto sobre terras improdutivas, para estimular sua venda. Com a cooperação de organizações multilaterais como o Banco Mundial e o Banco Interamericano de Desenvolvimento, o governo brasileiro comprou terras que foram então distribuídas aos pobres, mediante um processo legal e transparente.

Enquanto isso, eu buscava uma estratégia equilibrada de contenção do MST. Embora não o expulsasse dos assentamentos existentes, fiz o possível para desestimular novas invasões, inclusive pelo uso da força, quando necessário.

Ninguém aprovou minha política. A direita dizia que eu estava passando a mão na cabeça de "invasores" de terras particulares, e a esquerda me acusava de trair minhas origens e violar o espírito da Constituição.

Enquanto isso, o MST ficava indignado, e em dado momento seus militantes chegaram a buscar vingança, invadindo uma fazenda que pertencia a minha família, no estado de Minas Gerais. Câmeras de televisão estavam presentes quando centenas de militantes do MST se sentaram na minha sala de estar, bebendo cachaça. Também massacraram impiedosamente vários animais da fazenda. Tratava-se de uma propriedade agrícola: eles não tinham o menor fundamento em considerar aquelas terras "improdutivas", e seus atos nada mais eram que uma provocação política. Resolvi então fazer o mesmo que qualquer um teria feito em situação equivalente: entrei na justiça e obtive uma ordem judicial para que as terras fossem evacuadas. A polícia então apareceu e prendeu várias pessoas. O que foi feito pacificamente, e resolvemos não processar ninguém.

Não tomei aquele ato como algo pessoal, todavia, e nunca deixei de sentir curiosidade pelos métodos do MST. Certa vez, decidi conhecê-los pessoalmente. Estava de férias nessa mesma fazenda da família em Minas Gerais, a cerca de 20 quilômetros do assentamento mais próximo do MST. Eu sabia que seria impossível improvisar uma visita de última hora: ela teria um peso político muito grande, e seria transformada num circo pelos meios de comunicação. Decidi então ir incógnito.

Uma horda de jornalistas estava acampada na entrada principal da fazenda, e eu então saí pelo portão traseiro. Estava acompanhado apenas por dois guarda-costas num pequeno utilitário, trajado como um típico fazendeiro, com camisa de colarinho aberto e pesadas botas. Também usávamos óculos escuros. Acho que era um domingo, de modo que ao chegarmos no assentamento havia não mais de algumas dezenas de pessoas simplesmente perambulando, num clima de tranquilidade.

Inicialmente, ninguém me reconheceu — afinal, era inconcebível que o detestado presidente ali estivesse entre eles. Conversei informalmente com várias pessoas, perguntando sobre as condições de cultivo e o tempo. Resisti à tentação de perguntar o que achavam de Fernando Henrique Cardoso. Na verdade, tratei de manter a conversa longe da política.

— Quer ver onde estamos vivendo? — perguntou-me uma jovem.

Eu assenti, e ela me conduziu pela beira de um riacho. Havia um conjunto de grandes tendas negras, e pessoas lavando a roupa no rio. Entramos numa das tendas e nos acomodamos com sua família. Serviram-me café e conversamos por algum tempo. Veio-me à lembrança minha época como professor assistente. Foi tudo muito agradável, muito informal, mas também informativo.

Não demorou, e outras pessoas se aglomeravam na tenda para conhecer o estranho. Uma mulher de idade perguntou então:

— Você é o Fernando Henrique?

Ela fez a pergunta com toda a calma. Todos os olhos voltaram-se para ela, e depois, lentamente, para mim.

— Sim, sou.

O que se seguiu não foi o pandemônio que se poderia esperar. Deu-se na verdade algo que pude testemunhar em várias oportunidades durante meu governo: quando saímos dos caminhos muito demarcados da política, as pessoas são simplesmente pessoas. Sem jornalistas por perto nem câmeras para deixá-los nervosos, todos continuaram perfeitamente tranquilos; era simplesmente mais uma conversa. Uma vez sabendo quem eu era, é claro que a natureza das perguntas mudou. Mas o tempo todo prevaleceu uma grande cordialidade. Eu os convidei para uma visita algum dia à minha fazenda vizinha, e me despedi.

As únicas pessoas que ficaram indignadas posteriormente com esse encontro foram os jornalistas. Acusaram-me de arrogância e paternalismo, mas não fora essa minha intenção. Eu apenas tentava obter informações, entender a crua realidade da situação, para saber como ajudar. Era a mesma metodologia que eu sempre utilizara. Desconfio que os jornalistas simplesmente estavam chateados porque não os convidei para ir junto.

Enquanto isso, voltei para Brasília e fui discretamente tocando minha política de tentar ajudar aquelas pessoas a conseguir suas terras.

Graças aos projetos de reforma agrária adotados nos oito anos do meu governo, sob a excelente condução do ministro Raul Jungmann, reassentamos cerca de 591.000 famílias — o dobro do total de reassentados nas três décadas anteriores. Meu governo distribuiu títulos relativos a cerca de 18 milhões de hectares, área mais ou menos equivalente ao conjunto dos estados da Paraíba, de Pernambuco e de Alagoas. Tudo por meios perfeitamente legais, dentro das regras vigentes. Depois que deixei o cargo, o *Wall Street Journal* considerou a minha política "um dos mais ambiciosos programas de redistribuição de terras já visto no mundo em desenvolvimento". Considero-o um testemunho das minhas origens como sociólogo e uma das realizações de que mais me orgulho em meu governo.

* * *

Se havia outra causa na qual não atrapalhava o fato de um sociólogo estar governando o Brasil era no que dizia respeito à aids.

Em 1990, o Brasil estava diante de uma catástrofe. Tínhamos o mesmo índice de contaminação por HIV que a África do Sul, pouco mais de 1 por cento da população adulta. Era o índice mais elevado da América Latina, e nosso sistema de saúde, durante muito tempo negligenciado pelo regime militar, não tinha como enfrentá-lo. As Nações Unidas previam que, em 2002, o Brasil teria 1,2 milhão de casos de HIV O impacto de uma tal epidemia teria sido devastador para nossa economia e nossa sociedade.

Haveríamos então de negar a existência do problema ou enfrentá-lo sem rodeios? Na época, era uma pergunta legítima. Muitos outros países, notadamente os da África subsaariana, optavam pela primeira alternativa. Enfiavam a cabeça na areia e fingiam que se não falassem abertamente a respeito a aids talvez se fosse. Os governos permitiam que tabus a respeito da homossexualidade, da prostituição e de outros hábitos sexuais os eximissem de promover juntos uma política coerente de combate à aids. Essa negligência, naturalmente, fez com que a doença se disseminasse com muito maior rapidez do que seria o caso se esses países tivessem posto em prática as políticas cabíveis.

O Brasil, onde a grande maioria dos casos de aids decorria de transmissão sexual, poderia facilmente ter seguido um caminho semelhante. Embora seja verdade que os brasileiros há muito assumiam em relação ao sexo uma atitude muito mais aberta que a maioria dos outros povos, não era habitual que os governos refletissem essa atitude em suas políticas. Muito pelo contrário. Os brasileiros esperavam que seu governo se mantivesse acima dessas questões: um contrapeso sóbrio e mesmo pudico à sociedade como um todo. Sexo simplesmente não era assunto para funcionários do governo.

No meu governo, adotamos a abordagem exatamente oposta. Decidimos que seria melhor que a sociedade se ruborizasse um pouco a assistir à morte de milhares de pessoas. Assim foi que trouxemos o problema à luz do dia e encaminhamos uma solução de acordo com a realidade brasileira. Por exemplo, com a ajuda de organizações não governamentais (ONGs), começamos a distribuir anualmente 10 milhões de camisinhas durante o Carnaval. Tornamos obrigatória a difusão de advertências sobre a aids no início de filmes pornográficos. Em certas escolas, ensinava-se aos alunos como usar a camisinha. Os estudantes também tinham aulas de educação sexual, enfatizando a importância da honestidade nas relações. Nos bairros pobres, as ONGs nos ajudavam ao montar eventos informais, como peças ou oficinas em centros comunitários, para a educação de adultos a respeito do problema. Paralelamente a grandes *outdoors* e anúncios de impacto na televisão, também concebemos programas individuais para grupos de risco específicos, entre eles prostitutas, usuários de drogas, motoristas de caminhão, presos, crianças de rua e indígenas.

Com isso, íamos na contramão do senso comum de que a melhor política de combate à aids consistiria em pregar a abstinência e a fidelidade. Na prática, considerávamos essas mensagens confusas e em última análise contraproducentes. Elas tendiam a criar um falso sentimento de segurança. Por exemplo, muitas mulheres em relações estáveis se sentiam protegidas pelo simples fato de terem um único parceiro. A triste realidade era que as mulheres eram um dos grupos de risco em mais rápido crescimento. O conceito de abstinência simplesmente não correspondia à realidade. Assim foi que insistimos na mensagem de que era necessário o uso da camisinha em todas as relações sexuais. Com isso, obtivemos o apoio de amplos setores da sociedade. Os jornais e as estações de televisão nos facultavam espaço gratuito para campanhas de informação e utilidade pública. A Igreja Católica, embora formalmente contra o uso de preservativos, também apoiava o espírito de nossa mensagem. No fim da década, muitos dos velhos tabus tinham sido completamente derrubados no Brasil.

O aspecto de longe mais polêmico da política de combate à aids do meu governo não tinha nada a ver com sexo, no fim das contas. Em 1996, promulgamos uma lei assegurando aos brasileiros acesso gratuito a remédios antirretrovirais de combate à aids. Qualquer pessoa que precisasse desses remédios, os quais tinham começado a exercer um impacto positivo, prolongando a vida dos pacientes, passava a ter direito legal a eles. Era uma iniciativa verdadeiramente revolucionária, a primeira desse tipo em qualquer país em desenvolvimento. Teríamos de enfrentar questões extraordinariamente complexas de custos, ética e práticas comerciais e empresariais. O que significava um confronto com laboratórios farmacêuticos estrangeiros e outros governos, particularmente o dos Estados Unidos.

Para alcançar uma cobertura universal, sabíamos que teríamos de diminuir o custo do tratamento. A medicina antirretroviral era proibitivamente cara para os países pobres, com seu característico "coquetel" de drogas que podiam custar até US$ 12.000 anuais por paciente — o triplo do que os brasileiros ganham em média por ano. Começamos então a estimular os laboratórios farmacêuticos brasileiros a produzir versões mais baratas e genéricas de medicamentos estrangeiros de combate à aids que não tinham a cobertura de patentes locais. No caso dos remédios protegidos por patentes, pressionamos intensamente os laboratórios farmacêuticos estrangeiros a diminuir seus custos para o mercado brasileiro. Quando se recusavam, nós ameaçávamos quebrar a patente e produzi-los assim mesmo.

Isso provocou uma grande grita internacional. Os laboratórios farmacêuticos afirmavam que a diminuição dos preços comprometeria a capacidade de pesquisar e produzir novos remédios. Agindo em seu nome, o governo americano apresentou queixa na Organização Internacional do Comércio (OMC), alegando que nossa política violava as leis internacionais de direitos de propriedade intelectual. Também tivemos de enfrentar muitos céticos que sustentavam que as pessoas pobres ou sem educação não teriam disciplina para observar a administração de uma série de remédios segundo uma programação muito específica.

Eu compreendia essas preocupações, na maioria dos casos. Na questão das patentes, simplesmente acreditava que a magnitude ímpar da crise da aids justificava nossos atos. As vidas humanas deviam ter primazia sobre os lucros. Era evidente que o sistema de livre-mercado não seria capaz de proporcionar por si mesmo uma solução, e se tornava necessária a intervenção do governo como mediador. Tentamos chegar a um compromisso, oferecendo aos laboratórios farmacêuticos estrangeiros um pagamento que estivesse ao nosso alcance. Não era o que eles esperavam, mas era melhor que nada — e nada era o que eles teriam recebido se não houvesse nenhum programa. Em certo sentido, estávamos gerando clientes, em vez de afastá-los. Quanto à alegação de que os pobres não teriam disciplina para tomar remédios, eu sempre tive muito mais confiança na capacidade das pessoas.

Tratamos então de explicar o ponto de vista brasileiro ao mundo. O homem que tomou a frente nessa questão foi o ministro da Saúde José Serra, meu velho amigo do exílio no Chile e um dos ministros mais capazes do meu governo. Também foram importantes as contribuições do ministro das Relações Exteriores, Celso Lafer, do embaixador na OMC, Celso Amorim, e de outros diplomatas.

Nos anos seguintes, tratamos de formar uma coalizão de aliados. Fizemos valer nossa convicção de que as tecnologias capazes de salvar vidas atendem a um interesse público prioritário. Importantes ONGs, a comunidade científica e organizações de pessoas portadoras de HIV mobilizaram a opinião pública mundial. Agências das Nações Unidas adotaram resoluções que definiam o acesso às drogas anti-aids como um direito humano fundamental, exortando a OMC a mostrar flexibilidade na busca de um equilíbrio entre os direitos de patente e as prioridades de saúde pública.

A vitória chegou inesperadamente em junho de 2001, quando teria início em Nova York a Conferência das Nações Unidas sobre a Aids. No mesmo dia, os Estados Unidos retiraram sua queixa contra o Brasil na OMC. Não tenho a menor dúvida de que esse resultado favorável foi decisivamente influenciado pela opinião pública global.

Desde então, o Brasil tornou-se um modelo para políticas de combate à aids nos países em desenvolvimento. Nossas estratégias em matéria tanto de prevenção quanto de tratamento são atualmente replicadas em todo o mundo.

Todo sucesso em termos de aids é relativo, e a doença continua representando uma grave ameaça no Brasil. Mas eu acredito que fomos capazes de evitar uma catástrofe. Em 2002, o último ano do meu governo, tivemos cerca de 600.000 casos de HIV no Brasil — metade do número previsto pela ONU uma década antes. O governo ainda gasta cerca de 300 milhões de dólares por ano no programa de combate à aids, essencialmente com tratamentos. O "coquetel" brasileiro de drogas antirretrovirais custa aproximadamente US$ 4.500 anuais por pessoa, cerca de um terço do custo nos Estados Unidos. O número anual de mortes por aids despencou quase dois terços durante meu governo. Esse declínio da mortalidade devia-se em parte ao emprego de drogas mais eficazes, mas a política adotada pelo Brasil também desempenhou um papel.

Infelizmente, não é preciso imaginação para ver o que poderia ter acontecido no Brasil em outras circunstâncias. Hoje, certos estudos demonstram que pelo menos 20 por cento dos adultos na África do Sul estão contaminados com vírus HIV ou têm aids. No Brasil, esse índice é atualmente de cerca de 0,3 por cento, e se mantém estável. O destino dos sul-africanos facilmente poderia ter sido o nosso também. Em vez disso, nosso índice de contaminação está mais próximo do verificado nos Estados Unidos. Foi um típico caso em que uma política de bom senso salvou inúmeras vidas.

* * *

Antes de assumir a presidência, fiz uma longa viagem pelas vastas extensões amorfas do Pantanal brasileiro. Num país mais conhecido por suas praias, uma região de terras pantanosas talvez não parecesse uma escolha muito óbvia para passar as férias. Entretanto, sabendo que provavelmente não teria a chance de relaxar realmente durante anos, escolhi deliberadamente um lugar conhecido pelas condições de anonimato e a tranquila amplidão. Usei uma pequena chata com motor de popa, meti-me em calções e num velho par de chinelos e entrei a percorrer as planícies alagadas, sozinho por horas a fio.

É um lugar estranho e maravilhoso, provavelmente meu favorito no Brasil inteiro. Os poucos pecuaristas suficientemente resistentes para viver na região parecem dispor de tantas palavras para designar "lama" quanto os esquimós para falar da "neve". Um punhado de turistas aparece para pescar e ver as fantasmagóricas onças de vida noturna e as incontáveis espécies de pássaros da região, mas à parte isso o Pantanal é de uma calma abençoada. Estende-se por uma área equivalente a mais de um terço do tamanho da França, com limites que variam ao sabor das tempestades. Partes do Pantanal vão até a Bolívia e o Paraguai, embora não haja fronteiras visíveis. Se alguém tivesse a insana ideia de construir uma cerca, ela rapidamente afundaria nas águas cor de chá, que inevitavelmente invadem tudo com seu cheiro de mangue.

Em muitas áreas, as águas são suficientemente rasas para que eu pudesse saltar do barco e sair caminhando. Certo dia, acompanhado por Ruth e um guarda-costas, atraquei a chata, escolhi ao acaso um ponto no horizonte e começamos a caminhar ao léu na sua direção. Provavelmente não foi uma ideia brilhante, considerando-se minha notória carência em matéria de senso de direção. Em questão de minutos, estávamos completamente perdidos, sem a menor ideia de como poderíamos encontrar o caminho de volta para a embarcação.

Vagamos com dificuldade por cerca de meia hora, até nos depararmos com uma bandeira.

— Estranho — disse Ruth. — Por que uma bandeira exatamente aqui?

Depois de mais meia hora de caminhada, surgiu no horizonte um minúsculo povoado de choupanas lamacentas. Ao nos aproximarmos, um soldado saiu do nada, apontando um fuzil para nós.

— Alto! — gritou ele.

E então nós entendemos. Ele queria dizer "Parem!", e o sotaque não era brasileiro, mas espanhol.

— Vocês atravessaram a fronteira da Bolívia! — prosseguiu, em tom severo.

Eu não trazia comigo qualquer identificação: minha roupa de banho não tinha bolsos.

— Meu nome é Fernando Henrique Cardoso — declarei, estendendo a mão —, sou o presidente eleito do Brasil.

A julgar por sua expressão de ceticismo, eu poderia ter dito que era a rainha Vitória.

Foi uma boa meia hora de tentativas de explicar, acalmar e pedir, mas finalmente conseguimos convencer o soldado boliviano da minha identidade. Era um jovem cordial e bem-humorado, apesar de solitário. Disse-nos que aquele posto era um tédio, que éramos as primeiras pessoas que jamais tivera de interceptar na fronteira com o Brasil, e então se desculpou por nos ter assustado com a arma.

Antes de nos despedirmos, pedi ao soldado que me ajudasse numa brincadeira. Pedi-lhe que enviasse um telegrama ao seu comando militar, com instruções para encaminhar uma mensagem a Gonzalo Sánchez de Lozada, o presidente da Bolívia, velho conhecido meu.

"Favor dizer a ele que a primeira viagem de Fernando Henrique Cardoso ao exterior como presidente eleito foi à Bolívia."

O soldado riu e prometeu mandar a mensagem. Cumpriu a palavra, e, acreditem ou não, a mensagem acabaria chegando ao destinatário.

Esse episódio sem maior importância ilustra uma verdade mais profunda: o destino do Brasil sempre estará irrevogavelmente ligado ao do resto da América do Sul. Nós temos fronteira com todos os países do continente, exceto dois: o Chile e o Equador. No Pantanal e em vastas extensões da Amazônia, a maior parte de nossas fronteiras é desprotegida e não raro incerta. As implicações dessa proximidade em questões econômicas, comerciais e políticas são enormes. O que torna ainda mais crucial que o Brasil se concentre na construção de melhores relações com países de toda a região.

Pode parecer puro bom senso, mas cabe notar que nem sempre foi a filosofia prevalecente no Brasil. O conceito de "América do Sul" ainda era relativamente recente, e ainda estava por se refletir adequadamente em nossa política externa. A ditadura militar, por exemplo, investia muito mais energia nas relações com países da África e do Oriente Médio do que no relacionamento com os vizinhos. O que se devia a uma formulação das mais esdrúxulas da questão da política de poder no Terceiro Mundo. Os militares consideravam que, ampliando as relações com países pobres da África, poderiam conquistar aliados a um custo baixo e contribuir para que o Brasil concretizasse seu velho sonho de se tornar uma potência mundial. O Brasil com frequência financiava exportações ou fornecia fundos para projetos de construção nessas regiões. Em certos casos, chegava a conceder milhões de dólares em ajuda direta, o que era um absurdo, considerando-se que também havia gente passando fome em nosso país.

Ao mesmo tempo, a ditadura brasileira via os países sul-americanos, especialmente a Argentina, como rivais estratégicos. Toda a região sofria desse tipo de antagonismo recíproco, alimentado por governantes militares obcecados com a doutrina da geopolítica e aparentemente decididos a desencadear uma Guerra Fria sul-americana. Nas décadas de 1960 e 1970, o regime militar brasileiro avançava nos estágios embrionários do desenvolvimento de um programa de armas nucleares, acreditando que os argentinos faziam o mesmo. Já se disse que quando a ditadura argentina lançou sua malfadada guerra contra a Grã-Bretanha em 1982, em torno das

Falklands, a Argentina não enviou suas melhores tropas à ilha porque seus líderes temiam que isso poderia expor o país a uma invasão brasileira. Na década de 1990, firmemente instalada a democracia em ambos os países, essa desconfiança em grande parte cedeu. Mesmo quando eu era ministro das Relações Exteriores, contudo, muitas vezes tinha dificuldade de convencer alguns brasileiros a colaborar com os argentinos. As feridas ainda não estavam completamente curadas.

Eu sabia que precisava mudar isso como presidente; precisávamos ser amigos dos nossos vizinhos. E recebi uma memorável ajuda nesse sentido de alguém inesperado: Helmut Kohl, o chanceler da Alemanha. Pessoalmente, Kohl era uma figura impressionante, como uma rocha. Era um homem de grande visão, e eu sentia por ele profunda admiração, embora nossas filosofias políticas fossem bastante diferentes. Num de nossos encontros, ele me olhou muito sério e disse:

— Vocês brasileiros têm uma responsabilidade histórica.

Eu perguntei por quê.

Kohl me explicou que crescera perto de Bonn, numa área ocupada pelos franceses desde a Segunda Guerra Mundial.

— Eu odiava os franceses quando era mais jovem — disse-me Kohl. — Mas acabei me dando conta de que, se aquela rivalidade prosseguisse, meus filhos também teriam de entrar em guerra. Ficou claro para mim que, se não integrássemos economicamente a França e a Alemanha, esse ciclo nunca chegaria ao fim. Foi por isso que me tornei quando adulto um apaixonado adepto da União Europeia.

— No Brasil — prosseguiu Kohl —, a responsabilidade de vocês é fazer o mesmo em relação à Argentina. Vocês precisam deixar o passado para trás. Sua missão histórica é promover uma grande união no Cone Sul.

Felizmente para nós, o grau de inimizade histórica entre o Brasil e a Argentina nem de longe se poderia comparar com o que prevalecia entre a Alemanha e a França. Mas ainda assim o argumento de Kohl continuava válido: vivíamos numa época em que a mais ampla integração econômica tomava o lugar das velhas rivalidades. Se a América do Sul não se lançasse num projeto equivalente, ficaríamos para trás, tanto econômica quanto politicamente.

A principal manifestação dessa estratégia foi a atenção que demos ao desenvolvimento do bloco comercial do Mercosul, abrangendo Brasil, Argentina, Paraguai e Uruguai. O Chile e a Bolívia eram membros associados. Através do Mercosul, que se tornou o terceiro maior bloco comercial do mundo, com um produto interno bruto total de quase 1 trilhão de dólares, pudemos aumentar consideravelmente o comércio entre os países-membros.

Nosso foco no Mercosul às vezes irritava os Estados Unidos, que pretendiam criar seu próprio bloco comercial: a Área de Livre Comércio das Américas, a Alca. Esse bloco teria abarcado 34 países em todo o hemisfério ocidental. Deveria entrar em vigor em 1º de janeiro de 2005, mas no momento da redação deste livro ainda não se concretizou. Não por acaso. Sempre me preocupou a possibilidade de que os termos comerciais ditados por Washington prejudicassem o Brasil, especialmente no terreno da agricultura. Meu governo se dispunha a negociar um acordo comercial em condições favoráveis. Tal como nos era vendido, contudo, reconheço que optamos por uma estratégia de fazer corpo mole nas negociações para a criação da Alca.

Quando se revelava aconselhável, o Brasil também agia como mediador em disputas regionais. Eu desempenhei um papel significativo na negociação do tratado de paz que pôs fim ao conflito fronteiriço entre o Equador e o Peru. Meu governo também concedeu asilo a vários dirigentes paraguaios, a fim de contribuir para o fim da constante instabilidade no país. Mas nós acreditávamos no uso do *soft power* para ampliar nossa influência na região; não queríamos nos transformar nos novos gringos da América do Sul. O Brasil preferia atuar pelos habituais canais diplomáticos, recorrendo a medidas como o patrocínio de eventos culturais em embaixadas no exterior. No meu governo, o Brasil jamais recorreria à mão pesada para se transformar numa potência bélica regional. Eu sempre acreditei no conceito da autodeterminação nacional, e nós nos recusávamos a nos imiscuir nas questões internas de outros países.

Essa filosofia contrastava com a adotada pelos Estados Unidos, que frequentemente nos punham em rota de conflito em torno de outra complexa questão regional: que fazer a respeito de Cuba.

Eu sempre tive uma relação de mútuo respeito com Fidel Castro, e até hoje continuo recebendo de vez em quando uma caixa de charutos cubanos enviada por ele. Encontrei-o quando ministro das Relações Exteriores, e ele me visitou no Brasil em várias oportunidades. Até então, naturalmente, eu conhecia apenas a figura pública de Fidel, o homem que gostava de fazer longos, repetitivos e aborrecidos discursos de seis horas de duração. Essa imagem tão generalizada a seu respeito, contudo, é uma pena, pois no contato pessoal eu sempre me surpreendi com sua polidez, curiosidade, bom humor e afabilidade.

Certa vez, em Brasília, Fidel e eu passamos quase cinco horas juntos num almoço. Ele me bombardeava com perguntas extraordinariamente complexas sobre nossa política para o petróleo, e perguntou por que nossos juros eram tão altos. E então começou a me perguntar sobre minha rotina diária.

— Como começa o seu dia?

Eu respondi que sempre nadava pela manhã.

— Temos aqui uma piscina. Depois, vou para o meu gabinete e geralmente passo o resto do dia trabalhando e recebendo pessoas.

Fidel deu uma longa tragada em seu onipresente charuto e sacudiu lentamente a cabeça.

— Quando assumi o poder em Cuba, eu fazia como você. Recebia muitas pessoas, muitas mesmo. Quase morri de tanto trabalhar. Mas agora — prosseguiu, sorrindo — não me incomodo mais com essas coisas. Fico em casa lendo. Cultivando a mente. Quando é preciso falar com alguém, simplesmente telefono. E o país funciona!

Eu dei uma risada.

— Bem, Fidel, há quanto tempo você está no governo? Quarenta anos? Eu estou aqui para quatro apenas. De modo que, se de uma hora para outra decidisse ficar em casa lendo, meu governo provavelmente cairia no dia seguinte!

Fidel achou muita graça.

Saber se Cuba realmente estava "funcionando" àquela altura, como dizia ele, já era uma questão completamente diferente. Houve um tempo em que Cuba era motivo de inspiração para toda uma geração de gente de esquerda, inclusive eu mesmo, na juventude. Fidel mostrara que um país latino-americano podia se libertar de uma ditadura opressiva. O problema era que tinha substituído um regime autoritário por outro.

Eu visitei Cuba uma vez na década de 1980, para participar de uma reunião de uma comissão incumbida da concessão de um prêmio cultural. Foi muito antes de a União Soviética cortar toda ajuda externa, mas a ilha com toda evidência já enfrentava sérios problemas econômicos. Havana parecia a ponto de simplesmente desmoronar. Eram prédios velhos em decrepitude por toda parte, pintura descascando e soalhos vergando. Nessa altura eu era senador, mas consegui me deslocar incógnito pela ilha com toda liberdade. Entrei numa igreja católica que estava aberta, porém fantasmagoricamente vazia. Naturalmente, fiquei impressionado com os avanços evidenciados por Cuba em matéria de saúde e educação, em comparação com outros países latino-americanos. Mas também havia no país um não menos evidente clima de infelicidade e falta de liberdade. A censura atingia níveis propriamente cômicos: a cada dia que punha as mãos num jornal, eu encontrava na primeira página uma nova versão da mesma história, sobre uma vaca capaz de produzir quantidades enormes de leite. Lembro-me de ter pensado como era esdrúxulo ver um país tropical, cheio de gente calorosa e espontânea, levando uma vida sombria e miserável como a que eu vira na Romênia e na Alemanha Oriental do Pacto de Varsóvia.

Desde então, não houve grande mudança. Os anos parecem ter passado ao largo de Fidel. Ele ainda achava que estava vivendo em 1985, e é assim que governava Cuba. Bem lá no fundo, ele podia se dar conta de que o mundo já era diferente, mas por motivos políticos não podia admiti-lo, nem mesmo em conversas privadas. Quando Cuba vinha à baila, ele ficava calado, na defensiva. Jamais permitia um debate aberto sobre suas políticas.

Um exemplo espetacular disso ocorreu na reunião de cúpula ibero-americana a que compareci em Havana em 1999. São reuniões dos chefes de Estado e representantes de países latino-americanos, além de Espanha e Portugal. Em geral, nada de grande importância acontece durante a conferência propriamente dita. Mas as coisas podem se tornar muito interessantes no almoço, quando os chefes de Estado ficam sozinhos, sem a presença de assessores ou jornalistas — apenas uma dúzia de nós, em geral, sentados à mesa.

Nessa tarde, foi servido um bom vinho tinto. Nunca me esquecerei da marca: Vega Sicilia, da famosa vindima Unico. A conversa inicialmente foi polida, abarcando todos os temas, da política comercial à bebida favorita de cada um. Mas depois a coisa ficou meio exaltada, talvez por causa do vinho, talvez em decorrência das complicadas divisões políticas que sempre caracterizaram a América Latina.

Um dos dirigentes presentes levantou-se. Por uma questão de protocolo, não posso dizer de quem se tratava, mas posso afirmar que era o dirigente de um país influente. Ele deu um murro na mesa e disse:

— Caramba, Fidel! Que é que pretende fazer com essa porcaria dessa sua ilha bagunçada?

Fidel ficou de queixo caído.

— Estamos fartos de ficar o tempo todo nos desculpando por sua causa, Fidel — prosseguiu o outro dirigente. — Já está ficando embaraçoso. Somos os únicos amigos que lhe restam! Que é que pretende fazer?

Fidel continuava gentilmente sorrindo e meneando a cabeça, sem nada dizer.

Seis ou sete outros chefes de Estado dos 12 ali presentes passaram então a se alternar em invectivas igualmente exaltadas. Tudo acontecia num clima de relativo bom humor, mas a mensagem subjacente era séria. A coisa prosseguiu por pelo menos 20 minutos. Eu fiquei calado, observando enquanto Fidel se mexia cada vez mais na cadeira. O tempo todo, ele não retrucou.

Quando os outros acabaram, Fidel se endireitou, mexeu um pouco o garfo no prato e deu um sorriso forçado de adolescente

— Bem, sabem como é — disse em voz baixa, como habitualmente falava —, todos vocês têm muito mais poder que eu. Eu praticamente nem sei mais o que acontece em Cuba. Vocês sabem como é. Temos um governo coletivo. Eu sou um entre outros e nem sempre sei das coisas.

Deu um suspiro e sorriu irônico:

— Pobre de mim.

Todos nós rimos, e a conversa tomou outros rumos. Era óbvio que Fidel não queria abrir o jogo conosco. Mas ninguém acreditou em sua falação naquele dia.

O incidente ilustra perfeitamente por que eu não apoio a política regional que os Estados Unidos de longa data sustentam em relação a Cuba. Washington perde uma quantidade incrível de energia tentando fazer com que outros países latino-americanos se oponham a Fidel. Um dos instrumentos dessa política é uma resolução anualmente apresentada nas Nações Unidas, condenando a situação dos direitos humanos em Cuba. No meu governo, o Brasil se abstinha nessas votações. Também recusamos numerosas solicitações para atuar como mediador entre Washington e Havana. Muitas vezes os Estados Unidos investem tanto capital político nessa questão que comprometem todos os demais interesses americanos na região: comércio, drogas, direitos de propriedade e outras questões muito mais importantes ficam relegadas em relação a Cuba. Washington optou por cortejar um pequeno mas influente grupo de exilados cubanos em Miami, em vez de assumir uma autêntica liderança na região. Muitas oportunidades foram desperdiçadas.

Nenhum país da América Latina pretende mais seguir o caminho de Cuba. Essa verdade ficou particularmente evidente naquele almoço em Havana, mas já é perfeitamente clara há cerca de duas décadas. Não existe nenhum risco concreto de uma outra Cuba. Nem mesmo a recente reviravolta esquerdista na política latino-americana significa que todo mundo queira ser como Fidel; a região se distanciou desse tipo de ótica da Guerra Fria, muito embora os Estados Unidos não tenham sido capazes de fazê-lo.

Muito se tem falado da nova geração de líderes de esquerda na América Latina: além de Lula, homens como Hugo Chávez na Venezuela, Néstor Kirchner na Argentina, Tabaré Vásquez no Uruguai e Evo Morales na Bolívia.

Cada um deles tinha vínculos históricos com a esquerda, e alguns continuam a invectivar as injustiças do capitalismo de livre-mercado. Mas na prática todos eles trabalham com o sistema. E não por mero acidente; todos são suficientemente inteligentes para saber que não existe hoje no mundo nenhum outro caminho viável. Até os dirigentes mais radicais o reconhecem.

Chávez é provavelmente o mais audacioso de todos. Vem a ser uma espécie de curinga. Investiu contra Bush. Mas sabe perfeitamente que o mercado do petróleo venezuelano são os Estados Unidos. Se engraça com Fidel Castro mas corteja ativamente os investimentos estrangeiros. Sempre achei que suas excentricidades se destinavam ao público interno, não traduzindo propriamente uma ideologia. Sempre tentei entendê-lo. Sou de opinião que, enquanto respeitasse os princípios democráticos básicos, Chávez não representaria uma ameaça para a região. A direita e a esquerda venezuelanas se engalfinharam durante décadas. Ambos os lados cometeram seus pecados. Quando uma sociedade se polariza dessa maneira, é difícil para qualquer um governar de fato.

Como a maioria dos latino-americanos, Chávez tem um grande senso de humor. Lembro-me de um episódio ocorrido entre nós dois no Quebec, durante uma reunião de cúpula dos chefes de Estado das Américas em 2001. Pouco antes da reunião, eu me encontrara com o presidente Bush, que se mostrou preocupado com a eventualidade de que Chávez se comportasse com ele de maneira agressiva na conferência no Quebec. Eu disse a Bush que não havia motivo para tal, mas que, de qualquer maneira, como Chávez iria primeiro ao Brasil, eu o aconselharia a agir com moderação. E de fato, ao receber Chávez dias depois em Brasília, ponderei com ele que a melhor maneira de lidar com Bush era mostrar-se polido e amável: seria o contrário das expectativas de Bush, o que o deixaria desarmado.

Chávez respondeu então:

— Você me conhece, Fernando Henrique. Eu às vezes me deixo levar pela emoção. Quando compareço às reuniões da Opep e começo a dar sinais de que vou dizer coisas que não deveria, um amigo meu, o emir do Catar, para que eu não pareça estar proclamando a república no Golfo, faz um sinal com as mãos — juntando-as como se fosse rezar — para que eu me contenha e não derrube a sua monarquia! Fernando Henrique, seja meu amigo no Quebec, fazendo a mesma coisa.

Em meu discurso inicial na conferência do Quebec, deixei claras as condições latino-americanas para que avançássemos nas conversações sobre a Alca. Precisei usar palavras fortes. De repente, vi com o canto dos olhos que Chávez saltava do seu assento com as mãos postas, como se estivesse rezando, e olhava fixamente para mim. E me dei conta de que minha mensagem aos Estados Unidos tinha sido expressa de maneira bem vigorosa, pois Hugo Chávez, logo ele, sinalizava que eu precisava moderar!

Chávez e alguns dos atuais dirigentes latino-americanos têm uma visão política mais próxima do nacionalismo tradicional e do antiamericanismo do passado. Entretanto, a política externa americana, especialmente depois do 11 de Setembro, muito pouco tem feito, se é que fez, para impedir o ressurgimento de velhas ideologias na América Latina. O unilateralismo americano e a maneira como a guerra contra o Iraque foi conduzida reforçaram os temores da América Latina.

Não obstante, os dirigentes latino-americanos naturalmente são capazes de distinguir por si mesmos o que é certo e o que é errado. Quando Cuba empreendeu em 2003 uma campanha de repressão aos dissidentes, foi realmente a última gota para muitos de nós. Desde então, não tive mais contato com Fidel Castro. E desconfio seriamente que, quando ele finalmente morrer, o derradeiro resquício de sua ultrapassada filosofia também entrará para a história. Por livre e espontânea vontade, os cubanos com certeza seguirão o mesmo caminho que o resto do mundo, abrindo seu país para a democracia e o capitalismo, como já deveriam ter feito há anos.

Fidel Castro representa uma advertência para qualquer político, no sentido de não se agarrar ao poder quando seu momento tiver passado. Mas, embora eu não tivesse apetite para tentar me equiparar ao recorde castrista dos 40 anos, também achava que quatro anos na presidência não eram exatamente suficientes. Nossa moeda, o real, ainda era vulnerável, e eu não estivera no cargo por tempo suficiente para promover as profundas reformas estruturais que considerava necessárias para o país. Desse modo, à parte circunstâncias imprevistas — como, quem sabe, a explosão de um charuto —, decidi me candidatar a um segundo mandato.

Pela primeira vez na vida, a escolha do momento não poderia ter sido pior.

CAPÍTULO 11

O Efeito Samba

Um dos maiores desafios que enfrentei na presidência foi impedir que todo mundo entrasse em pânico. Não gosto de pânico.

Por isso, sempre tentei me agarrar a algo parecido com uma vida normal. Ao longo dos anos, cultivava com desvelo o mesmo círculo de amigos da época da universidade. Apreciava eventualmente uma rodada de pôquer; afinal, os diplomatas em geral sabem blefar muito bem. Sempre fui apaixonado por ópera e música clássica, e bem mais tarde na vida passei a gostar de bossa-nova. Continuava lendo com voracidade, mergulhando na mesma mistura de literatura e trabalhos acadêmicos que sempre me interessou. Voltava sempre que podia à casa de minha família em Ibiúna, no interior de São Paulo, tendo por perto vários velhos amigos.

Mais talvez que outros países, o Brasil precisava de mão forte. Em virtude do caráter inconstante de muitos presidentes anteriores, uma boa parte do meu trabalho consistia em restabelecer a confiança no próprio cargo. Eu precisava mostrar que não era nenhum Jânio, que o presidente do país era um homem sério e equilibrado. Alcançar a estabilidade no Brasil, portanto, não era apenas uma questão política, mas também pessoal, gostasse eu ou não. E naturalmente havia aí algo de teatral: não raro eu precisava ocultar meus sentimentos pessoais para projetar certa imagem.

Dito isso, parecer calmo muitas vezes exigia um desempenho digno de um mestre dos palcos.

Durante todo o meu governo, o Brasil se viu constantemente ameaçado por um misterioso surto de uma espécie de gripe financeira. Em todo o mundo, as economias dos mercados emergentes, como a nossa, entravam em colapso com uma virulência raramente vista antes. Ninguém entendia muito bem por quê; sabíamos apenas que, se um país caísse doente, seu governo e milhões de cidadãos certamente acabariam falidos. A coisa toda começou em 1994 com o México. Vieram em seguida a Tailândia e os países do Leste asiático. Depois, a Rússia. Todas essas crises consistiam numa terrível combinação de quebra da bolsa, suspensão do pagamento da dívida, desvalorização da moeda e demissões em massa, que deixavam a economia em ruínas. No momento em que eu me candidatava a um segundo mandato, muitos economistas previam em alto e bom som que a próxima vítima seria o Brasil.

No Brasil, eu tinha lá minhas dores de cabeça. Meu plano de reforma econômica estava empacado no Congresso. As primeiras acusações de corrupção contra meu governo começavam a pipocar nos jornais. Disputar um segundo mandato na presidência — mais uma vez contra Lula — oferecia sérios inconvenientes jurídicos e políticos. Também era crescente o temor de que o real, âncora financeira e principal símbolo do meu governo, estivesse se tornando instável.

Eu não tinha plenamente essa percepção na época, mas está claro hoje que todos aqueles desafios, no Brasil e no exterior, estavam profundamente interligados.

As sementes do chamado Efeito Samba foram lançadas em 1989, quando caiu o Muro de Berlim. A euforia que se seguiu ultrapassou as fronteiras da Alemanha e mesmo do antigo bloco oriental. Era como se todas as barreiras comerciais tivessem caído mundo afora de uma vez só. Terminada a Guerra Fria, e com o advento de novas tecnologias, os diferentes países se davam conta de repente de que podiam integrar suas economias como nunca antes — o fenômeno que veio a ficar conhecido como "globalização".

Esse novo mundo era como um grande clube no qual todos os países ansiavam por ser admitidos, com a irresistível possibilidade da prosperidade econômica por trás de portões dourados. Acordos comerciais, programas de ajuda externa e multinacionais com boas reservas de caixa estavam à espera de novos interessados. Entretanto, para serem admitidos nesse clube, muitos países precisavam primeiro recalibrar suas economias segundo o modelo dos "vencedores" da Guerra Fria, os Estados Unidos e a Europa Ocidental. A receita para isso não era nenhum segredo, envolvendo políticas hoje em dia amplamente aceitas em todo o mundo como da esfera do bom senso. Vale dizer: tarifas tinham de ser cortadas, certas empresas estatais, transferidas ao controle privado, e, acima de tudo, os direitos da propriedade privada precisavam ser respeitados. Quando fui eleito presidente, essa transformação já começara a ocorrer na maior parte do mundo, inclusive na América Latina e, especificamente, no Brasil.

Eu começava a me dar conta dessas mudanças na década de 1960 — meu livro sobre a teoria da dependência tratava dos primeiros sinais da globalização —, mas, com a queda do Muro, levando de roldão o comunismo como alternativa viável, essa transformação entrou em marcha acelerada. Em toda parte, muitos países se davam conta de que o único caminho para a prosperidade era alguma versão do capitalismo de livre-mercado. Manter a economia fechada podia ter sido uma boa ideia no passado, mas já não era possível. Até a China estava se abrindo. Em meados da década de 1990, só Cuba e a Coreia do Norte continuavam sustentando economias de fato fechadas — e isso porque os Estados Unidos não permitiam sua participação na economia global, e não porque fosse realmente sua vontade.

Minha tarefa, portanto, era promover uma reformulação em regra da economia brasileira, para que pudesse competir de maneira mais eficaz num mundo globalizado. Muitas dessas mesmas reformas também atendiam ao meu objetivo de criar uma sociedade menos injusta. O que não era mera coincidência. O capitalismo de livre-mercado se revelara o melhor sistema para a criação de uma sociedade mais rica, próspera e justa a longo prazo, desde que os governos fossem competentes e ativos. Uma economia mais saudável, paralelamente a políticas públicas mais eficazes e um sistema jurídico melhor também contribuiriam para combater o flagelo da criminalidade. Ao abrir nossa economia para os efeitos positivos da globalização, estaríamos simultaneamente descartando muitos dos privilégios de que há tanto tempo desfrutava uma minoria da elite brasileira. Essa ligação, infelizmente, também explicava a míope, feroz e egoísta resistência tantas vezes enfrentada pelas reformas.

A companhia telefônica estatal brasileira, Telebrás, era emblemática dessa luta. A Telebrás se revelara aflitivamente incapaz de atender às necessidades do Brasil num momento da história em que as comunicações eram de capital importância, em virtude da disseminação da internet e de uma indústria global de serviços. No dia em que tomei posse, o Brasil tinha apenas 8,4 telefones para cada grupo de 100 pessoas, ficando abaixo da média latino-americana (11) e a anos-luz de distância dos Estados Unidos (66). O que não se devia tanto à pobreza brasileira, mas à falta de recursos da própria Telebrás. Em certas regiões brasileiras de mais rápido crescimento, podia-se ficar dois anos numa lista de espera para conseguir a instalação de um telefone. No país todo, acreditava-se que cerca de 17 milhões de pessoas esperavam por uma linha telefônica. Com sua burocracia pesada e seus cofres vazios, a Telebrás simplesmente não estava em condições de atender à demanda.

Diante desse dilema, tínhamos duas alternativas. Ou bem o governo fornecia o capital necessário para novos investimentos, como se fizera no passado, ou então podíamos vender a Telebrás ao setor privado, possivelmente a uma empresa estrangeira.

Ante a dura realidade da época, não parecia haver muita escolha. O governo brasileiro tinha limitadas disponibilidades financeiras, o que, naturalmente, havia gerado o problema, para começo de conversa. Por outro lado, sabíamos que uma empresa privada independente teria condições de injetar novos recursos financeiros e técnicos. Os serviços melhorariam e um maior número de pessoas teria acesso aos telefones, à internet e outras necessidades básicas de uma sociedade moderna.

Envidei particular esforço no sentido de explicar à opinião pública por que a privatização era a alternativa capaz de beneficiar um maior número de brasileiros. Mas a perspectiva dessa mudança ameaçava uma ruidosa minoria que temia perder seus privilégios. Os empregados da Telebrás sabiam que se uma empresa privada assumisse o comando eles poderiam perder benefícios e possivelmente até o emprego, embora o aumento de emprego pós-privatização demonstrasse o engano dessa expectativa. Outros em posições igualmente privilegiadas — a saber, líderes sindicais e empregados de outras empresas estatais — entendiam que se a Telebrás fosse privatizada o seu *status quo* também estaria ameaçado. Desse modo, ao tomar o governo a decisão de ir em frente com a venda da nossa participação na Telebrás, em julho de 1998, foi um verdadeiro inferno.

Inicialmente, os sindicatos moveram centenas de ações judiciais para impedir a privatização. Como isso não funcionasse, políticos da oposição começaram a denunciar supostas irregularidades na venda. Lula acusou-me de me apressar a vender a Telebrás para usar o resultado da venda no financiamento da minha campanha para a reeleição — acusação afrontosa que me levou a processá-lo por calúnia e difamação. No dia 29 de julho, durante o leilão da Telebrás na bolsa de valores do Rio, milhares de manifestantes atirando pedras entraram em batalha campal com as forças policiais a poucos metros de distância dali. Cerca de uma dúzia de pessoas ficou ferida.

A venda da Telebrás rendeu ao governo 18,9 bilhões de dólares, na maior privatização da história da América Latina, pela venda do bloco de controle das ações, que correspondia a pouco mais de 20 por cento do total delas. O preço final foi muito maior que o esperado, apesar da nossa decisão de dividir a companhia em doze diferentes entidades jurídicas; eu me opunha a qualquer espécie de monopólio, fosse público ou privado. O preço apurado talvez fosse ainda maior se tivéssemos vendido a Telebrás como uma única empresa, mas nós queríamos fazer o possível para estimular a concorrência. Em última instância, os resultados falavam por si mesmos. No meu governo, o número de telefones para cada grupo de 100 pessoas saltou, no Brasil, de 8,4 para 30. O número total de telefones quase quadruplicou, chegando a cerca de 50 milhões de linhas. O número de telefones celulares pulou de 800.000 para 81 milhões em oito anos. O aperfeiçoamento daí resultante para a infraestrutura econômica brasileira gerou benefícios que iam muito além do preço de venda alcançado pela Telebrás no mercado aberto.*

Apesar dos evidentes benefícios, tivemos que enfrentar outras batalhas não menos épicas a cada reforma que o meu governo propunha. Muitas vezes a oposição não parecia partir apenas dos interesses específicos que mais teriam a perder, mas da sociedade como um todo. Meus adversários me acusavam de ser um "neoliberal", uma espécie de quase xingamento usado com tanta frequência na América Latina na década de 1990 que seu significado acabou se perdendo. Num sentido bem genérico, um neoliberal geralmente era alguém que pretendesse desmantelar o Estado para que o setor privado assumisse o controle de tudo. O que certamente não era minha intenção; na verdade, os gastos públicos aumentaram durante o meu governo. Eu também acreditava que certas empresas podiam mostrar-se eficientes nas mãos do Estado, desde que não fossem usadas como cabide de empregos; a estatal do petróleo, a Petrobras, e o Banco do Brasil eram exemplos de empresas estatais bem-administradas. Nem o Fundo Monetário Internacional (FMI) nem a maioria dos grupos de interesse da direita brasileira eram capazes de aceitar minha aparente recusa de seguir ao pé da letra a receita para as reformas de livre-mercado.

Eu já estava acostumado às críticas simultâneas da esquerda e da direita, e geralmente as considerava um sinal de que estava fazendo bem o meu trabalho. Mas na verdade os insultos e debates em torno da privatização faziam parte em geral de uma batalha de muito maior alcance contra a mudança, algo particularmente difícil de empreender no Brasil.

---

* O ministro das Comunicações, Sérgio Motta, desempenhou papel decisivo na privatização e em outros projetos de modernização.

Para entender os motivos, eu com frequência me voltava para um tema bem conhecido: o café. O Brasil era o maior produtor mundial de café; era em geral de excelente qualidade, com preços muito competitivos. Mas muitos estrangeiros raramente pediam especificamente café "tipo" brasileiro. Por exemplo, os americanos tendiam a achar que o café colombiano era melhor. Até o café da Guatemala ou do Quênia costumavam merecer um certo reconhecimento. À parte questões de patriotismo, eu arriscaria que o café brasileiro apresentava qualidade superior à do café produzido em qualquer desses outros países. Mas, quando um americano qualquer entrava numa loja da Starbucks nos Estados Unidos, dificilmente pediria um *blend* brasileiro de café, dando preferência aos outros tipos. Por quê?

Durante décadas, a economia brasileira se constituíra numa verdadeira fortaleza murada; as empresas podiam voltar-se quase exclusivamente para as vendas no mercado interno. Como a maioria das empresas brasileiras desfrutava de proteção tarifária diante da concorrência estrangeira, podia dispor basicamente de uma ampla e dinâmica clientela de consumidores exclusivos. As exportações em geral eram apenas uma possibilidade a mais. Mesmo no caso de um produto como o café, grande parte do qual era exportada, poucas empresas investiam muita energia em conceitos como marketing ou *branding*, especialmente no exterior. Não havia no Brasil um equivalente de Juan Valdez, o fazendeiro bigodudo que apregoa o café colombiano em jornais e anúncios de televisão do mundo inteiro, montado em seu fiel burrico. Criação da associação de plantadores de café da Colômbia, Juan estava na praça desde 1959. O café era apenas um exemplo de uma indústria em que a maior parte dos países gozava de uma gigantesca vantagem competitiva em relação a nós. No setor fabril e na indústria de serviços, a defasagem era ainda maior.

Recuperar o terreno perdido haveria de se revelar muito difícil, não apenas para o Brasil, mas também para muitos países da América Latina. Bem aqui ao lado, na Argentina, onde a transição de uma economia fechada para uma economia aberta foi particularmente abrupta — e malgerida —, o presidente Carlos Menem se referia a todo esse processo como uma "cirurgia sem anestesia". No Brasil, nos empenhamos em tornar a transição significativamente menos traumatizante, para não perder o paciente na mesa de operação. Mas certas duras realidades da globalização eram incontornáveis. A competição num ambiente globalizado significava que as possíveis recompensas do sucesso eram muito maiores. Mas também significava que muitas empresas fracassariam, como aliás muitas pessoas.

Basicamente, estávamos pedindo aos brasileiros que acreditassem. Se o país suportasse alguma dor, a curto prazo, as vantagens a longo prazo poderiam ser enormes. O que muita gente tinha dificuldade em aceitar. E eu entendia os motivos. Os governos brasileiros haviam feito promessas semelhantes no passado, fracassando espetacularmente. Isso deixou descrentes muitos brasileiros, que preferiam aferrar-se a um velho sistema econômico que, apesar de restritivo e em grande medida falido, pelo menos era conhecido. Muitos brasileiros simplesmente não confiavam no capitalismo. Tenho certeza de que meu pai, com sua aversão ao lucro e aos mercados financeiros, também se mostraria descrente das minhas reformas, se ainda estivesse vivo e não tivesse a capacidade de reformular suas propostas diante das transformações da realidade. O que, felizmente, ele tinha. Nós estávamos propondo muito mais que uma simples reforma isolada: promovíamos uma fundamental reformulação na relação entre as pessoas e o governo. Não era apenas a elite protegida e privilegiada que tinha tanto em jogo: era o país inteiro.

Foi essa resistência à mudança — tanto por parte dos interesses especiais quanto da sociedade como um todo — que nos deixou tão vulneráveis à onda de pânico financeiro que varreu o mundo na década de 1990. Se os investidores estrangeiros se dessem conta de que um país como o Brasil não fazia o necessário para modernizar sua economia, podiam dar as costas da noite para o dia. Era o lado problemático da globalização: se era possível que bilhões de dólares entrassem no Brasil, eles também podiam sair. Para atrair investimentos, um país como o nosso precisava permitir que o capital entrasse e saísse com a mesma facilidade. As consequências disso podiam ser vertiginosas. O dinheiro circulava pelo mundo como água num aquário. Se os investidores em Wall Street, na City londrina ou em algum outro lugar considerassem determinado país vulnerável, uma economia como a nossa podia ter o tapete puxado sob seus pés com assustadora velocidade.

Nós já tínhamos visto como esse pânico podia ser devastador — e aleatório. Quando o governo mexicano desvalorizou o peso, quatro anos antes, a economia do México entrou em colapso — mas os efeitos colaterais não pararam por aí. Pela primeira vez, investidores estrangeiros se davam mal num mercado emergente naquele inebriante momento que se seguiu ao fim da Guerra Fria. Em Wall Street, muitos se tinham apressado a investir em países como o México, ansiosos por tirar proveito das taxas de juros elevadas, acima de qualquer coisa oferecida nos Estados Unidos ou em qualquer outra economia desenvolvida. Mas agora esses mesmos investidores davam-se plenamente conta de que em tais países as taxas de juros tinham um motivo para ser tão elevadas: as jovens democracias e as economias que vinham de se abrir podiam representar um grande risco.

Esses investidores reagiram à crise mexicana retirando seu dinheiro não só do México, mas de todos os mercados emergentes. Da noite para o dia, bilhões de dólares saíram em desabalada carreira de países que absolutamente nada tinham a ver com os problemas do México. A milhares de quilômetros de distância, na Argentina, o sistema bancário quase entrou em colapso. Algumas marolas dessa crise também chegaram ao Brasil, embora a euforia resultante do advento do real nos mantivesse relativamente isolados. Outros países não tiveram a mesma sorte. Em todo o mundo, dinheiro era retirado de depósitos bancários, moedas de risco e títulos da dívida nacional. Esse padrão se reproduziu várias vezes na década de 1990, muitas vezes de forma inexplicável. Se Wall Street decidisse que determinado país enfrentava problemas, pouco se podia fazer para salvá-lo; era como se fosse uma profecia fadada a se confirmar. As crises dos mercados emergentes nessa época decorriam tanto da imaturidade e da especulação dos investidores estrangeiros quanto dos problemas intrínsecos a esses países.

O contágio aparentemente aleatório dos problemas mexicanos acabou ficando conhecido como "efeito tequila". O fenômeno voltaria a se manifestar quando a moeda tailandesa entrou em colapso — ficando os efeitos colaterais conhecidos, nesse caso, como "gripe asiática" — e mais uma vez quando a Rússia suspendeu o pagamento de sua dívida em agosto de 1998.

Mas, em vez de se voltar para os problemas da vodca, boa parte do mundo a essa altura já estava preocupada com o Efeito Samba.

* * *

Aonde quer que eu fosse, longe do Brasil, não havia como escapar ao constante rufar de tambores da crise. Numa viagem à Colômbia, visitei uma esplêndida igreja colonial em Cartagena com o presidente Ernesto Samper. Ele enfrentava enorme pressão dos Estados Unidos na chamada guerra às drogas, e depois de uma longa e pesada conversa fizemos uma pausa mais que necessária para visitar a igreja. Estávamos nos aproximando do altar quando recebi um telefonema de Brasília.

Era Pedro Malan, meu ministro da Fazenda. Para não provocar tumulto, desculpei-me com Samper e me escondi atrás do altar para atender ao telefonema. Malan disse-me que o real mais uma vez estava sendo atacado. Examinamos a hipótese de que eu voltasse imediatamente a Brasília, mas, olhando pelo canto do altar para ver se não havia jornalistas por perto, sussurrei a Malan que não queria dar a impressão de que estávamos em pânico.

Saindo do refúgio temporário, eu disse a Samper, de maneira algo inconvincente, que estava tudo bem. No dia seguinte, contudo, tive de deixar prematuramente uma reunião de cúpula ibero-americana na Venezuela, nas ilhas Margaridas, para cuidar do pânico financeiro em casa.

Não havia como negar que o Brasil estava em posição de vulnerabilidade. Nosso déficit orçamentário em 1998 chegou a um nível perigoso, equivalendo a 7 por cento do produto interno bruto; 3 por cento eram um patamar considerado saudável. Isso se devia em grande medida a resquícios do legado da inflação, que não se haviam resolvido completamente. O Plano Real representara apenas uma solução de curto prazo para o problema fundamental: o fato de o governo continuar gastando muito mais do que arrecadava. As reformas que poderiam remediar o déficit estavam empacadas no Congresso,

296

que era um microcosmo da ampla resistência à mudança que caracterizava o Brasil. Assim, para cobrir o déficit, éramos obrigados a contar com um constante influxo de capital estrangeiro. Para atrair fundos, dependíamos de taxas elevadas de juros e de uma moeda forte. Sabíamos que se a entrada de moeda estrangeira fosse suspensa os pilares de nossa economia — entre eles o real — poderiam entrar em colapso.

A luta de foice no escuro da vida política complicava ainda mais nossos esforços. A Constituição de 1988 estabelecia que os presidentes do Brasil podiam cumprir apenas um mandato. Como no resto do documento, os legisladores tinham em mente duas décadas de governo militar ao incluir essa cláusula; todas as medidas haviam sido tomadas para impedir o futuro advento de um governante autoritário. Apesar de que a revisão constitucional de 1993 reduzira o mandado presidencial de cinco para quatro anos, com uma reeleição, faltou tempo para votar o complemento: a reeleição. Embora não me agradasse em princípio a ideia de alterar a Constituição, eu também me dava conta das falhas do documento, ainda mais depois da falta da reeleição à emenda que reduzira o mandato. Decidi então que não haveria nenhum risco institucional em alinhar o sistema presidencialista brasileiro ao dos Estados Unidos e de tantos outros países. As pesquisas de opinião mostravam uma clara maioria de brasileiros desejosos de que eu voltasse a me candidatar. Infelizmente, já se revelava mais difícil convencer certos parlamentares. Embora o Congresso viesse afinal a aprovar a emenda da reeleição por folgada maioria — 80 por cento dos senadores votaram a favor e deputados, sendo que o quórum mínimo para alcançar os 3/5 necessários era de 308 parlamentares (foram 336 sim, 17 não e 6 abstenções) —, os efeitos colaterais continuariam reverberando por muito tempo.

Pouco depois de ser aprovada a emenda, fui acusado de subornar congressistas para garantir o resultado, embora os acusados de verdade houvessem sido quatro deputados do Acre, devidamente cassados, com o apoio do governo, depois de sumário processo legislativo. O que não fazia o menor sentido; à parte o fato de eu jamais ter me envolvido em atos de corrupção, o Congresso aprovara o projeto de lei por tão grande margem que não havia suborno que pudesse fazer alguma diferença. Essas alegações logo seriam agravadas por uma "descoberta" ainda mais absurda de documentos numa passagem subterrânea sob um viaduto em São Paulo. Esses papéis grosseiramente falsificados supostamente denunciavam a existência de uma conta bancária secreta no exterior tendo como titulares eu mesmo e três próceres do meu partido: José Serra, o ministro da Saúde; Mário Covas, governador de São Paulo; e Sérgio Motta, ministro das Comunicações. Os responsáveis pela falsificação seriam presos, algum tempo depois, nos Estados Unidos.

Em algumas oportunidades acabei ficando refém da minha própria política em relação às investigações sobre corrupção. Eu me recusava a interferir na ação da justiça, nem mesmo quando os investigados eram pessoas próximas de mim. Muitos brasileiros achavam que eu devia tomar a justiça nas próprias mãos e decidir quem era culpado ou não. Geralmente eu respondia que isso seria autocracia, e não democracia. De fato havia políticos corruptos no Brasil. Mas eu sabia que a única maneira adequada de lidar com eles era construir instituições reguladoras e jurídicas e permitir que agissem livremente. Essa convicção, que eu considerava fundamental para a construção da democracia no Brasil, também significava que mesmo as acusações mais infundadas podiam provocar enorme comoção.

Muitos brasileiros partiam do princípio de que, onde havia fumaça, havia fogo. Certos investidores estrangeiros, que a essa altura acompanhavam pelo microscópio cada movimento nosso, também entraram nessa. Com muita facilidade começavam a identificar aquele que seria mais um dirigente latino-americano corrupto. Essas acusações frívolas e sem fundamento nos empurravam ainda mais para a beira do precipício.

A eleição propriamente dita quase se transformou numa consideração secundária. Em sua maioria, os brasileiros apoiavam os avanços que até então havíamos alcançado, confiando em mim para a gestão dos problemas a serem ainda enfrentados. E deram um voto maciço a favor da continuação no caminho que tínhamos tomado. No dia 3 de outubro de 1998, fui eleito para mais quatro anos no cargo com 53 por cento dos votos, não havendo, portanto, necessidade de um segundo turno. Lula obteve 32 por cento.

O anticlímax daquela eleição e a tarefa que nos aguardava eram claramente estampados nos jornais da manhã seguinte. *O Globo* proclamava: "Reeleição com votação recorde fortalece Fernando Henrique para enfrentar a crise." *O Estado de S. Paulo* quase passava por cima da votação, afirmando: "FHC, reeleito, se prepara para defender o real." Não havia no Brasil grande interesse em analisar os aspectos positivos do meu governo até então, missão abraçada pelo semanário britânico *The Economist*: "O Sr. Cardoso chegou a ser acusado de não avançar com a necessária rapidez. E pode-se perfeitamente não entender por que, já que em apenas quatro anos, ele fez mais ou menos o que, na Grã-Bretanha, Margaret Thatcher — que não ficou conhecida propriamente por suas hesitações — fez em quase 12." Depois de arrolar uma longa lista dos problemas que devíamos enfrentar, a revista concluía: "Num mundo ideal, o Sr. Cardoso teria acabado com todos esses males com o toque de uma varinha de condão; no mundo real, lançou as bases de uma sociedade mais rica e, portanto, com o tempo, melhor."

Talvez, mas na época não servia de grande consolo.

* * *

O resultado da eleição deixou Lula furioso. Ao tomar conhecimento de que eu o derrotara por tão grande margem de votos, ele saiu do seu apartamento para enfrentar as câmeras de TV. "Fernando Henrique Cardoso é o carrasco da economia brasileira responsável por um dos maiores desastres econômicos da história do Brasil", declarou. "Acho quase incompreensível que as vítimas tenham votado no próprio carrasco."

Há quase cinco anos não nos falávamos pessoalmente. Nossa relação pessoal, que fora de tanta proximidade quando lutávamos juntos pela democracia nas décadas de 1970 e 1980, e quando meu partido o apoiou contra Collor em 1989, era agora de grande tensão. Em várias oportunidades eu tentara entrar em contato com ele, mas seu partido ridicularizava minhas solicitações. Agora, ele perdera para mim duas vezes e fora derrotado em três sucessivas eleições presidenciais. Ao longo da década anterior, Lula se destacara como a principal figura da oposição brasileira, bradando críticas contra tudo e contra todos — numa época em que os brasileiros com toda evidência davam valor ao surgimento de líderes construtivos. Propusera meu *impeachment* várias vezes sabe Deus por que motivos, e afirmava que eu estava acabando com o Brasil. Mas nada disso funcionara.

Na época, eu não admitia, mas muitas vezes me sentia particularmente magoado com as críticas de Lula. Não era a substância dos seus ataques que me incomodava; eu sabia que Lula não tinha nenhuma alternativa viável às políticas que adotava.

Na verdade, Lula representava para mim um segmento da população brasileira que até então eu não fora capaz de convencer. Anos antes, eu compartilhara algumas de suas convicções; por que então não haviam chegado às mesmas conclusões que eu? Às vezes eu ficava achando que essa oposição se devia à minha própria incapacidade de convencê-los no nível filosófico ou intelectual. Também sabia que Lula era um símbolo; se ele um dia pudesse ser convencido dos méritos de um moderno sistema de economia de mercado, eu de fato teria vencido a batalha ideológica num sentido mais amplo. Mas enquanto isso ficava frustrado com o fato de ele se agarrar tanto ao passado, como boa parte dos brasileiros.

Agora, Lula parecia cansado, vagamente consciente de que precisava mudar, mas sem saber muito bem como. Embora há muito ele fosse considerado uma parte incontornável do destino brasileiro, já agora parecia que talvez pudesse simplesmente desaparecer na história. Precisava repaginar-se ou desaparecer.

Cerca de dois meses depois da eleição, com a crise financeira no auge, eu recebi uma mensagem muito estranha. Um empresário em visita comentou que Lula gostaria de ter um encontro comigo, e me deu um número de telefone. Fiquei intrigado. Por que Lula não me procurava diretamente? Ele certamente sabia onde eu morava...

Presumi que ele queria ser discreto quanto à nossa aproximação. De modo que esperei até tarde certa noite e telefonei pessoalmente, da minha residência privada no palácio presidencial. Mas Lula é um homem que nunca está em casa, e por várias noites sucessivas não consegui encontrá-lo. Finalmente, quando já estava para desistir, consegui achá-lo.

— Seria uma boa ideia nos encontrarmos — disse Lula, parecendo meio desanimado.

Eu, naturalmente, concordei. Decidimos manter nosso encontro em segredo, para evitar um carnaval na mídia. Providenciamos sua vinda, acompanhado do governador de Brasília, Cristovam Buarque, que era do partido de Lula, mas também um homem relativamente moderado, além de velho amigo meu. Passaram-se várias semanas até que finalmente, certa noite, os dois apareceram. Lula e Cristovam foram escoltados por guardas até a biblioteca, e eu dei um grande abraço em Lula ao encontrá-lo.

Lula disse que nunca antes estivera no palácio presidencial.

— Talvez um dia esteja morando aqui — disse eu, com um sorriso.

Lula sorriu polidamente, baixou os olhos e assentiu.

Fiz então as honras da casa para ele e Cristovam. Caminhamos pelo andar principal do palácio, conversando cordialmente, e em seguida subimos para a parte residencial. Servi uísque para nós três e nos sentamos para conversar. A política se destacava pela ausência na conversa, de maneira quase desconfortável. Recordamos que Lula e família certa vez tinham usado minha casa de praia para passar as férias, na década de 1980. Minha família adora essa casa, muito isolada e rústica, mas a família de Lula se sentiu muito desconfortável, exatamente pelos mesmos motivos. Rimos um bocado por um bom tempo, falando disso e daquilo.

A certa altura, Lula levantou-se para ir ao banheiro. Quando saiu, Cristovam olhou para mim, perplexo.

— Quando foi sua última conversa frente a frente com Lula? — perguntou.

— Há muitos anos — respondi.

Cristovam deu um suspiro.

— Parece que foi ontem.

Quando Lula voltou, passamos a falar de coisas mais sérias.

— Lula — eu disse —, acho importante que nos mantenhamos em contato. O Brasil está numa situação muito difícil.

— Sim, muito difícil — fez Lula, falando devagar. — Muito ruim. Acho que estamos nos encaminhando para uma tremenda crise.

Ele o dizia com certa satisfação. Era algo sutil, mas eu podia ver o brilho romântico nos seus olhos quando dizia a palavra "crise". Algo naquilo me deixava exasperado, e eu me lembrava de toda a frustração daqueles quatro últimos anos. Inclinei-me para a frente na cadeira e o olhei fixamente.

— Lula, você não está levando em conta o fato de que o meu governo vai agir — disse, muito sério. — Tentaremos controlar a situação. Faremos tudo que estiver ao nosso alcance. Pode escrever.

— Mas vamos imaginar por um momento — prossegui — que fracassemos, e que venha a ocorrer uma tremenda crise. Que acontecerá então? No passado, você nunca foi socialista. Mas o Cristovam foi socialista — disse eu, com um gesto de cabeça na direção do governador — e eu também. Anos atrás, fomos ensinados a esperar que haveria uma tremenda crise, a irrupção de uma nova sociedade, um novo sistema político, com a chegada da classe operária ao poder. É o que eu sinto que você está esperando. Até hoje.

— Tudo isso ficou para trás, Lula. O Muro de Berlim caiu. E a União Soviética também. Não existe alternativa histórica hoje. De modo que, se houver uma crise no Brasil, só poderá vir depois o desastre. A crise será pura desgraça. Você ainda tem no seu partido intelectuais que pensam diferente, mas eles o estão conduzindo por um caminho desastroso. Se você está esperando que uma crise de verdade resolva os problemas do Brasil, está errado, Lula. Uma crise acabaria com você e comigo.

Lula protestou, dizendo que eu não me dispunha a ouvir suas ideias, e que ele só queria o que fosse melhor para o Brasil. Discutimos ainda mais um pouco, até que o avançado da hora nos separou.

Minha esperança era que a conversa naquela noite levasse a uma mudança em Lula, que ele trocasse sua retórica desagregadora por uma linguagem mais capaz de interessar ao país como um todo — e de lhe granjear sucesso nas urnas. Mas inicialmente nada pareceu ter mudado.

Alguns meses depois, finalmente vazou a informação sobre nosso encontro. Ao ser perguntado sobre a natureza da nossa conversa, Lula simplesmente sacudiu a cabeça e declarou: "Não adianta conversar com Fernando Henrique!"

* * *

Nessa época, eu falava regularmente ao telefone com o presidente Clinton. Numa dessas conversas, Clinton queixou-se de que o Partido Republicano conspirava contra ele, desesperado por sabotar seu governo a qualquer custo. Eu respondi que no Brasil meu problema não era tanto a oposição organizada, mas um grupo desorganizado de correligionários.

O apoio de Clinton fora providencial para convencer o Fundo Monetário Internacional a destinar ao Brasil um pacote de ajuda de 40 bilhões de dólares pouco depois da eleição. O dinheiro, que seria liberado em etapas, era uma tentativa de nos dotar de uma reserva extra de recursos para que pudéssemos continuar a nos financiar, não obstante o pânico que grassava nos mercados internacionais. O pacote foi concedido apesar das objeções de certos funcionários do FMI, que nunca ficavam satisfeitos com nosso empenho de corte de gastos, que eles consideravam pequeno. A ironia do fato de eu ser tão insistentemente tachado de neoliberal no Brasil estava em que meu programa de reformas muitas vezes não parecia suficientemente rápido para o FMI e o Banco Mundial. Em numerosas oportunidades tive de explicar que não era um ditador; que havia no Brasil um processo democrático que precisava ser respeitado; e que, se o nosso Congresso não aprovasse medidas de austeridade, eu, praticamente, ficaria com as mãos atadas.

Até certo ponto, a confusão do FMI era compreensível. No papel, os partidos da coalizão que dava sustentação ao meu governo desfrutavam de confortável maioria no Congresso. Mas aí é que residia o paradoxo do qual falei a Clinton: os partidos eram tão indisciplinados e sofriam pressões tão fortes que a linha divisória entre políticos de oposição e favoráveis ao governo muitas vezes era indistinta ou inexistente. Assim, quando o FMI condicionou o pacote de ajuda a futuros cortes de gastos somando bilhões de dólares, a serem aprovados pelo Congresso, enfrentamos um tremendo desafio. Se o Congresso não aprovasse, os empréstimos seriam negados. Desse modo, embora o pacote de ajuda representasse uma possibilidade de sairmos da crise, era também uma aposta; e ela fora de tal maneira elevada que, se fracassássemos, a queda seria ainda mais dura.

O início do fim veio no dia 2 de dezembro, quando a Câmara dos Deputados rejeitou um projeto de lei que nos permitiria economizar quase 5 bilhões de dólares, aumentando a contribuição previdenciária dos funcionários governamentais de salários altos. Com uma votação de 205 a 187, o Congresso basicamente torpedeou nosso acerto com o FMI. Mais uma vez os privilégios de alguns poucos brasileiros levavam a melhor sobre o bem comum. Entre os votos contrários estavam os de membros do partido de Lula e também da minha própria coalizão. A tragédia foi imediata. No dia seguinte, a bolsa de valores de São Paulo despencou quase 10 por cento. A votação no Congresso foi interpretada, corretamente, como um sinal de que o Brasil não se dispunha a tomar o remédio amargo da austeridade fiscal. Até a bolsa de valores de Nova York caiu mais de 2 por cento, com os novos motivos de preocupação de que o Brasil acabaria implodindo, arrastando consigo a economia mundial.

A partir de então, não pudemos mais convencer ninguém em Wall Street de que o Brasil estava seriamente comprometido com a solução de seus problemas. Não havia reservas estrangeiras, dinheiro do FMI, declarações de apoio de países ricos, nada, absolutamente, que pudesse conter o pânico. Para agravar as coisas, certos funcionários inconformados do FMI, acreditando que tínhamos passado por cima deles ao negociar o pacote de ajuda, começaram a espalhar no mercado o boato de que o Brasil estava à beira do colapso.

Cada uma das crises que varreram o mundo na década de 1990 assumia uma forma diferente. Embora as causas fundamentais muitas vezes fossem as mesmas, os sintomas variavam de um paciente a outro. Em certos países, como a Rússia, a derrocada assumia a forma de inadimplência. No Brasil, há anos estava claro que, se viéssemos a cair, seria em virtude de uma crise monetária, uma desvalorização do real.

Durante anos tínhamos resistido à desvalorização do real, não obstante as intensas pressões. Não havia como negar que a moeda com o tempo se tornara supervalorizada, esforçando-se o Banco Central por sustentar um valor próximo ao do dólar americano. Retrospectivamente, dou-me conta de que teria sido melhor promover uma desvalorização controlada da moeda num período de relativa calma; o problema era que, com as constantes investidas das crises externas, a calma na realidade estava em falta. Parecia haver um permanente clima de pânico, mesmo quando o Brasil fazia tudo certo. Nas circunstâncias que prevaleciam no fim de 1998, minha equipe econômica e eu temíamos que, se se permitisse que o real de uma hora para outra passasse a ser cotado ao efetivo valor de mercado — tornando-se uma "moeda flutuante", no jargão econômico —, a transição seria tão abrupta e violenta que muitos brasileiros entrariam em pânico. Perderiam a confiança no real, e o velho bicho-papão brasileiro — a inflação — voltaria com toda força. Assim, antes de desvalorizar a moeda, continuávamos esperando a volta de uma aparência de calma, pelo menos. Mas não aconteceu.

Tendo o Congresso impedido a reforma das contribuições previdenciárias, muitos acreditavam que era apenas uma questão de tempo até que o real entrasse em caótico colapso. Se não agíssemos, o mercado o faria por nós. Desde agosto, o Banco Central gastara 30 bilhões de dólares de suas reservas para sustentar a cotação da moeda, enquanto investidores, brasileiros e estrangeiros, compravam dólares para se proteger de algo que consideravam inevitável. No total, mais de 50 bilhões de dólares tinham deixado o país. Aquele ritmo não podia continuar, nem mesmo com a ajuda do FMI. Tínhamo-nos tornado um alvo privilegiado dos especuladores, perdendo a confiança da maioria dos brasileiros.

Na época, eu não achei nada divertido, mas certamente havia alguma ironia no fato de o golpe de graça no real ter sido um ato de sabotagem desferido por um de seus criadores. Itamar Franco, o ex-presidente que me havia nomeado ministro da Fazenda em 1993, voltara à política, como governador eleito do estado de Minas Gerais. Itamar sempre fora imprevisível; e agora que não precisava mais se preocupar com o destino do país como presidente mostrava-se ainda mais. Na noite de 4 de janeiro de 1999, Itamar foi à televisão em cadeia nacional para anunciar o impensável: Minas Gerais estava falido e portanto suspenderia o pagamento da dívida de 13,5 bilhões de dólares que tinha com o governo federal.

— Se eu tomo 100 reais emprestados na casa de penhores, estou em dívida com ela — explicou Itamar. — Mas se meu filho fica doente, usarei os 100 reais para atendê-lo e direi à casa de penhores: "Não tenho seu dinheiro no momento, de modo que terá de esperar um pouco."

A analogia, claro, era absurda. Nós acabávamos de negociar um acordo mais que generoso para que os estados se capitalizassem, a taxas até 10 por cento mais baixas que a paga pelo governo federal. O problema era a mesma velha falta de disciplina que persistia desde os tempos da inflação descontrolada no Brasil. Durante décadas, as dívidas dos estados tinham sido financiadas pela emissão de dinheiro, e agora, eliminada essa possibilidade, os estados não se tinham submetido aos mesmos controles orçamentários rigorosos (ainda que insuficientes) que o governo federal. Se havia alguém que devia entender isso era Itamar. Em 1999, nada menos que 77 por cento do orçamento do estado de Minas Gerais era usado para pagar os salários dos funcionários do governo. Eram mais uma vez os mesmos vergonhosos e arraigados interesses especiais levantando a cabeça.

Infelizmente, Itamar não estava sozinho. Sua iniciativa estimulou outros governadores a aderir à revolta, seduzidos pela possibilidade de passar a borracha em sua própria incompetência fiscal e botar a culpa em mim. Seguindo seu exemplo, seis governadores da oposição emitiram, juntos, um comunicado de imprensa denunciando minhas políticas econômicas "cruéis e injustas", exigindo uma renegociação de suas dívidas.

— Se eu tiver de escolher entre pagar salários e pagar a dívida do estado, pagarei os salários! — exclamou Anthony Garotinho, governador do Rio de Janeiro.

— Não queremos migalhas! — exclamou Olívio Dutra, governador do Rio Grande do Sul.

Em Minas Gerais, o secretário de Fazenda deu sua contribuição:

— Nada mais resta a Minas, talvez apenas este palácio.

Como ninguém podia roubar-lhe o espetáculo, Itamar não parou por aí. Cercou seu palácio de tropas de elite da Polícia Militar do estado e mandou que usassem uniforme de combate e até máscaras, falando da necessidade de "defender Minas" de um iminente ataque federal. Era como se tivesse viajado no tempo, de volta à época das revoltas regionais do Brasil novecentista.

Como se poderia esperar, os mercados financeiros internacionais ensandeceram completamente. O dinheiro começou a sair do Brasil ao ritmo de cerca de 1 bilhão de dólares por dia. O receio de que o governo federal tivesse de pagar a conta de Minas Gerais, com isso comprometendo nossas finanças, por sua vez igualmente dúbias, levou a uma gigantesca liquidação de moeda e títulos brasileiros em escala mundial. Na confusão, ninguém se lembrou de que era tecnicamente impossível que um estado se declarasse inadimplente; o governo federal podia simplesmente suspender as transferências de impostos, e a balança se equilibraria. Mas àquela altura o pânico já era tão intenso que ninguém mais ouvia a voz da razão.

Durante toda a crise, Itamar manteve uma atitude de esplêndida ausência de arrependimento.

— Estou preocupado mesmo é com minhas ações em Tóquio, Hong Kong e Nova York — disse, sarcástico.

No dia 13 de janeiro de 1999, anunciamos o alargamento da estreita faixa de cotação do real, na prática permitindo sua desvalorização. Nesse dia, a moeda perdeu 8 por cento do valor, desvalorização maior que a de todo o ano de 1998. A bolsa despencou 10 por cento, e quase 2 bilhões de dólares deixaram o país. Os preços dos títulos brasileiros caíram tanto que as transações foram suspensas em todo o mundo. No dia 15 de janeiro, abandonamos completamente a banda cambial.

O real, o maior símbolo do meu governo, âncora da nossa economia, era entregue à própria sorte. O Brasil inteiro prendeu a respiração.

* * *

Seguiu-se a depressão, mas não do tipo esperado pela maioria das pessoas.

No início, as coisas pareciam desoladoras. Entre meados de janeiro e o início de março, o real perdeu quase dois terços do valor.* Pessimistas, os economistas previam que a economia

---

* "Antes da mudança cambial, a taxa era de R$/US$ 1,21. No dia 14 de janeiro, estava no teto da banda: R$/US$ 1,32. No final de janeiro, atingiu R$/US$ 1,985 e no início de março — auge da desvalorização — chegou a R$/US$ 2,16. (...) No último dia de janeiro, diante do sério risco de perder o controle do processo inflacionário, com conflitos internos na equipe econômica e em meio a desavenças entre o presidente do Banco Central e a missão do FMI, o presidente da República demitiu o presidente do Banco Central, nomeando Armínio Fraga como substituto (...) que só foi efetivado no cargo em março. (...) Algumas semanas depois, com a economia em processo de normalização, o dólar voltaria a cair até 1,65." (AVERBUG, A., GIAMBIAGI, F. *A crise brasileira de 1998/1999 — origens e conseqüências*. Textos para Discussão 77, Convênio BNDES/PNUD, Rio de Janeiro, maio 2000, p. 17-18.)

brasileira entraria numa espiral de recessão, e que o produto nacional bruto diminuiria até 6 por cento. A inflação chegaria a 90 por cento, acreditavam. Entretanto, para surpresa quase geral, tanto a moeda quanto a economia rapidamente se recuperaram. Nosso PIB acabou na verdade se expandindo em 1999, ainda que apenas 0,81 por cento. Nosso maior temor — o de que a inflação descontrolada voltasse a rondar o Brasil — tampouco se materializou. Os preços aumentaram apenas 8,9 por cento em 1999; não era uma maravilha, mas tampouco podia ser considerado uma catástrofe.

No início de abril, recebi um telefonema do número dois do FMI, Stanley Fischer, dizendo:

— Parabéns, Sr. Presidente, pela vitória. A inflação está diminuindo, e a economia logo entrará em recuperação.

Não estou muito certo de que tivesse realmente havido uma "vitória": a crise arruinou muita gente, pelo menos a curto prazo. Mas não deixava de haver certo alívio no fato de que as reformas efetivadas, aquelas que não foram bloqueadas no Congresso, nos ajudaram a impedir um desastre muito maior. As indústrias nacionais tinham-se tornado mais eficientes ao adotar uma infraestrutura moderna, graças à moeda forte e à queda das tarifas. Uma inflação ainda mais pronunciada tinha sido evitada em parte porque o Plano Real acabara com a indexação da economia. Também aprovamos novas medidas para enfrentar a crise, como certas isenções de impostos para empresas que criassem novos empregos.

O legado mais duradouro da crise não podia ser medido com a mesma facilidade que a inflação. Mas provavelmente não era menos danoso. Em todo o país, prevalecia a deprimente sensação de que o Brasil fizera tudo certo nos últimos anos e ainda assim só podia mostrar como resultado uma crise atrás da outra. Era uma impressão equivocada em ambos os sentidos: não tínhamos promovido todas as reformas necessárias, e de fato houvera substancial progresso. Mas era um pobre consolo, e as pessoas não queriam ouvir falar. Ainda em 2000, um jornalista estrangeiro em visita ao Brasil falava de um "clima de depressão estranhamente persistente" que continuava a rondar o país.

Eu às vezes também me sentia assim. Apenas durante dois anos do meu governo o Brasil não passou por algum tipo de crise financeira. Em parte eu detestava ter de lidar com tais questões; teria preferido herdar uma economia estável num período de tranquilidade global. Mas era precisamente esta a questão: eu não tinha herdado nenhuma das duas coisas. A transformação sofrida pelo Brasil durante o meu governo era absolutamente necessária para o bem-estar do país a longo prazo. Muitos dos obstáculos no caminho eram o resultado inevitável de uma economia global ainda imatura, em rápido processo de mudança. Certas coisas eram culpa do Congresso, e o resto, responsabilidade minha.

Ainda assim, poderia ter sido muito pior. A Argentina vinha percorrendo praticamente o mesmo caminho de modernização que o Brasil, e com muito mais alarde. Adotara as recomendações do FMI com muito mais ardor, e costumava ser apresentada mundialmente como aluno-modelo das reformas de livre-mercado. Como o Brasil, a Argentina entrou em recessão em 1998, depois que a Rússia suspendeu os pagamentos da dívida, mas ficou nada menos que quatro anos sem se recuperar. Nesse período, a economia da Argentina encolheu um quinto, o desemprego disparou para quase 30 por cento e as poupanças foram confiscadas pelo governo. Cerca de 6 milhões de argentinos mergulharam na pobreza, e o país até hoje ainda não se recuperou totalmente. Também a Venezuela, o Paraguai e o Uruguai seriam sacudidos por crises nos anos subsequentes, ainda que de modo mais brando.

Apesar de todas as crises, geradas dentro de casa ou não, a economia brasileira apresentou durante minha presidência taxa de crescimento médio anual de 2,7 por cento do PIB. Pode não ter sido espetacular, mas no mínimo havia estabilidade. Sob certos aspectos, não deixava de ser digno de nota.

CAPÍTULO 12

O país do futuro

Durante uma visita ao Brasil, o papa João Paulo II fez um sermão admirável sobre a situação das populações indígenas do nosso país. Milhares de brasileiros agitavam bandeirolas enquanto o papa falava ardorosamente da necessidade de destinar terras aos índios, "para que possam viver sua cultura com dignidade".

No dia seguinte, o papa me concedeu uma audiência particular no antigo palácio presidencial do Rio. Sentamo-nos lado a lado, cercados por minha família. Ele me olhava com seu sorriso bondoso e sereno. Lembro-me de que tremia um pouco, já então. Disse-lhe em dado momento:

— Vossa Santidade fez um sermão maravilhoso. Os problemas dos indígenas no Brasil estão profundamente enraizados em nossa sociedade, e estamos fazendo todo o possível para mudar essa situação. Entretanto — acrescentei, aproximando-me mais —, o legado da escravidão e a luta dos negros não são menos importantes em nossa história.

Estendendo o braço, coloquei-o ao lado do seu. O contraste da cor da pele era evidente.

— Como pode ver, quase todos nós no Brasil temos algum sangue africano ou indígena. O que, no entanto, não tem impedido a existência de discriminação. A discriminação contra os negros, tanto social quanto econômica, é um dos maiores problemas que enfrentamos.

Como presidente do país, eu estava em posição privilegiada para enfrentar as injustiças da história brasileira, entre elas as lutas que tanto me haviam apaixonado na juventude. Desde a época em que trabalhava como professor assistente, poucas questões tinham me interessado tanto quanto a condição dos negros no Brasil.

A pobreza tem uma cara diferente em cada país. Nas ruas de Moscou, podemos ver de que maneira o legado do comunismo e a derrocada da União Soviética determinaram o modo de vida dos pobres. Na Índia, os efeitos remanescentes do sistema de castas são perfeitamente claros. No Brasil, enquanto isso, não resta dúvida de que a natureza da pobreza é ainda hoje definida pela escravidão.

A pobreza no Brasil tem um peculiar caráter de isolamento. O próprio conceito de favela sugere uma divisão estanque: entre ricos e pobres, entre negros e brancos, entre os que têm peso na sociedade e os que não têm. Nas grandes cidades brasileiras, há muitos sem-teto dormindo em passagens subterrâneas ou em praças públicas; em outras regiões da América Latina, mesmo em países mais pobres que o Brasil, os desvalidos pelo menos têm um lugar para dormir. Percorrendo as ruas de São Paulo, posso ver o legado de um problema multissecular que nunca chegou a ser realmente resolvido. A sociedade brasileira nunca fez o necessário para integrar as populações outrora subjugadas, ou seus descendentes.

Quando assumi a presidência, a maioria dos brasileiros pelo menos deixara de propagar o velho mito da democracia racial. Mas o país em grande medida não tomara consciência ainda da magnitude da divisão entre negros e brancos. Meu governo promoveu em 1999 um levantamento sobre raças que até a mim deixou chocado. Embora representassem 45 por cento da população, os negros constituíam 64 por cento dos habitantes abaixo da linha de pobreza. Um brasileiro branco de 25 anos de idade tinha em média 8,4 anos de escolarização, enquanto um brasileiro negro de igual idade tinha apenas 6,1. O índice de analfabetismo entre os brancos com mais de 15 anos era de 8 por cento, e de 20 por cento entre os negros.

Por outro lado, os negros praticamente nunca eram encontrados na elite política, econômica e de comunicações do país. Nos anúncios classificados de busca de emprego nos jornais, sabia-se que a expressão "boa aparência" significava que os negros nem precisavam se apresentar. Em 2003, apenas 9 dos 513 deputados no Congresso se consideravam negros. Quando assumi a presidência, a ausência de pessoas de cor talvez fosse notada, sobretudo no Itamaraty. Um único brasileiro negro tinha chefiado uma missão diplomática no exterior: em Gana, e se tratava de um jornalista, e não de um diplomata de carreira. Nós continuávamos apresentando o Brasil no exterior como um país branco; mas não é, nem nunca foi.

Não havia pedido de desculpas ou prestidigitação governamental que pudesse reparar completamente os pecados do passado. Mas eu não demorei a me dar conta de que um sistema largamente semelhante aos programas de ação afirmativa dos Estados Unidos podia surtir efeito no Brasil. A decisão de adotá-lo sobreveio quando meu governo já ia bem adiantado; durante muito tempo, eu não estivera convencido de que ele pudesse obter apoio político. A simples ideia da adoção de cotas raciais sempre fora motivo de escândalo no Brasil, em parte porque a sociedade se recusava a admitir a existência do problema. Em 2001, contudo, isso estava mudando. Um estudo sobre o racismo no Brasil foi encomendado antes da Conferência Mundial sobre o Racismo, a se realizar em Durban em setembro daquele ano. Um estudo posterior indicava que as cotas não violariam a Constituição brasileira. Decidimos então ir em frente com uma eclética combinação de políticas de ação afirmativa.

Havia alguns problemas de implementação que eram típicos do Brasil, destacando-se este: como definir quem era negro? As raças de tal maneira se tinham miscigenado ao longo dos anos que muitas vezes a identidade racial era extremamente subjetiva. Decidimos encarar a questão da seguinte maneira: cada um haveria de declarar a própria raça. Se alguém se declarasse negro, haveria de sê-lo aos olhos do governo.

Organismos governamentais de todos os níveis começaram a anunciar uma ampla variedade de políticas de ação afirmativa. O Ministério da Agricultura, por exemplo, lançou um programa estabelecendo cota de 20 por cento para funcionários negros e também em empresas que viessem a assinar contratos oficiais. O Ministério da Justiça estabeleceu cotas semelhantes para negros (20 por cento), mulheres (20 por cento) e portadores de deficiência (5 por cento). O princípio geral também passou a prevalecer no governo com a decisão de optar sempre por um candidato negro nos casos em que, apresentando-se duas pessoas de igual qualificação para determinado cargo, uma delas fosse negra.

Tentamos conceber um sistema mais eficaz e criativo que a mera aplicação de cotas. Por exemplo, no caso do Ministério das Relações Exteriores, decidimos oferecer 20 bolsas de estudo para pessoas negras num programa de treinamento para o corpo diplomático, e os que tivessem êxito teriam a oportunidade de entrar para o serviço no exterior. Com isso, tentávamos evitar o problema por vezes constatado em universidades norte-americanas que aplicam apenas um estrito sistema de cotas: estudantes negros são admitidos, mas não concluem os estudos por não estarem preparados. Outras instituições também tiveram liberdade de enfrentar a questão como melhor lhes aprouvesse. Minha antiga universidade, a Universidade de São Paulo, recusou-se a aceitar um sistema de cotas. Mas criou 5.000 vagas em cursos preparatórios para alunos pobres se candidatarem à universidade.

Eu considerava essa uma solução adequada. Já se prolongava demais no Brasil aquela equiparação de negro a pobre. Eu esperava que essas políticas, juntamente com outras mais globalmente voltadas para o combate à pobreza, levariam um dia essa ligação quase automática a entrar para a história.

* * *

Em 1995, eu pedi desculpas em nome do governo brasileiro pelas atrocidades cometidas durante a ditadura militar de 1964-1985. Foram indenizadas as famílias dos mortos, assim como vítimas que sobreviveram. Embora o gesto jamais pudesse reparar a campanha de terror de Estado, há muito era devido e foi muito bem recebido pela sociedade, como uma forma de contribuir para a cura das feridas de uma época de divisões.

Tratava-se de uma questão de profundo impacto emocional para mim, trazendo de volta as lembranças do exílio e da luta pela democracia. Uma mulher pediu que eu escrevesse uma carta atestando que seu falecido marido dera aulas de português aos meus filhos no Chile, para que pudesse receber a indenização. A mulher de Rubens Paiva, assassinado pelo regime, veio ao meu gabinete para a assinatura do decreto que criava um mecanismo de reparação das vítimas da violência de Estado. Foi publicada nos jornais uma bela mas triste foto do abraço que o chefe do meu Gabinete Militar, general Alberto Cardoso, lhe deu.

As feridas daquela época talvez nunca se fechem completamente. Mas muita coisa mudou. Hoje os militares constituem um elemento responsável e moderno da sociedade, respeitando nossa democracia. A sociedade jamais toleraria uma nova ditadura. O Brasil aprendeu com seus erros. É o melhor legado possível daqueles tempos terríveis.

* * *

De todas as intenções equivocadas de que o Brasil deu mostra ao longo dos anos, poucas poderiam competir com nossas tentativas de concretizar um sonho de proeminência internacional.

"Nosso destino é de grandeza", proclamava Juscelino Kubitschek, numa fórmula que ficou famosa nos ambiciosos anos 1950. Getúlio Vargas afirmou: "Caminhamos para um futuro diferente de tudo que conhecemos." No momento em que o governo de Fernando Collor era acusado de roubar milhões, ele lançava a audaciosa previsão de que o Brasil "logo entraria para o Primeiro Mundo". E provavelmente não será surpresa que os comentários mais delirantes a respeito tenham partido de Jânio Quadros. "Esta é a terra de Canaã, ilimitada e fecunda", declarou ele certa vez, acrescentando: "Dentro de cinco anos, o Brasil será uma grande potência." Isso foi em 1961.

Era bom sonhar alto. Eu sempre achei que a sede de grandeza do Brasil refletia uma profunda crença no progresso que poderia, se aproveitada, representar uma força modernizadora tremendamente positiva. Mas o fato é que, retrospectivamente, tais declarações sempre acabavam parecendo pretensiosas.

Para não me juntar a esse panteão de tagarelas, decidi aplicar tranquila e discretamente políticas capazes de mudar a maneira como o mundo nos encarava. O Brasil era muito mais que o país do futebol, do café e da garota de Ipanema. Os governos estrangeiros em geral sabiam disso, mas nem sempre estavam familiarizados com o novo Brasil: uma democracia em rápido processo de amadurecimento, uma economia em expansão, ainda que algo volátil, e uma potência em crescimento no cenário do comércio internacional. Naturalmente, a melhor maneira de mudar percepções antiquadas era que nós mesmos cuidássemos das nossas questões em casa. Mas nosso esforço interno podia ser complementado por uma política externa responsável e ativa.

A diplomacia brasileira é altamente profissionalizada e do mais alto padrão, de modo que boa parte desse trabalho foi efetuada por canais diplomáticos formais. Mas eu também achava que talvez fosse igualmente importante cultivar um bom relacionamento pessoal com destacados líderes mundiais, tanto dos países ricos quanto dos pobres. Era de fato espantoso o número de questões de política externa que podia ser resolvido tomando um café ou dando um telefonema.

Durante meu governo, os Estados Unidos consolidaram sua posição de única superpotência mundial. Assim, era perfeitamente lógico que boa parte de nossa política externa estivesse voltada para as relações com os Estados Unidos. E foi assim que eu tive o grande prazer de conhecer Bill Clinton.

Eu senti uma boa ligação com Clinton já no primeiro encontro que tivemos. Nós nos encontramos em Miami em dezembro de 1994, antes de eu assumir a presidência depois de eleito. Era uma reunião de chefes de Estado das Américas, e certa noite todos nós fizemos um espetacular cruzeiro de barco ao largo do litoral de Miami. Clinton circulava pelo convés alegremente, ansioso por falar com todo mundo, como de hábito. Mas havia a considerável barreira da língua; vários dos dirigentes presentes tinham um inglês apenas rudimentar. Eu era um dos poucos capazes de sustentar realmente uma conversa com ele, embora tampouco seja totalmente fluente. Naquela noite, passamos um bom tempo debruçados na amurada da lancha, contemplando os arranha-céus ao longe e conversando da maneira mais informal sobre o Brasil e questões de política internacional. Desde então, Clinton sempre me chama apenas de "Henrique" — suponho que seja mais fácil para ele do que pronunciar meu nome inteiro.

Nosso encontro seguinte foi muito mais formal — pelo menos inicialmente. Pouco depois de assumir a presidência, fiz uma visita de Estado a Washington. É diferente de uma visita oficial normal, comportando um protocolo especial e envolvendo um enorme aparato de etiqueta: hinos nacionais, içamento de bandeiras e troca de presentes. Alguns desses eventos podem ser bem tediosos, e geralmente se arrastam por horas.

Quando finalmente terminaram todas as formalidades, nossos assessores desapareceram, e éramos apenas Clinton e eu sentados em seu gabinete na Casa Branca. Ele cruzou as mãos, inclinou-se e perguntou:

— Depois de tudo isso, você provavelmente precisa ir ao banheiro, certo?

Tendo aceitado sua oferta, eu voltei e nós entramos no assunto.

— Que posso fazer por você e pelo Brasil? — perguntou ele com um sorriso.

Uma pergunta de elegante simplicidade, difícil de responder. A relação do Brasil com os Estados Unidos sempre se caracterizara por extremos altos e baixos. No último meio século, os Estados Unidos com muita frequência tinham tratado o Brasil como apenas mais um anônimo pião no jogo de poder global da Guerra Fria. Quando Ronald Reagan visitou nossa capital na década de 1980 e se declarou "muito feliz por estar na Bolívia", nossos piores temores pareciam confirmados. Nada indispunha mais a sensibilidade brasileira do que o fato de não ser o país devidamente reconhecido pelo gigante maior e mais rico do hemisfério.

O Brasil certamente também tinha cometido seus pecados nessa relação. Até a década de 1980, e especialmente durante o regime militar, o Brasil tendia a ver o mundo em geral como uma ameaça, e não como uma oportunidade. O que era um reflexo da nossa mentalidade defensiva e isolacionista em períodos conturbados. O governo erguia barreiras ao comércio e aos investimentos estrangeiros, construindo uma espécie de muralha ao redor do país. Boa parte dessa desconfiança se voltava para os Estados Unidos, que, sejamos justos, não se eximiram de interferências indébitas em nossa política. O entusiástico apoio de Washington ao golpe de 1964 deixara um ressaibo amargo na boca de toda uma geração de dirigentes democráticos. O resultado disso foi uma relação disfuncional entre dois países que deviam ser amigos — que queriam ser amigos, sem dúvida, mas não sabiam como começar.

Foi o que eu expliquei a Clinton, manifestando meu desejo de romper com o passado e explorar uma nova relação com os Estados Unidos. Disse-lhe que o Brasil continuaria a defender seus interesses, mas que precisávamos superar nossa história recíproca de tocaias e picuinhas, evoluindo para algo mais substancial e adequado ao novo papel dos Estados Unidos como única superpotência mundial, assim como ao nosso papel de grande país emergente após o fim da Guerra Fria.

Clinton concordou entusiasticamente:

— Farei o que estiver ao meu alcance — prometeu — para ajudar o Brasil a concretizar suas grandes expectativas.

Nos anos subsequentes, ele cumpriria a palavra. Fez várias visitas ao Brasil, uma delas como presidente e outras depois de deixar a Casa Branca, e nos ajudou a projetar um perfil de maior destaque no cenário internacional. Ruth e eu fomos uma vez convidados a passar o fim de semana em Camp David, o que não é habitual no caso de um dirigente brasileiro. O envolvimento de Clinton foi importante para a aprovação dos pacotes multilaterais que ajudavam a escorar nossa economia em momentos difíceis. Ele se mostrava invariavelmente sensível a minhas necessidades nos momentos decisivos; por exemplo, em minha campanha para a reeleição em 1998, perguntou se o seu apoio ajudaria ou atrapalharia. Eu lhe disse que certamente me ajudaria, mas que apreciava a sensibilidade demonstrada na pergunta. A atenção aos detalhes, a paixão pela formulação de políticas e a extraordinária habilidade pessoal faziam de Clinton, sem sombra de dúvida, a mais impressionante e versátil figura de político que eu conhecera.

Clinton e eu tínhamos lá nossas discordâncias, naturalmente, na formulação de políticas. O comércio era uma questão particularmente controvertida. Ele também nos exortava a assumir algum envolvimento na situação colombiana; eu respondia que isso violaria nossos princípios de autodeterminação nacional, polidamente declinando. Tampouco estávamos sempre de acordo a respeito de Cuba. A produção de remédios genéricos contra a aids no Brasil gerou um impasse. Ao contrário do que acontecia no passado, todavia, essas divergências eram tratadas num clima de grande respeito mútuo.

Muitas vezes parecia que Clinton podia enfrentar mil questões ao mesmo tempo, ainda quando pessoalmente pressionado. Numa de suas viagens a Brasília, tivemos uma conversa particular na qual lhe falei da importância do Mercosul, o bloco comercial que tanto nos esforçáramos por construir com a Argentina, o Paraguai e o Uruguai. Sua secretária de Estado, Madeleine Albright, nos havia criticado publicamente pouco antes, dizendo que o Brasil devia voltar mais sua atenção para a Área de Livre Comércio das Américas, a Alca. Eu disse a Clinton que primeiro precisávamos avançar na integração do Mercosul, e só então nos sentiríamos preparados politicamente para outros acordos comerciais.

Clinton ouvia com grande interesse.

— Você acha que se eu fizer uma declaração nesse sentido na entrevista coletiva vou ajudá-lo?

— Naturalmente — respondi.

Saímos juntos então para o jardim do Palácio da Alvorada, onde éramos esperados por centenas de jornalistas, muitos dos Estados Unidos. Raramente as atenções da mídia internacional se haviam focalizado tanto no Brasil; era para nós uma tremenda oportunidade. Clinton não a desperdiçou, inequivocamente declarando que o Mercosul e a Alca não eram incompatíveis, e que aquele acabaria levando a esta. Fiquei impressionado, e imensamente agradecido.

Na mesma entrevista coletiva, a maioria das perguntas dizia respeito aos crescentes problemas legais de Clinton em Washington. Ao retornarmos à biblioteca do palácio, onde Ruth e Hillary nos aguardavam, Clinton sorriu e disse:

— Sabe, esses jornalistas têm um bom relacionamento comigo. Não é culpa deles. Estão apenas fazendo seu trabalho.

Clinton continuou visitando o Brasil depois de deixar a presidência. Numa dessas visitas, em junho de 2005, promovi um jantar em sua homenagem. A pedido de José Serra, prefeito de São Paulo desde janeiro desse ano, convidei Mara Gabrilli, secretária municipal encarregada de questões ligadas a pessoas portadoras de deficiência. Ela sofria de paralisia total em decorrência de um acidente, e queria falar com Clinton a respeito das pesquisas sobre células-tronco. Eu os apresentei, e os dois conversaram por nada menos que 20 minutos. Ele se ajoelhou ao lado de sua cadeira de rodas e ouviu tudo que ela tinha a dizer, respondendo com perfeito domínio de cada detalhe. Ele tem um jeito de fazer com que a pessoa com a qual conversa se sinta única no universo. Lembro-me de que fiquei absolutamente impressionado.

Minha amizade com Clinton prosperou mais ainda desde que deixamos o cargo. Ruth e Hillary tinham um relacionamento caloroso, o que não surpreende, considerando-se as semelhanças de personalidade e interesses. Continuamos a nos encontrar com bastante frequência, e colaboramos em numerosos projetos, como sua *Global Initiative* para diminuir a pobreza, a cujo primeiro encontro compareci em Nova York em setembro de 2005.

Tenho tido muito menos contatos com George W. Bush. Nossos governos coincidiram apenas por dois anos.

Depois de 11 de setembro de 2001, Bush parecia muito pouco preocupado com o nosso país. O Brasil imediatamente convocou uma reunião da Organização dos Estados Americanos para condenar os atentados em Washington e Nova York. Declaramos que um atentado contra um dos países-membros era um atentado contra todos nós. E o fizemos para manifestar nosso imediato apoio aos Estados Unidos. Depois da reunião, encontrei-me com Bush e um pequeno grupo de funcionários americanos, entre eles Condoleezza Rice, na época sua assessora de Segurança Nacional.

Bush comparecera recentemente a uma mesquita em Washington para hipotecar seu apoio à comunidade islâmica. Eu o cumprimentei pelo gesto.

— Não podemos confundir religião com terrorismo — comentei. — Nosso mundo é um mundo de diversidade. No

Brasil, temos 10 milhões de árabes, que são pacíficos em sua esmagadora maioria.

Bush assentiu.

— Parece que a população brasileira é de fato muito diversificada.

— Sim, somos realmente um *melting pot* — disse eu.

Falei-lhe então dos fluxos migratórios que o Brasil recebera da Itália, da Alemanha, da Ucrânia, do Japão e assim por diante.

— E também temos uma das maiores populações negras do mundo.

— Existem negros no Brasil? — perguntou Bush.

Nesse momento, Rice entrou na conversa.

— Mas é claro, Sr. Presidente — disse, e rapidamente mudamos de assunto.

Não me incomodava o fato de Bush saber tão pouco a respeito do Brasil. O que me chocava na realidade era que ele só quisesse falar de energia na Venezuela, e especialmente saber quem era amigo do governo venezuelano e quem não era. Fiquei decepcionado ao ver que um homem que tanto enfatizara em sua campanha de 2000 a melhora das relações regionais — "Aqueles que ignoram a América Latina não entendem realmente a própria América", dizia ele — acabasse se mostrando interessado basicamente em apenas um aspecto: energia. Entendo perfeitamente que o foco da política externa americana tenha mudado definitivamente depois do 11 de setembro, o que no entanto não dava aos Estados Unidos carta branca para voltar as costas para o resto do mundo. Eu sempre disse, só em parte brincando, que todas as pessoas do mundo deviam ter direito de votar para presidente dos EUA, pois em última instância ele sempre acaba afetando a vida de todos nós.

Em abril de 2001, um avião espião americano fez pouso de emergência na China. O aparelho tinha colidido com um caça chinês quando coletava informações ao largo do continente, e os 24 integrantes da tripulação americana foram detidos pelas autoridades chinesas ao aterrissar. O incidente levou a um impasse diplomático num momento em que as relações entre os dois países já estavam tensas. Pequim exigiu um pedido de desculpas, enquanto Washington queria a devolução do aparelho e a libertação da tripulação.

Por coincidência, estava marcada uma visita do presidente Jiang Zemin a Brasília no meio desse confronto. Na noite anterior a sua chegada, Bush me telefonou.

— Será que não poderia interceder junto a ele pela libertação de nossos homens? — perguntou-me.

Eu prometi que faria o melhor possível.

No dia seguinte, acabei ficando sozinho com Jiang por breve momento em meu gabinete. Eu sempre tivera um relacionamento caloroso com o presidente chinês, considerando-o um homem muito educado e sofisticado. Jiang falava inglês fluentemente, e em geral era nessa língua que conversávamos.

— Veja bem — disse-lhe —, o presidente Bush pediu-me que lhe solicitasse a liberação desses militares.

— Entendo — fez Jiang, recostando-se na cadeira e ponderando com os dedos cruzados. — Sabe quantas vezes Bush me ligou a respeito desse incidente?

— Várias vezes, suponho.

Jiang sorriu e ergueu um solitário dedo.

— Uma vez apenas.

E riu.

— Lembra-se do bombardeio da embaixada chinesa na Iugoslávia? Pois bem, o presidente Clinton tentou me telefonar cinco ou seis vezes. Só então nós conversamos. Por que então eu haveria de atender a Bush no primeiro telefonema?

— É estranho — prosseguiu Jiang. — Quanto tempo de história têm os Estados Unidos? Duzentos anos. Muito bem, a China tem cinco mil anos de história, e eles precisam aprender a nos respeitar! Eu libertarei esses militares americanos, mas levará algum tempo. Eles terão algum trabalho. Esse novo presidente precisa aprender como o mundo funciona. Bush pai esteve na China por muito tempo, e era um cavalheiro. Esse Bush filho é um jovem, ainda inábil. Para nós é difícil lidar com ele.

Finalmente, os Estados Unidos recuaram e aceitaram a condição imposta pela China: uma carta declarando que "lamentavam muito" ter invadido o espaço aéreo chinês. Os militares americanos foram libertados depois de dez dias, e o confronto cedeu.

Mais tarde eu falaria a Bush do comentário feito por Jiang. Mas ele ainda não parecia ter entendido o significado cultural do incidente. No atual governo, a política dos Estados Unidos em relação à América Latina evoluiu para o que E. Bradford Burns caracterizou certa vez como "negligência benigna". Não ocupamos um lugar muito importante na lista de prioridades de Washington, embora isso em certo sentido se tenha revelado positivo: estamos mais livres para seguir nosso destino. Por outro lado, seria muito melhor para todos se os Estados Unidos se mostrassem mais ativamente envolvidos. Existe muito trabalho a ser feito em questões como o comércio. Preocupa-me a eventualidade de que, se Washington continuar excessivamente centrado nas questões de segurança — erguendo novas barreiras, em vez de derrubá-las, como fizemos na década de 1990 —, muitos dos ganhos obtidos venham a ser perdidos. Se existe uma lição a extrair da história da última década, e mesmo do último século, é que a retirada e a exclusão servem apenas para causar mais problemas.

* * *

Naturalmente, havia um vasto mundo além de Washington. Meu governo ocorreu num momento crucial da história, quando os países se organizavam em novas alianças após o fim da Guerra Fria. O Brasil precisava participar ativamente desse processo. Mas nós tínhamos de ser seletivos; dispúnhamos de tempo e energia limitados. Eu decidi então concentrar nossa atenção em lugares que oferecessem melhores oportunidades de investimento e comércio.

Essa opção chegou a ser equivocadamente encarada, no país, como uma diplomacia de "Primeiro Mundo". Inevitavelmente, fui acusado de fingir que o Brasil era um país rico. Mas eu tinha a responsabilidade de tomar uma decisão prática. Cerca de um quarto das nossas exportações ia para os Estados Unidos, um quarto para a Europa e outro quarto para a América Latina, ficando o resto dividido entre os demais países. Minhas viagens ao exterior não podiam deixar de refletir essa realidade econômica. Naturalmente, eu passava grande parte do tempo visitando os países vizinhos. Também visitei países tão diversos quanto Índia, África do Sul, China, Rússia, Japão, Moçambique, Indonésia e Malásia. Sabia que tinha uma oportunidade única de dar mais destaque à imagem do Brasil mundo afora, e passei boa parte do tempo como uma espécie de caixeiro-viajante, vendendo a marca de nosso país. Em toda parte, constatava que os contatos pessoais por mim feitos eram tão importantes quanto os contatos oficiais.

Fiz várias viagens à Grã-Bretanha. Quando ainda estava à frente do Ministério das Relações Exteriores, encontrei-me certa vez com a princesa Diana. Ela visitara o Brasil anteriormente e era amiga de nossos embaixadores em Londres. Achei-a muito equilibrada e dona de um vibrante senso de humor.

— Tenho a impressão de que os homens brasileiros são vaidosos — disse ela, com um sorriso maroto. — Parece que estão sempre arrumando o cabelo!

Seria talvez algo ousado a dizer ao chanceler de um país, mas eu achei graça, especialmente considerando-se minha própria fama de vaidoso em casa. Fiquei muito triste com seu falecimento.

Já presidente, fiz uma inesquecível visita de Estado a Londres, passando algumas noites no Palácio de Buckingham. A rainha Elizabeth e o príncipe Philip nos receberam, a mim e a Ruth, na Victoria Station. Em seguida, nós quatro fomos conduzidos ao palácio numa carruagem dourada pelas ruas de Londres, uma experiência surrealista. Na chegada, a própria rainha nos conduziu por um exaustivo percurso pelos aposentos privados. Chegou a nos mostrar como abrir e fechar as gavetas onde deveríamos guardar nossas roupas. Mostrava-se impecavelmente polida e elegante, e Ruth e eu ficamos perplexos com o fato de a rainha da Inglaterra se dar ao trabalho de nos mostrar coisas tão triviais!

A Rainha Mãe era minha preferida entre os membros da realeza britânica; estava com 95 anos de idade, mas evidenciava mais energia e lucidez que Ruth e eu juntos. Haveria um banquete formal durante nossa visita, e o protocolo determinava que antes fôssemos visitá-la. Assim foi que entramos no palácio da Rainha Mãe, onde ela se encontrava sozinha numa elegante sala de estar, servindo chá para nós três.

Eu lhe levara um presente: uma escultura de prata e pedras preciosas representando um pássaro brasileiro. Ela abriu a caixa e deu um risinho infantil de satisfação.

— Que tipo de pássaro é? — perguntou, com um brilho nos olhos.

O inesperado da pergunta me deixou embatucado. Eu nunca fui capaz de lembrar nomes de pássaros. E entrei em pânico. O único pássaro brasileiro de que eu me lembrava era o jaburu, e mesmo assim por ser o nome de um palácio em Brasília. Parecia haver certa semelhança, e então...

— É um jaburu — disse-lhe, sem muita convicção.

A Rainha Mãe deu um grito de satisfação.

— Um *jabaru*! — repetiu, saboreando a pronúncia. — Oh, eu simplesmente adoro! Um *jabaru*! *Jabaru, jabaru, jabaru*!

Vendo aquela figura tão querida da realeza britânica alegremente repetindo o nome de um pássaro que muito provavelmente estava incorreto, devo reconhecer que me senti algo envergonhado. Ruth limitava-se a me olhar, perplexa. Quanto a saber por que me senti compelido a inventar um nome, em vez de confessar que não sabia, bem, provavelmente eu não queria decepcioná-la.

Nessa mesma noite tivemos o jantar oficial. Sentei-me à mesa principal com a família real, entre a rainha Elizabeth e a Rainha Mãe. Tony Blair, recentemente nomeado primeiro-ministro, sentou-se em outra mesa, o que me pareceu algo estranho. A rainha fez um fascinante elogio de todos os primeiros-ministros com os quais convivera desde Winston Churchill. Disse acreditar que Margaret Thatcher permanecera no poder por tempo demais; e eu pensei: meu Deus, a rainha está aí há muito mais tempo!

Enquanto a rainha Elizabeth falava, meus olhos passearam até a Rainha Mãe. Ela sorriu para mim, deu uma piscadela e em silêncio moveu os lábios: "*Jabaru!*"

Ainda hoje me vem um sorriso quando penso na Rainha Mãe. Senti ao receber a notícia do seu falecimento, pois a admirava profundamente por sua vida tão longa, rica e significativa.

Nos anos seguintes, também tive a sorte de desenvolver uma excelente relação com Tony Blair. Ele é inteligente e viajado, um autêntico homem do mundo, com interesse pelo Brasil. Considerava que nosso país estava num caminho ascendente, mesmo nos momentos mais difíceis. Compartilhávamos uma filosofia de governo semelhante, e eu participei de sua iniciativa da "Terceira Via", explorando o futuro da governança progressista no século XXI.

Depois de uma conferência à qual comparecemos em Madri em 2002, Blair nos convidou, a Ruth e a mim, a passar a noite em Chequers, a casa de campo das imediações de Londres que é usada pelos primeiros-ministros britânicos há uma geração. Eu dormi numa cama usada por Churchill, principalmente durante a guerra, o que foi uma forte emoção.

Clinton já não era presidente, mas compareceu à reunião de Madri, também nos acompanhou. Certa vez, nós cinco — Bill, Tony, Cherie, Ruth e eu — passamos uma longa e agradável noite conversando na sala de estar da biblioteca de Chequers. Tony sentou-se no chão e desenrolou um gigantesco mapa do Oriente Médio na mesa de centro. Estava para viajar a Israel e à Palestina, e queria discutir a situação na região. Ele e Clinton passaram horas conversando detalhadamente sobre o processo de paz — lembro-me de que Clinton tinha conhecimento até de questões como o abastecimento de água — e discutindo possíveis soluções. Eu fiquei contente de estar em tão significativa companhia.

De lá, segui para Paris, onde fui o primeiro presidente latino-americano a ter falado à Assembleia Nacional francesa. Foi uma honra, e a minha imagem num cenário tão imponente causou efeito no Brasil. Na França, encontrei-me com

Jacques Chirac, com quem sempre tive um bom relacionamento, assim como com Lionel Jospin, que conhecia de longa data, que até hoje se mantém amigo.

Minhas outras viagens centravam-se na América Latina, na Europa, na China e em outras regiões com as quais o Brasil precisava estabelecer vínculos estratégicos. Entrei em contato com numerosos líderes que me causaram forte impressão: Mandela, Felipe González, Gerhard Schröder, Mário Soares, José Maria Aznar, o rei Juan Carlos, Lionel Jospin, Ernesto Zedillo, Vladimir Putin, Romano Prodi, Massimo D'Alema... são muitos para relacionar aqui. Todos eles apreciavam o que estávamos tentando fazer no Brasil, dando-nos generoso apoio em momentos cruciais.

Em minha viagem à China, pude ver coisas que me fizeram pensar tanto no passado quanto no futuro do Brasil. O crescente poderio econômico da China, assim como sua demanda de produtos exportados pelo Brasil, será um fator central para ambos os países nas décadas vindouras. Mas, embora eu me sinta otimista quanto às perspectivas de longo prazo da China, considero que a história brasileira oferece algumas lições importantes para os anos que temos pela frente. A China está passando pela transição de uma sociedade eminentemente rural para uma sociedade urbana; em meio ao alarde em torno de sua rápida transformação, muitos observadores parecem ter esquecido o quanto esse tipo de mudança social pode ser turbulento e instável. A China ainda não fez a transição para a democracia; quando isso acontecer, será o momento de comemorar. Mas ainda resta ver se a transformação da China no século XXI será tão problemática quanto a do Brasil no século XX.

Algumas das minhas visitas mais carregadas de emotividade foram as que fiz ao Chile, onde voltei a ver muitos velhos amigos da época do exílio. Agora que Lagos era presidente do Chile, podíamos reviver os velhos tempos e aprender com as recentes transformações chilenas. Depois que Pinochet finalmente deixou o poder em 1990, o Chile rapidamente pôde recuperar sua identidade histórica como uma democracia em expansão. A vibrante sociedade que eu conhecera voltou dramaticamente à cena depois de anos de opressão, e foi reconfortante ver que o Chile retomava seu lugar como modelo de estabilidade para o resto da América Latina.

Tratando-se do líder que eu mais admirava em caráter pessoal, não poderia haver dúvida: Nelson Mandela. O Brasil, um dos poucos países que constante e vigorosamente se opuseram ao *apartheid*, ao longo dos anos, sempre desfrutou de uma relação privilegiada com a África do Sul. Em virtude de termos ambos uma grande população negra, nós no Brasil sempre tendemos a ver traços de nós mesmos nessa nação, e quero crer que os sul-africanos sentem uma afinidade semelhante em relação a nós. Mandela refletia essa identificação calorosa do seu país em relação ao Brasil com um misto de elegância e espiritualidade simples que não encontrei em nenhuma outra grande personalidade política.

Numa das viagens, Ruth e eu caminhávamos pelas ruas de Soweto, o velho gueto negro nas imediações de Johannesburgo. Chegamos a uma praça onde havia uma placa em homenagem a um jovem que foi morto durante a luta contra o *apartheid*. Fomos então cercados por centenas de pessoas cantando em homenagem ao Brasil. Seguimos para a casa do lendário Walter Sisulu, que liderara a luta contra a opressão dos brancos na década de 1950 e passou 26 anos na cadeia com Mandela. Ele fora posteriormente eleito para o parlamento, mas na altura do nosso encontro já se havia retirado da vida pública, e raramente recebia visitantes.

— Eu gostaria de lhe agradecer — disse Sisulu, com a voz frágil — pela ajuda do Brasil numa época em que ninguém mais nos apoiava.

Ao fim da conversa, ambos estávamos em lágrimas.

Praticamente em todo lugar que eu visitasse sentia que, ao me despedir, as pessoas encaravam o Brasil com um novo olhar. O êxito de uma política externa pode ser difícil de avaliar a curto prazo. Uma das maneiras, contudo, é examinar os investimentos estrangeiros diretos. No meu governo, o Brasil recebeu mais de 100 bilhões de dólares — só a China recebeu mais. Nossas exportações também aumentaram quase 50 por cento na minha presidência. Acima de tudo, embora não seja tão fácil quantificar, foi importante a questão do respeito.

* * *

Outro antigo sonho acalentado pelo Brasil é o de ocupar um assento permanente no Conselho de Segurança das Nações Unidas. Eu apoiei essa iniciativa. Mas sempre achei que seria mais útil para o Brasil aspirar a um lugar num outro organismo: o G-7, o Grupo dos Sete, composto pelas maiores economias do mundo. Se o Brasil conseguisse promover o crescimento de sua economia e aliviar a pobreza, poder e influência seriam decorrências naturais. Enquanto perseguíamos essa meta difícil entre todas, eu pensava em minhas viagens, e muitas vezes me apanhava pensando na cidade de Nova York — tal como era.

Eu fizera várias viagens à Big Apple nas décadas de 1960, 1970 e 1980, quando vastas extensões da cidade ainda pareciam uma zona de guerra. Na época, os nova-iorquinos achavam que sua cidade basicamente era ingovernável e que, apesar dos seus aspectos bons, a criminalidade e a pobreza eram fatos inescapáveis da vida. Lembro-me de ter acompanhado um ex-aluno meu americano à casa de sua avó no South Bronx. Os prédios pareciam destruídos por incêndios, cascas vazias ocupadas por pessoas de pobreza indizível. A avó do meu amigo era uma minúscula e doce porto-riquenha que não podia sair desacompanhada por causa da violência das gangues. Passamos uma longa tarde confinados em seu apartamento-fortaleza, protegido por meia dúzia de trancas e uma barricada de madeira na porta. Quando precisamos sair, tivemos de ser acompanhados até o carro por um membro "amigo" das gangues.

Muitas vezes estive em bairros semelhantes de Nova York, geralmente por causa do meu talento para me perder. Certa vez, desci na estação errada do metrô e comecei a caminhar por uma região na qual vagabundeavam dezenas de rapazes, com toda evidência drogados. Eu trajava paletó e gravata e devia parecer bem deslocado, pois imediatamente um táxi freou junto a mim.

— Está louco, cara?! — berrou o motorista, gesticulando muito. — Não pode ficar aqui.

Eu rapidamente tratei de entrar, e nós saímos dali. De outra feita, fui acidentalmente parar no Harlem, onde um grupo de jovens bastante crescidos começou a me rondar, driblando bolas de basquete e gritando no meu rosto. Dessa vez, fui resgatado e salvo por um carro da polícia.

Lembro que pensei: aqui estou na maior cidade do país mais rico do mundo, e existe esse tipo de pobreza?

Hoje em dia, Nova York parece outro mundo. O desenvolvimento econômico e a gestão responsável operaram maravilhas na cidade. Agora Clinton tem seu escritório no Harlem! Isso seria impensável quando comecei a visitar a cidade. Voltei recentemente ao South Bronx, e, embora ainda haja pobreza, a situação nem de longe é desoladora como na época. Há novas lojas e ruas limpas; os próprios moradores parecem mais saudáveis. Um estranho como eu pode caminhar praticamente por qualquer parte. Essa espetacular transformação, que também pode ser constatada em outras cidades americanas, ocorreu em apenas um quarto de século.

Não a menciono para banalizar nossos problemas no Brasil, mas para mostrar que a pobreza de fato pode ser significativamente suavizada numa única geração. As pessoas tendem a se mostrar excessivamente céticas a respeito. Embora São Paulo evidentemente não seja Manhattan, existem outros lugares que registraram um grande progresso em período curto. Trinta anos atrás, a Irlanda e a Espanha eram países pobres, e não parecia provável que um dia viessem a se tornar prósperos. Graças, entretanto, a políticas acertadas, governos democráticos e um vibrante setor empresarial, puderam dar um autêntico salto quântico. Milhões de pessoas deixaram a esfera da pobreza; as mudanças em Dublin ou Madri serão talvez tão impressionantes quanto as de Nova York. A verdade é que nenhum lugar é realmente ingovernável, nem a pobreza deveria jamais ser considerada irreversível.

Nós sabíamos que repetir uma experiência dessa natureza no Brasil jamais seria tão fácil quanto em alguns outros países. Em primeiro lugar, começávamos de um ponto muito mais baixo. Também não desfrutávamos das vantagens dos subsídios da União Europeia nem de condições favoráveis de comércio com o resto do mundo. Pelo contrário, os constantes problemas financeiros do Brasil limitavam severamente o governo em termos de gastos. Nossos vizinhos muitas vezes estavam tão mergulhados na crise quanto nós. Eu adoraria poder gastar bilhões de dólares em saúde e educação, mas o fato é que simplesmente não tínhamos dinheiro. Para sair da pobreza, o Brasil teria de percorrer um longo caminho de dificuldades. Os resultados não apareceriam com rapidez nem facilidade.

No caso da educação, o problema não era realmente carência de recursos. Na verdade, os gastos globais do Brasil com educação equivaliam a cerca de 5 por cento do PIB, mais que em muitos países ricos. O verdadeiro problema era a maneira como esse dinheiro era gasto, e, por outro lado, os beneficiários das estruturas existentes. No Brasil, a matrícula nas universidades públicas é "gratuita" — vale dizer, financiada pelo governo. Na minha universidade, a Universidade de São Paulo, os alunos não pagavam um centavo sequer. Em virtude desse sistema, um quarto do orçamento total destinado à educação no Brasil era absorvido por essas universidades, embora fossem frequentadas por apenas 2 por cento dos estudantes do país.

Por outro lado, o estudante universitário médio no país era muito mais rico que a sociedade como um todo. Conquistar uma das disputadas vagas numa universidade pública geralmente exige que as famílias gastem milhares de reais no ensino colegial de primeira linha — o que exacerba ainda mais o desequilíbrio de renda. A moral da história é que a maioria desses estudantes poderia pagar pelo menos em parte pelos estudos. Em vez disso, gastávamos somas absurdas para financiá-los. Segundo o Banco Mundial, os gastos do Brasil com cada estudante universitário, levando-se em conta o tamanho de nossa economia, eram de longe os mais altos do mundo. Em outras palavras: o governo estava pagando para que estudantes relativamente ricos frequentassem gratuitamente uma faculdade, à custa das escolas primárias e secundárias que atendiam a uma maioria relativamente pobre.

Desse modo, meu desafio na questão da educação era o mesmo que em outros setores: reformular o sistema brasileiro para que pudesse atender de maneira mais equânime a toda a população. Na prática, isso significava gastar menos com as universidades e canalizar mais dinheiro para as escolas primárias e secundárias. O que causou enorme alvoroço. As pessoas perguntavam como é que um antigo professor universitário podia "acabar" com o sistema que o havia formado, e eu me tornei muito impopular nos campi das universidades públicas. Houve numerosas greves, tanto de alunos quanto de professores. Naturalmente, eles não podiam me criticar publicamente por tentar ajudar os pobres — o que não teria sido politicamente correto —, de modo que voltavam a recorrer à acusação de que eu era um "neoliberal". Acusavam-me de querer vender as universidades a investidores estrangeiros. O que era ridículo. E eu lhes perguntava: "Quem é que, em sã consciência, desejaria comprar uma universidade pública no Brasil?"

Nossa maior vitória na educação foi uma emenda constitucional que obrigava os governos dos estados a gastar mais dinheiro com o ensino primário. Nas regiões mais pobres do Brasil, eles tinham que destinar pelo menos US$ 300 por ano a cada aluno. Isso, em essência, representava um salário mínimo adicional para os professores. Era uma maneira simples mas eficaz de garantir que os estados gastassem o necessário. Vigorando essa lei, eles tiveram de cortar outros programas, para não passar dos limites. E de uma forma ou de outra quase sempre o conseguiam.

Nós também vinculamos dois problemas — a pobreza e a educação — na tentativa de resolver ambos. Criamos um programa chamado Bolsa Escola, que garantia uma renda modesta a famílias pobres, desde que mandassem os filhos à escola. Os governos brasileiros tinham experimentado no passado o fornecimento de ajuda alimentar direta, o que, no entanto, causara enormes problemas. A corrupção grassava no sistema de distribuição de alimentos, e também havia verdadeiros pesadelos logísticos — entre eles o caso, que ficou famoso, de envio de macarrão para uma tribo indígena, que não tinha a menor ideia de como prepará-lo. Decidimos então que era melhor dar dinheiro diretamente às pessoas. Desde que os filhos frequentassem a escola 85 por cento do tempo, elas tinham direito à bolsa-escola. Outra guinada interessante foi o fato de termos passado a entregar o dinheiro diretamente às mães, e não aos pais, tendo constatado que as mulheres eram bem mais responsáveis e, frequentemente, únicas chefes de família.

No início, esse sistema revelou-se polêmico. Além das alegações habituais de que um sistema desse tipo estimularia as pessoas a não trabalhar, também fomos acusados basicamente de subornar os pais para que mandassem os filhos para a escola, o que alguns consideravam moralmente questionável. O sistema de fato era imperfeito: era difícil fazer cumprir o índice de comparecimento de 85 por cento. Toda vez que um governo distribui benesses, está criando um caminho fácil para o clientelismo e a corrupção. Mas nós também acreditávamos estar enfrentando diretamente o problema: em vastas regiões do Brasil, as crianças tradicionalmente abandonavam a escola porque as famílias precisavam que elas trabalhassem. Nós então tentávamos substituir esse dinheiro que elas teriam ganhado, levando os alunos de volta à sala de aula.

A execução de todo esse programa era uma tarefa hercúlea. Tivemos de criar programas especiais para reduzir o trabalho infantil, que era algo habitual nas plantações de cana-de-açúcar e na indústria do carvão vegetal. Precisávamos construir escolas onde nunca as houvera — e depois mantê-las em funcionamento. Havia uma velha tradição brasileira de construir maravilhosas escolas em prédios monolíticos sem, no entanto, preenchê-las com professores e equipamentos. Tudo isso precisava acabar. O que envolvia não só uma mudança de políticas, mas também de cultura. Sob a liderança de Paulo Renato Souza, o ministro da Educação, o Brasil passou por uma revolução silenciosa.

Alguns resultados foram imediatos. No fim do meu mandato, o percentual de crianças brasileiras fora da escola caiu para 3 por cento, em comparação com cerca de 20 por cento uma década antes. A melhora foi ainda mais pronunciada entre os alunos negros. Ao mesmo tempo, as matrículas no nível colegial mais que duplicaram. As universidades também prosperaram — na verdade, o número de alunos entrando anualmente para as faculdades dobrou. O analfabetismo caiu mais de 30 por cento. Fizemos avanços equivalentes na saúde, e a mortalidade infantil registrou uma diminuição de 25 por cento durante o meu governo.

Parte das iniciativas mais importantes contra a pobreza durante a minha presidência partiu de organizações não governamentais, entre elas a que era dirigida por Ruth. Durante a maior parte do meu governo, ela viajou para os mais distantes recantos do Brasil, num trabalho discreto de ajuda aos pobres. Ela não era uma primeira-dama brasileira tradicional; tudo que fazia estava vinculado a ONGs, fora da esfera do governo, sem acesso a recursos públicos. Calcula-se que sua organização Comunidade Solidária tenha trabalhado com mais de um milhão de adultos, ensinando-os a ler. Ruth sempre detestou publicidade, e em sua maioria os brasileiros não chegaram a tomar conhecimento das boas ações que empreendia. Ela ajudava movida por um profundo sentimento do dever, e não esperava ser recompensada ou reconhecida por seus esforços. Considero isso a própria definição do heroísmo.

Os verdadeiros resultados desses esforços levarão algum tempo para frutificar. O progresso pode não ser tão rápido ou dramático quanto o que se verificou na cidade de Nova York: no Brasil, pode ainda passar-se uma geração inteira até que o impacto econômico positivo dessas políticas se faça sentir. Mas eu espero que o Brasil possa um dia, daqui a 20 ou 30 anos, olhar para trás e considerar as políticas de saúde e educação como um legado positivo e duradouro do meu governo.

* * *

Era mesmo de se esperar que antes de deixar a presidência eu tivesse de enfrentar uma derradeira crise financeira. Mas essa foi diferente das demais, e poderia ser resumida em três palavras: "Lula, paz e amor."

Depois de perder três sucessivas eleições presidenciais, Lula adotou uma nova estratégia. Para trás ficara o líder sindical esbravejador que nos discursos de campanha muitas vezes usava uma camiseta com os dizeres: "Não estou de bom humor hoje"; o novo "Lula light" tinha fios brancos na barba e falava macio de fraternidade e reconciliação. Sua retórica contra o livre-mercado se abrandou, e ele se apresentava como um moderado favorável aos investimentos estrangeiros. "Acho que nós mudamos, mudamos muito", dizia Lula a plateias de classe média algo céticas, "e acho que o Partido dos Trabalhadores também está muito mais maduro, muito mais consciente." Essa radical recauchutagem era resumida no vago e simpático slogan da campanha de comunicação de Lula, exatamente "Lula, paz e amor".

Mas havia um problema: Wall Street ainda não acreditava nele. A possibilidade de um governo Lula continuava aterrorizando os investidores, exatamente como antes.

Eu não considerava que Lula fosse o melhor candidato a presidente nas eleições de 2002. Esse título incumbia a José Serra, escolhido candidato pelo meu partido. Desde nosso primeiro encontro naquela sala de aula no Chile, eu sabia que Serra seria um esplêndido líder. Ele fora nos últimos anos o meu ministro da Saúde, conduzindo de maneira brilhante nosso programa da aids e outras iniciativas eficazes. Serra era um denodado administrador, com aguçado faro para o detalhe. Embora nem sempre fosse o mais carismático dos oradores, de fato tinha talento para a negociação política. Também representava a melhor oportunidade de aprofundar as reformas iniciadas pelo meu governo. Estou convencido de que Serra teria sido um excelente presidente se eleito.

Ao se aproximar a eleição, contudo, ficou evidente que finalmente chegara a vez de Lula. Depois de anos de mudanças difíceis e não raro dolorosas no Brasil, os eleitores queriam tentar algo diferente. Lula, por sua vez, conseguira convencer a opinião pública de que não seria assim tão diferente. Nas pesquisas, ele aparecia constantemente com mais de 40 por cento das intenções de voto, sendo o resto dividido entre Serra e os dois outros principais candidatos.

Eu sabia que teria de preparar o terreno para uma transição harmoniosa, caso contrário tudo por que havia trabalhado nos últimos oito anos poderia ser posto a perder. Minha derradeira grande missão como presidente seria fazer-me substituível.

Os investidores estrangeiros se diziam preocupados, sobretudo com a eventualidade de que, chegando ao poder, Lula cumprisse sua antiga promessa de suspender o pagamento da dívida externa brasileira. A cada ponto percentual por ele conquistado nas pesquisas, maciças vendas de títulos e moeda brasileiros se repetiam. Mas a verdade era que Lula representava apenas uma pequena parte do problema.

Não obstante os avanços registrados no Brasil na década que vinha de transcorrer, não faltava, fora de nossas fronteiras, quem continuasse a nos ver, assim como a toda a América Latina, como uma terra de ditadores e guerrilheiros. Desse modo, recusavam-se a acreditar que um esquerdista no poder, por mais reformado, podia merecer confiança. Muitos temiam em Wall Street que, se eleito, Lula conduzisse o Brasil por um caminho de radicalização. Nessa convicção, esses investidores estrangeiros ironicamente cometiam o mesmo erro que o punhado de velhos e amargurados comunistas latino-americanos que de vez em quando ainda levantam a cabeça. Vale dizer: acreditavam equivocadamente que existe uma alternativa à vista para o capitalismo, ou, pelo menos, para a economia de mercado.

Só Nixon podia ir à China, e só Lula podia mostrar ao mundo que a esquerda latino-americana era capaz de administrar uma economia moderna e estável. Para que ele chegasse lá, contudo, o mundo precisava estar convencido de que o Brasil amadurecera e ninguém seria capaz de nos levar de volta ao nosso passado de instabilidade. Eu percorri as capitais do mundo uma última vez, apregoando os êxitos econômicos e sociais do meu governo. Foi uma espécie de exame final.

E eu passei. O FMI concedeu um pacote de ajuda de 30 bilhões de dólares, declarando que o Brasil estava "no caminho de uma sólida política de longo prazo que merece todo o apoio da comunidade internacional". Em troca, os quatro principais candidatos a presidente — e sobretudo Lula — concordavam em preservar o espírito das minhas reformas econômicas caso fossem eleitos. Era um inédito sinal da nova maturidade do Brasil. Depois desse voto de confiança, que redundava em maciço apoio de todos os países mais ricos, a derradeira crise financeira do meu governo, dessa vez tendo resultado apenas da percepção externa sobre Lula e seu partido, chegou ao fim.

No dia 1º de janeiro de 2003, numa cerimônia em Brasília, transferi a faixa presidencial para Lula. Ao passá-la por cima da cabeça, enquanto os flashes espocavam de toda parte, derrubei sem querer meus óculos, que caíram no chão. Sem hesitação, Lula inclinou-se e os apanhou para me devolver. Sorrimos um para o outro, num breve momento de entendimento entre dois velhos amigos, e eu coloquei a faixa nele.

Não obstante minhas reservas, agradava-me ver Lula usando aquela faixa. Eu sentia que um ciclo se havia completado. O homem que fora a certa altura meu principal adversário se comprometia agora a dar prosseguimento a minhas políticas. Aquela eleição era para mim como uma confirmação, e naquele momento eu me sentia otimista, considerando que ele faria um bom trabalho.

Quando Ruth e eu nos preparávamos para deixar o palácio presidencial pela última vez, Lula nos acompanhou até o elevador. Ao se abrirem as portas, lágrimas afluíram a seus olhos, e ele me envolveu num forte abraço.

— Você está deixando aqui um amigo — disse Lula, dando-me tapinhas nas costas. — Está deixando aqui um amigo.

Epílogo

Poucos momentos na minha vida terão sido tão agradáveis quanto aquele em que, em janeiro de 2003, deixei a casa de um amigo em Paris, caminhei pelas ruas e entrei no metrô — sozinho.

Imediatamente após entregar o poder a Lula, Ruth e eu tomamos um avião para a França. Passamos três meses em tranquilo anonimato, desfrutando de prazeres simples como ir ao Louvre, visitar a catedral de Chartres ou andar pelas margens do Sena. Pela primeira vez em mais de dez anos, eu podia fazer coisas assim sem guarda-costas nem ninguém mais me controlando. Poucas pessoas nos reconheciam, e nós podíamos saborear as vantagens da vida normal que antes levávamos.

Desde essa breve trégua, contudo, mergulhei novamente na movimentada vida de um antigo chefe de Estado. Continuo viajando com a mesma frequência. Passo boa parte do tempo em conferências internacionais sobre temas como governança democrática global, proteção da democracia, meio ambiente, condições do crescimento econômico, alívio da pobreza e aids. Aceitei muitos compromissos internacionais, entre eles a presidência do Clube de Madri, que reúne quase 60 antigos chefes de Estado em torno da causa do fortalecimento dos governos democráticos. Sou também copresidente do Diálogo Interamericano, *think tank* sediado em Washington e voltado para questões hemisféricas, e membro do comitê diretor de várias organizações sem fins lucrativos, entre elas a Fundação OSESP, que mantém a orquestra de São Paulo, e a Fundação Rockefeller. Fui convidado pelo então secretário-geral das Nações Unidas, Kofi Annan, a preparar um relatório sobre as relações da ONU com a sociedade civil. E finalmente retomei minha vida acadêmica, pelo menos em parte; costumo passar cerca de cinco semanas por ano na Brown University nos Estados Unidos como *professor-at-large.*

No Brasil, mantive-me envolvido na política, e continuo como presidente honorário do meu partido, o Partido da Social-Democracia Brasileira (PSDB). Mas não tenho intenção de me candidatar novamente à presidência, nem a qualquer outra posição. Embora a Constituição brasileira autorize os presidentes a buscarem um terceiro mandato, não consecutivo, considero que o país precisa de uma nova geração de líderes. Além do mais, ser presidente do Brasil já é bastante difícil — a bem do meu coração, no mínimo, acho que dois mandatos são mais que suficientes.

Tenho assim passado boa parte do tempo na construção do meu próprio instituto, o Instituto Fernando Henrique Cardoso, inspirado longinquamente nas bibliotecas presidenciais dos Estados Unidos e mais proximamente no que fez Mário Soares em Portugal. O fato de termos precisado recorrer a um modelo estrangeiro evidencia que estou adentrando território em grande parte virgem. Para muitos ex-presidentes brasileiros, a saída da cena política muitas vezes significava decidir qual avião ou navio tomar para o exílio, para em seguida começar a conspirar para voltar. Títulos honoríficos, bibliotecas presidenciais e, sim, a publicação de memórias vêm a ser uma consequência absolutamente inesperada da nossa recém-conquistada estabilidade.

* * *

Fui agradavelmente surpreendido em abril de 2005 quando Lula me convidou a acompanhá-lo a Roma para o funeral do papa João Paulo II. Nós conversamos tranquilamente no avião presidencial, e por um breve momento até parecia que estávamos nos velhos tempos. Mas o verdadeiro choque dessa viagem ocorreria no próprio funeral, quando nada menos que quatro presidentes brasileiros se viram reunidos no mesmo lugar. José Sarney, então senador, tinha se juntado a nós no avião, e Itamar Franco era na ocasião o embaixador do Brasil na Itália.

Estávamos os quatro conversando amigavelmente quando Jacques Chirac passou por nós.

— Ah, Fernando, como vai? — perguntou Chirac, cavalheiresco como sempre, no seu francês aveludado. — Está desfrutando da aposentadoria?

Assenti, e ficamos trocando algumas palavras.

— Não sei se notou, mas temos hoje aqui quatro presidentes brasileiros.

Chirac abriu um sorriso e declarou:

— Um momento histórico para o Brasil!

Realmente histórico. Terão sido poucos, se é que os houve, os momentos em que tantos presidentes brasileiros se reuniram num mesmo lugar. Na verdade, é difícil imaginar quaisquer outros presidentes brasileiros que aceitassem semelhante ideia. Se uma reunião dessa natureza ocorresse no passado, certamente não seria em circunstâncias civis. O fato de nós quatro ali presentes termos chegado à presidência por meios democráticos era um testemunho da nova era que vivíamos.

O Brasil está amadurecendo. Resta saber até onde irá nos anos vindouros. Eu costumava dizer, quando presidente, que não sabia se o meu governo representava uma nova era ou apenas uma pausa na história brasileira. E ainda não sei. Sempre existe a possibilidade de que um futuro presidente ou algum acontecimento imprevisto venha anular os ganhos obtidos. Sinto-me menos otimista quanto à geração dos meus filhos do que à geração dos meus netos — gente que hoje está na adolescência. Acredito que transformações difíceis ainda serão necessárias para que o Brasil alcance uma verdadeira prosperidade.

Com o passar do tempo, entretanto, parece mais provável que a nova estabilidade política e econômica seja duradoura. Ironicamente, uma prova disso pode ser encontrada na onda de dificuldades ocorrida desde que deixei o cargo. Eu jamais teria imaginado a decepção que, sob certos aspectos, Lula se revelou como presidente. Seu mandato foi marcado por incompetência administrativa derivada da entrega de cargos por critérios político-clientelísticos e acusações de graves atos de corrupção em seu círculo mais próximo. Em meio a todos os escândalos, no entanto, a economia se manteve notavelmente estável. Lula governou basicamente com o mesmo programa de políticas que o meu governo, pelo menos até a crise de 2007/2008. Embora não tenha avançado em novas e significativas reformas, no mínimo, a estabilidade do Brasil é uma indicação insofismável de que certas orientações econômicas vieram para ficar. Os alicerces de um país mais rico e próspero — e talvez, um dia, de uma potência mundial — parecem firmemente assentados. Houve também inegável fortalecimento e avanço nas políticas sociais no governo petista. A redução da pobreza, que iniciara com força durante meu governo, progrediu consideravelmente, e as taxas de crescimento econômico, em média, passaram dos 2,7 por cento ao ano em meus períodos para algo como 4,4 por cento nos de Lula.

No momento em que deixei o cargo, o *New York Times* referiu-se a mim como "o grande estabilizador do Brasil".

"A maior realização do Sr. Cardoso", escreveu *The Economist*, "foi fazer com que o Brasil parecesse governável." Numa pesquisa nacional realizada um mês antes de eu deixar o cargo, os brasileiros me consideravam o melhor presidente da história do país, pouco à frente de Getúlio Vargas. Outro artigo, publicado pela revista *Veja*, afirmava que meu "histórico nas áreas sociais é provavelmente mais importante" que meu legado no campo econômico. Em 2002, também recebi o primeiro prêmio das Nações Unidas destinado a dirigentes que promoveram o avanço do desenvolvimento humano em seus respectivos países.

Tendo chegado à presidência em grande medida em decorrência da sorte e de diferentes circunstâncias, seria arrogante da minha parte querer levar todo o crédito. O Brasil foi muito bem servido pelos muitos profissionais de talento e visão que trabalharam no meu governo. Alguns presidentes anteriores também fizeram sua parte, e eu igualmente dou crédito ao Brasil. As mudanças históricas resultam de processos profundamente enraizados na sociedade, e não apenas de um homem. Se por um lado me levaram ao poder, esses processos também geraram um país que ansiava por mudanças e teve a coragem de eleger para a presidência — duas vezes — um inexperiente ex-professor universitário. Nesse sentido, talvez eu não tenha sido propriamente um acidente, afinal.

Sinto que meu verdadeiro lugar na história talvez só seja conhecido daqui a 50 anos. Quando chegar esse momento, se as pessoas puderem lembrar-se de Fernando Henrique Cardoso como o primeiro de uma moderna era de presidentes brasileiros que contribuíram para que o país realizasse seu sonho de prosperidade, seria o legado mais positivo que posso imaginar.

O que quer que a história venha a decidir, eu me orgulho da maneira como vivi minha vida. Serão muito poucas as pessoas capazes de dizer que realizaram quase tudo que pretendiam. E eu tenho a sorte de ser uma delas. Ajudei a restabelecer a democracia no Brasil, e ajudei a melhorar a qualidade de vida dos meus compatriotas. Ao mesmo tempo, desfrutei de uma rica vida de família e me empenhei em melhorar como intelectual e como homem. Sinto-me grato pela sorte que tive. Espero que meus atos tenham sido de natureza a orgulhar meus pais e meus avós, pois lutei por realizar o seu sonho: o de que um Cardoso deixasse o Brasil um pouco mais perto de se tornar não apenas a terra do futuro, mas o país de hoje.

Agradecimentos

Sou profundamente grato a Brian Winter. Sem o seu trabalho, este livro simplesmente não existiria. O primeiro esboço e as pesquisas aprofundadas que efetuou, assim como sua habilidade nas entrevistas, foram de inestimável valor. O excelente trabalho de Brian tornou muito mais fácil do que eu esperava o meu trabalho de revisão.

Na revisão do livro, contei com a valiosa e incansável ajuda de José Estanislau do Amaral.

Danielle Ardaillon encarregou-se de escolher as ilustrações e de fornecer a Brian Winter documentos do acervo do Instituto Fernando Henrique Cardoso, do qual é curadora.

Também gostaria de agradecer a meus amigos Boris Fausto, Celso Lafer, Sergio Fausto e Tarcísio Costa. Foram leitores atentos do livro e fizeram vários comentários e correções factuais que contribuíram imensamente para o resultado final.

Finalmente, quero agradecer a Sergio Machado, meu editor no Brasil, que me apresentou a Peter Osnos, da PublicAffairs, onde também tive o privilégio de contar com o apoio e os conselhos de Clive Priddle.

Fernando Henrique Cardoso

O coautor gostaria de agradecer a: Clive Priddle, Peter Osnos e toda a equipe da PublicAffairs pela oportunidade de trabalhar num projeto tão especial e gratificante; Paul Bresnick, meu agente, por acreditar em mim; Mario Andrada e Kieran Murray, cujo estímulo tornou possível minha participação neste livro; Nick Shumway, Ted G. Goertzel, Kenneth Maxwell e Roderick J. Barman, por seu conhecimento das questões brasileiras; Danielle Ardaillon, José Estanislau do Amaral e toda a equipe do Instituto Fernando Henrique Cardoso, por sua ajuda e paciência; Stephen Brown e Adrian Dickson, que me ajudaram a deslanchar minhas aventuras sul-americanas; Laura López e Sebastian Pla, que me entenderam; meus pais, por seu apoio; Erica Baker, minha musa; e, acima de tudo, meus agradecimentos a Fernando Henrique Cardoso, por sua inabalável fé nessa parceria "acidental", ou pelo menos improvável, entre todas. O Brasil é que realmente saiu ganhando.

Brian Winter

Créditos das fotos do encarte

Página 1

(a) Acervo Pres. F. H. Cardoso
(b) Acervo Pres. F. H. Cardoso

Página 2

(a) Acervo Pres. F. H. Cardoso
(b) Acervo Pres. F. H. Cardoso

Página 3

(a) Acervo Pres. F. H. Cardoso/Divulgação
(b) Acervo Pres. F. H. Cardoso/Divulgação

Página 4

(a) Acervo Pres. F. H. Cardoso
(b) Acervo Pres. F. H. Cardoso/Divulgação

Página 5

(a) Acervo Pres. F. H. Cardoso
(b) Acervo Pres. F. H. Cardoso/Divulgação

Página 6

Acervo Pres. F. H. Cardoso/Divulgação

Página 7

(a) Clóvis Cranchi Sobrinho
(b) Acervo Pres. F. H. Cardoso/Divulgação

Página 8

(a) Acervo Pres. F. H. Cardoso/Divulgação
(b) Claudine Petroli/AE

Página 9

Acervo Pres. F. H. Cardoso/Divulgação

Página 10
Acervo Pres. F. H. Cardoso/Divulgação

Página 11
Antônio Milena/Abril imagens

Página 12
(a) Ricardo Stuckert
(b) Wilson Pedrosa/AE

Página 13
Acervo Pres. F. H. Cardoso/Divulgação

Página 14
Acervo Pres. F. H. Cardoso

Página 15
(a) Renato Castro/AE
(b) Acervo Pres. F. H. Cardoso/Divulgação

Página 16
M.Klein/Présidence de la République Française

Índice

Abreu, João Leitão de, 196
açúcar, 29
Affonso, Almino, 110
aids, 265-70
ALCA. *Ver* Área de Livre Comércio das Américas
Allende, Salvador, 108, 145-6
Almeida, Maria Hermínia Tavares de, 137
Almeyda, Clodomiro, 147
Alves, Márcio Moreira, 131, 245
Amado, Jorge, 35, 72
América Latina, 105-6
conceito de, 273
crises econômicas na, 312-3
economia da 115-7
Amorim, Celso, 268
Andrade, Auro Moura, 85
Andrade, Carlos Drummond de, 90
Annan, Kofi, 348
Área de Livre Comércio das Américas (ALCA), 325
Arena (partido), 187
Argentina, 97-8, 273-4
Arida, Pérsio, 229
Arraes, Miguel, 192
Associação Internacional de Sociologia, 173, 175
Ato Institucional nº 5, 131
Aznar, José Maria, 334

Bacha, Edmar, 229
Banco Interamericano de Desenvolvimento, 261
Banco Mundial, 261
Barros, Adhemar de, 185

Barros, Paulo Alberto Monteiro de, 110
Bastide, Roger, 57
Beauvoir, Simone de, 77-9
Bell, Peter, 138
Bellah, Rodert, 179
Benário, Olga, 41
Berquó, Elza, 137
Bevilacqua, Peri Constant, 115
Bisol, José Paulo, 247
Blair, Tony, 333
Bolsa Escola, 340-1
Braga, Teodomiro, 245
Brant, Vinicius Caldeira, 139
Brasil, 86-7. *Ver também* Cardoso, Fernando Henrique; golpes; ditadura; Quadros, Jânio; Silva, Luiz Inácio Lula da
abismo entre pobres e ricos no, 21-2
açúcar e, 29
aids no, 265-70
aliança do na Segunda Guerra, 45-6
apoio de Clinton ao, 323-4
assassinato de membros do MST no, 257
assassinatos políticos e tortura no, 319
avanços telefônicos no, 290-1
boom dos anos 1950 no, 78
café no, 292
classe trabalhadora destruída no, 99-100
comunismo no, 71-2
confusão pós-golpe no, 93-4

Copa do Mundo vencida pelo, 245
cortes orçamentários no, 230-2
crescimento econômico do, 43-4, 140
crise iminente no, 306-8
crises econômicas no, 310-1
Cuba e, 276-8
declínio da confiança econômica no, 305-7
declínio econômico do, 180-1
déficit orçamentário no, 296-7
democracia liberal no, 46-7
desejo de eleições diretas no, 181-2
disputas de terras no, 257-9
distribuição de terra no, 256
ditadura no, 99-100
efeito da Europa Oriental/União Soviética sobre, 178
eleição presidencial de 1989 no, 208
eleições fraudulentas no, 36
empréstimo do FMI ao, 304-6
escravidão e, 29-30
fracassos do, 20
fronteiras do, 272-4
futebol no, 244-5
globalização do, 286-8
golpe militar no, 91-2
Grande Depressão do, 34
greves no, 168-70
greves trabalhistas banidas no, 99
guerra do Paraguai com o, 30-1
hino nacional do, 23
Igreja Católica no, 141
independência do, 25-6
indexação no, 227
inflação no, 216-7, 223-7, 228-9
início da agricultura no, 259
instabilidade do, 251-2
intimidação militar no, 92

moedas no, 207, 224, 230-2
movimentos de guerrilha no, 126-8
negros no, 56-9, 315-8
perspectivas futuras do, 334
pobreza no, 316
problemas do, 21-2
quotas de igualdade no, 318-9
raça e, 53-7, 60, 317-8
real no, 230-2
relação dos Estados Unidos com o, 322-3
resistência à mudança no, 293-5
resistência clandestina no, 136
resistência política no, 128, 129
retaliação militar no, 131
revolta da elite no, 40-1
riquezas naturais do, 21
rivalidade com a Argentina, 273-4
sétima Constituição do, 205
sindicatos no, 166
tamanho do, 20-1
tortura no, 135
violência política no, 125, 126
visita do papa ao, 315
voto democrático no, 185-6
Brejnev, Leonid, 176
Brizola, Leonel, 87
Buarque, Chico, 161
Buarque, Cristovam, 302
buchada, 241
Bush, George W., 326-7

cachaças, 168
café, 159, 292
cafezinhos, 159
Campos, Roberto, 233
Candido, Antonio, 151
Cantoni, Wilson, 103
Carbal, Bernardo, 205

Cardoso, Augusto Inácio do
Espírito, 18
Cardoso, Fernando Henrique, 17.
Ver também Plano Real
aids e, 266-7
apoio dos artistas a, 161
apoio político a, 160-1
aposentadoria forçada de, 131-2
aspirações presidenciais de, 237,
238-40
Associação Internacional de
Sociologia e, 175
avanços educacionais sob, 340-2
campanha para o Senado de, 157-8,
160-1
candidatura para o Senado de, 157
casamento de, 76
cátedra de ciências sociais, 129
Cebrap e, 137-8
como ministro da Fazenda, 217-20
como ministro das Relações
Exteriores, 215-6
compromisso econômico recusado
por, 82-3
contra a inflação, 222
dificuldades de campanha de, 242-3
dificuldades iniciais no Senado de,
251-2
eleição de, 248-9
eleição para o Senado de, 180
exílio de, 97-8
falsas acusações de corrupção,
298-9
flertes comunistas de, 71-2
história política familiar de, 18-9
inexperiência política de, 158-9
infância de, 48-50
iniciação política de, 17
inspiração política de, 15-7

interrogatório de, 143-5
legado de, 350-1
magistério, 54-5
mandado de prisão para, 91
Marx e, 75-6
morte do pai de, 112-4
MST e, 260-4
na Argentina, 97-8
na faculdade de filosofia, 52-54
na França, 118-20
nascimento de, 33
no Chile, 102-5
oposição à ditadura militar, 161-2
percepção da América Latina e,
105-6
Plano Real, 229-33
políticas de distribuição de terras
de, 261-2
políticas educacionais de, 340
pós-presidência, 347-352
presidência de, 20, 251-346
protestos pelas eleições diretas
encabeçados por, 182-3
PSDB e, 207
Quadros e, 80-2, 199-202
quotas de inclusão sob, 318-9
reeleição buscada por, 283
reexílio de, 114-5
relação de Clinton com, 321-6
relação de Lula com, 163-4, 302-3
reputação acadêmica de, 115-7
Revolução de Maio e, 122-3
ridicularização da mídia de, 240-2
Sartre traduzido por, 77-8
sistema de cátedra e, 129-30
sucesso político de, 162-3
vida pessoal de, 285
visita à França, 333-4
visita à Inglaterra, 330-2

359

visitas globais de, 330-1
Cardoso, Leônidas, 37-9
carioca, 48
Carlos, Juan, 334
Carmichael, William D., 138
carnaval, 234-6
Carvalho, Cândido Procópio de, 137
Carville, James, 242
Castells, Manuel, 174
Castro, Fidel, 276-80
má-vontade em relação a, 278-80
posse de, 70
cátedra, 93, 129
Cebrap. *Ver* Centro Brasileiro de Análise e Planejamento
Centro Brasileiro de Análise e Planejamento (Cebrap), 136-40
Cepal. *Ver* Comissão Econômica para a América Latina e o Caribe
Chávez, Hugo, 281-2
Chile, 102
democracia no, 107
golpe no, 146-8
China, 87, 328-9
Chirac, Jacques, 334
Chomsky, Noam, 257
Churchill, Winston, 332
Clinton, Bill, 22, 216, 242, 304
apoio ao Brasil, 324
relação com Fernando Henrique Cardoso, 321-6
Cohn-Bendit, Daniel, 119
colapso econômico, 294
Collor, Pedro, 212-3
Comissão Econômica para a América Latina e o Caribe (Cepal), 102

Comunidade Solidária, 342
comunismo, 70-2, 175-6
fracasso do, 174
no Brasil, 71-2
Constant, Benjamin, 114
Copa do Mundo, 244-5
corrupção, 20, 211-2, 298
Cortina de Ferro, 175
Covas, Mário, 206, 298
Cruz, Newton, 186
Cuba
autoritarismo em, 277
Brasil e, 276-7
declínio da popularidade política de, 281
oposição dos Estados Unidos a, 280-1
pobreza em, 277-8

D'Alema, Massimo, 334
Democracia e autoritarismo (Fernando Henrique Cardoso), 152
democracia
no Chile, 107
oposição de Vargas à, 44
voto pela, 186
liberal, 46-7
Denys, Odílio, 87
Dependência e desenvolvimento na América Latina (Fernando Henrique Cardoso e Enzo Faletto), 115, 118
Di Tella, Torcuato, 102
Dias, Erasmo, 141
Dirceu, José, 238
disputas de terras, 257-9
distensão, 156
distribuição de terras, 256-7, 261-2

ditadura, 99-100, 161-2, 319-20
Dornelles, Francisco, 194
Dutra, Eurico Gaspar, 51, 52
Dutra, Olivio, 309
Echevarria, José Medina, 102
Efeito Samba, 286
"efeito tequila", 295
eleições diretas, 181-3
escravidão, 29-30
Estados Unidos
China repelida pelos, 328-9
Cuba e, 280-1
relação do Brasil com, 322-3

Faletto, Enzo, 116
Faria, Oswaldo Cordeiro de, 150
Faria, Vilmar, 137
Farias, Paulo César, 212
Fausto, Boris, 135
favelas, 33, 56-7
fazendas, 259
feijoada, 105
Fernandes, Florestan, 57, 101, 131, 137, 153
Figueiredo, Fidelino de, 52, 53
Figueiredo, João Baptista, 182, 184, 185, 186
Fleming, Peter, 47
Flores, Fernando, 146, 147
Floresta Aurora, 58, 59
flutuação, 226
FMI. *Ver* Fundo Monetário Internacional
Folha de S. Paulo, 233, 234
Fortunato, Gregório, 63
Fragelli, José, 194, 195
França, 118-9, 120-1, 333
France, Anatole, 39
France Soir, 67

Franco, Gustavo, 229
Franco, Itamar, 214-8, 349
escândalo de, 235-7
presidência de, 215-8
retorno político de, 307-8
Fritsch, Winston, 229
Fundação Ford, 137, 138
Fundo de Emergência Social, 231
Fundo Monetário Internacional (FMI), 222, 304-7
Furtado, Celso, 102-3, 104, 139
futebol, 243-5

Gaparian, Fernando, 150
Garotinho, Anthony, 309
Gaulle, Charles de, 85
Geisel, Ernesto, 156
Gianotti, José Arthur, 74, 131, 137, 158
globalização, 118, 228, 287, 288
golpes
natureza insidiosa dos, 94
no Brasil, 91-2
no Chile, 146-8
Gomes, Paulo Emílio Salles, 73
Gomes, Severo, 153, 161, 214
Gonçalves, Leônidas Pires, 194
González, Felipe, 207, 334
Gorbachev, Mikhail, 177, 216
Goulart, João, 61, 84
presidência de, 88, 89, 90
viagem à China, 87
Grant, Ulysses S., 28
greves trabalhistas, 99
Guanaes, Nizan, 242
Guerra da Coreia, 72
Guevara, Che, 84
Guimarães, Ulysses, 157, 183, 214
Gusmão, Roberto, 85, 142

Habermas, Jürgen, 179
Herzog, Vladimir, 134-5
hiperinflação, 225
Hirschman, Albert, 153-5
Hirszman, Leon, 110
História concisa do Brasil (Fausto), 135
Holocausto, 46
Hugo, Victor, 27, 39
Humboldt, Alexander von, 27

Ianni, Octavio, 75, 131, 137
Igreja Católica, 129
indexação, 227
inflação, 216, 221, 222
causas da, 225
no Brasil, 216-7, 224-6, 228-9
pobres punidos pela, 227-8
Instituto Fernando Henrique Cardoso, 348
integralistas, 17-8

jeitinho, 136
João Paulo II, papa, 173, 315
João, Dom, 26
Jospin, Lionel, 334
Junqueira, Aristides, 213
junta, 148-9

Kirchner, Néstor, 281
Kissinger, Henry, 145, 146
Kohl, Helmut, 274, 275
Kowarick, Lucio, 139
Kubitschek, Juscelino, 64, 65, 699, 225-6

Lacerda, Carlos, 62, 70
Lafer, Celso, 139, 269
Lagos, Ricardo, 107, 147, 334

Lamounier, Bolívar, 137
Lampreia, Luiz Felipe, 219-20
Lei da Propriedade Rural de 1862, 260
Lei Falcão, 161
Leite, Ruth Villaça Correa, 76
Longfellow, Henry Wadsworth, 27
Lopes, Juarez Brandão, 76, 137
Lott, Henrique Teixeira, 64, 80
Lozada, Gonzalez Sánchez de, 272
Luís, Washington, 36
Mackenzie, 125
Malan, Pedro, 139, 229, 296
Mandela, Nelson, 334-5
Marcílio Dias, 59
Martins, Carlos, 137
Martins, Paulo Egydio, 143
Martone, Celso, 233
Marx, Karl, 74-5
Maxwell, Kenneth, 99
MDB. *Ver* Movimento Democrático Brasileiro
Mello, Thiago de, 107
Melo, Fernando Collor de, 208-9
corrupção de, 211-2
eleição presidencial de, 210
extravagância de, 212
família de, 208
planos de, 209-11
impeachment de, 213
Mendel, Ernest, 143
Menem, Carlos, 293
Mercosul, 275, 324-5
México, 286
Montoro, Franco, 179-80, 206
Motta, Sérgio, 291, 298
Movimento Democrático Brasileiro (MDB), 157
Movimento Solidariedade, 173

Movimentos dos Trabalhadores
Rurais Sem Terra (MST), 256-8,
260-2
MST. *Ver* Movimentos dos
Trabalhadores Rurais Sem Terra

negros, 56-9, 315-8
Neruda, Pablo, 107
Netto, Delfim, 234
Neves, Tancredo, 88
morte de, 198
nomeação presidencial de, 188
presidência de, 189;
saúde de, 191, 193-4
Niemeyer, Oscar, 72
Nixon, Richard, 137
Nova York, 336-8
Novais, Fernando, 75-6

Obrador, Andrés Manuel Lopez,
281
Oliveira, Francisco, 139
Oliveira, José Aparecido de, 82-3
Oliveira, Roberto Cardoso de, 74
OMC. *Ver* Organização Mundial
do Comércio
ONGs. *Ver* Organizações Não
Governamentais
Organização das Nações Unidas
para a Educação, a Ciência e a
Cultura (Unesco), 59
Organização Mundial do Comércio
(OMC), 268
Organizações Não Governamentais
(ONGs), 266

Page, Joseph A., 79
Paiva, Rubens, 133-4, 319

Paraguai, 30
Partido Comunista, 41
Partido da Social Democracia
Brasileira (PSDB), 206-7
Pasteur, Louis, 27
Pazzianotto, Almir, 170
Pedro II, Dom, 25
exílio de, 31
inteligência de, 26-7
problemas de saúde de, 31
viagens de, 28-9
visita aos Estados Unidos, 27-8
Peixoto, Floriano, 59
Pelé, 79-80
Petrobras, 291
PIB. *Ver* Produto Interno Bruto
Pinochet, Augusto, 100, 108, 147-8
Pinto, José Magalhães, 85, 204
Plano Real, 229
desvalorização do, 309-10
elementos do, 230-2
futebol e, 243-5
primeiros passos do, 238
recepção do, 232-4
sucesso do, 245-8
pobreza, 277-8, 316
política de poder do Terceiro
Mundo, 273
política, 199-200
arte da, 159-60
poder do Terceiro Mundo, 273
vida social e, 204
Polônia, 173-4
Pomerantz, Lenina, 177
Prado, Bento, 91, 131
Prats, Carlos, 147
Prestes, João, 177
Prestes, Luís Carlos, 41, 72, 89, 177

Prodi, Romano, 334
Produto Interno Bruto (PIB), 140
PSDB. *Ver* Partido da Social
   Democracia Brasileira
Putin, Vladimir, 334

Quadros, Jânio, 320
Brasil deixado por, 86
volta de, 199
morte de, 202
política suja de, 199-200
educação de, 67
tentativa de proibir a minissaia
   e o biquíni, 69
ascensão política, 68
mulherengo, 69
retorno de, 110-1
presidência de, 65-7
pactos comunistas feitos por, 70-1
Fernando Henrique Cardoso e,
   80-2, 199-202
renúncia de, 84-5

raça, 55-7, 317-8
Ramos, Graciliano, 35
Ramos, Lilian, 235, 236
Reagan, Ronald, 175, 322
Reale, Miguel, 94
Rego, José Lins do, 35
Resende, André Lara, 229
Reunião de Cúpula Ibero-
   Americana, 278
Revista de Novíssimos, 50-1
Revolução de Maio, 119
Ribeiro, Darcy, 88-9
Rice, Condoleezza, 326-7
Ricupero, Rubens, 242
Rodrigues, Leôncio Martins, 95
Rússia, 286

Sampaio, Plinio de Arruda, 110
Samper, Ernesto, 296
Santiago, 105-7
São Paulo, 47-8
*São Paulo 1975: Crescimento e
   Pobreza* (Cebrap), 140
Sardenberg, Ronaldo, 217
Sarney, José, 194-5, 196-7, 349
Sartre, Jean-Paul, 76-9
Saturday Night Fever, 176
saudade, 108
Schröder, Gerhard, 334
Schwarz, Roberto, 76
Segall, Mauricio, 96
Serra, José, 109, 146, 206, 269, 299,
   344
Silva, Luiz Inácio Lula da, 67,
   167-8
amabilidade de, 165-6
aspirações presidenciais de, 239,
   343
ataque militar a, 172
eleição presidencial de, 345-6
encontro com Fernando Henrique
   Cardoso, 302-3
equívoco de, 171
iniciação política de, 166
morte da mãe de, 172
morte da mulher, 164
passado de, 163-4
políticas equivocadas de, 209-10
popularidade de, 168-9
primeira corrida presidencial de,
   209
promessas presidenciais de, 345
raiva pela perda da eleição, 300
relação com Fernando Henrique
   Cardoso, 163
sindicatos e, 165

Singer, Paul, 76, 137
Sisulu, Walter, 335
Skidmore, Thomas, 42
Soares, Mário, 334
Sociedade Brasileira para o
Progresso da Ciência (SBPC),
153
sociologia, 53-4
Stalin, Josef, 73
suborno, 211-2
Sunkel, Osvaldo, 112

Tailândia, 286
Telebrás, 288-91
Touraine, Alain, 121
Tribuna da Imprensa, 63
Tse-tung, Mao, 87

Unesco. *Ver* Organização das
Nações Unidas para a Educação,
a Ciência e a Cultura
União Europeia, 274
Universidade de São Paulo, 125

Valdez, Juan, 292
Vargas, Getúlio, 17-8, 36-7
amabilidade de, 42
brutalidade de, 41
oposição à democracia, 44
nacionalismo apoiado por, 43
presidência devolvida a, 61
passado de, 42-3
derrota de, 46-7
morte de, 63-4
paranoia, 17-8
Vasquez, Tabaré, 281
Vaz, Rubens, 63
Veja, 150
Venezuela, 327
Vinhas da ira, As (Steinbeck), 34

Wainer, Samuel, 63, 104
Weffort, Francisco, 76, 103, 137, 147
Wojtyla, Karol, 173

Zedillo, Ernesto, 334
Zemin, Jiang, 328

Este livro foi composto na tipologia Minion Pro,
em corpo 11/15, e impresso em papel off-white
no Sistema Cameron da Divisão Gráfica da Distribuidora Record.